Collection « Armand Colin Cinéma »

dirigée par Michel Marie

Jacques Aumont
Professeur à l'université
de Paris-III Sorbonne Nouvelle

Michel Marie
Professeur à l'université
de Paris-III Sorbonne Nouvelle

L'Analyse
des films

2e édition

ARMAND COLIN

A Raymond Bellour

INTRODUCTION

L'analyse de films n'est pas une activité absolument nouvelle, loin de là. On pourrait presque dire, en forçant un peu les choses, qu'elle est née en même temps que le cinéma : à leur façon, les chroniqueurs qui rendaient compte des premières séances du Cinématographe, en commentant avec force détails les « vues animées » qu'ils découvraient, étaient déjà un peu analystes (parfois précis, pas toujours très exacts).

Depuis, les critiques spécialisés ont pris la relève ; chez certains, l'attention portée au film est si aiguë qu'elle en devient véritablement analytique. (Le bon critique de cinéma n'est-il pas, entre autres, celui qui sait dissocier la forme filmique de l'histoire racontée ?) Plus récemment encore, avec l'intégration de plus en plus marquée du cinéma dans l'institution culturelle (par le biais des ciné-clubs, des salles de répertoire, des cinémathèques), et surtout dans l'institution éducative, dans l'école, les choses se sont accentuées. Le cinéma aujourd'hui appartient au patrimoine culturel ; la télévision, la radio, les journaux le discutent au même titre que les arts traditionnels ; l'Université a fini, il y a quinze ou vingt ans, par le découvrir. Bref, on ne l'a jamais tant glosé ni étudié, et c'est là bien entendu la raison majeure du développement systématique, surtout dans le cadre de ces institutions, d'une pratique de l'analyse de films.

En effet, si l'on en était resté aux fiches filmographiques de l'IDHEC, telles qu'elles s'écrivaient autour de 1950, ou même aux (excellentes) critiques rédigées par André Bazin pour « Peuple et Culture », ce livre n'aurait sans doute pas d'objet. Ce qui nous permet de tenter une théorisation de l'analyse de films, c'est avant tout l'apparition, vers 1965-1970, dans un contexte majoritairement universitaire ou para-universitaire, et en étroite liaison avec les débuts d'une théorie moderne du cinéma, d'un genre d'analyse, plus poussée, plus systématique – ce qu'on a parfois un peu abusivement appelé « l'analyse structurale ». L'analyse structurale n'est qu'un point de départ, vite débordé de toutes parts on le verra, mais qui, aujourd'hui encore, joue un peu le rôle d'une sorte de mythe directeur de l'analyse de films en général (quand ce ne serait que pour avoir obligé les analystes à utiliser, à propos du film, les concepts et les méthodes des dites sciences humaines).

4

En France, plus largement en Europe, comme en Amérique du Nord, il existe actuellement, dans les Départements universitaires d'enseignement du cinéma, dans les institutions de recherche, bon nombre d'analystes « professionnels » ; leur travail se publie, en français, en anglais, mais aussi en italien ou en espagnol, dans des revues spécialisées, à public majoritairement universitaire, comme *Cinema Journal, Wide Angle* ou *Camera obscura* (États-Unis), *Iris* (France), *Versus* (Pays-Bas), *Contracampo* (Espagne), *Screen* ou *Framework* (Grande-Bretagne), etc.

Ce livre s'écrit donc à un moment où, largement institutionnalisée, l'analyse des films semble pourtant se chercher, hésiter entre divers supports méthodologiques et s'interroger sur sa visée. A la décennie soixante-dix, qui a vu le développement très rapide, sur tous les plans, des études cinématographiques à l'échelle mondiale, succède aujourd'hui une période où ces études, installées, ont davantage encore le souci de se légitimer pleinement, en égalant en sérieux et en rigueur les études humanistes plus traditionnelles (et parfois, en visant carrément à la science). Dans ce souci de légitimation, le geste le plus courant est l'emprunt de concepts, de méthodes, de champs théoriques à d'autres disciplines, ou plus souvent encore, à d'autres théories, constituées à propos d'autres objets (spécialement, mais pas uniquement, l'objet « littérature »). C'est ainsi qu'on a pu lire des analyses de films structuralo-marxistes, sémiopsychanalytiques, néo-formalistes, derridiennes, voire lyotardiennes ou deleuziennes. Cet étiquetage est un peu facile, et nous n'insisterons pas — mais quelques-unes de ces analyses ont été, parfois, aussi caricaturales que leurs étiquettes.

Le problème, on le voit bien, est que l'analyse de film ne saurait être considérée comme une véritable discipline, mais, selon les cas (nous y reviendrons dans le cours de ce livre) comme application, développement, invention de théories et de disciplines. C'est dire que, pas plus qu'il n'existe une théorie unifiée du cinéma, il n'existe aucune méthode universelle d'analyse des films. Malgré sa forme négative, cet énoncé nous semble essentiel à garder à l'esprit : c'est lui en tout cas, qui, pour la plus grande partie, fonde la démarche de ce livre. Nous renonçons, en effet, d'emblée, à constituer une méthode (une « grille », comme on dit parfois de façon assez leurrante), pour tenter au contraire de recenser, de commenter, de classer les analyses les plus importantes réalisées à ce jour, afin d'en faire ressortir les acquis méthodologiques, et d'esquisser la possibilité d'une application de ces acquis au-delà de l'objet premier. C'est dire que nous donnerons beaucoup d'exemples, certains développés assez longuement, et que nous éviterons autant que possible de donner des recettes trop générales. Le principe de ce livre, au fond, est de chercher à maintenir l'équilibre entre la singularité des analyses et le souci de réflexion méthodologique, voire épistémologique, forcément plus général.

Corrélativement, le plan que nous avons adopté, s'il s'efforce de respecter une certaine progression d'un chapitre à l'autre, ne vise pas à l'exhaustivité ni à une systématicité absolue. En fait, nous avons alterné des chapitres généraux (ch. 2 : Les « instruments » de l'analyse ; ch. 5 : L'analyse de l'image et du son ; ch. 7 : Analyse et histoire) avec d'autres où se décrivent plus en détail et sur exemples les principaux corps de méthode qui ont nourri l'analyse des films depuis qu'elle existe (ch. 3 : Le point sur l'analyse « textuelle » ; ch. 4 : Les méthodes de la narratologie appliquées au film ; ch. 6 : Psychanalyse et analyse du film). Le livre s'ouvre en outre sur un chapitre qui vise à mieux cerner la définition de l'analyse (notamment en l'opposant à d'autres discours sur le film), tandis que le chapitre 8 et dernier en examine les visées principales.

Encore une fois, on ne trouvera pas ici (ni ailleurs) « la » méthode qui, miraculeusement, permettrait à n'importe qui d'analyser n'importe quel film. Nous croyons pourtant que, outre les éléments de réflexion générale qu'il contient, ce livre permet, sur beaucoup de points, d'éclaircir les choix possibles, de souligner les précautions indispensables, et bien sûr de suggérer des approches envisageables, en termes assez concrets pour être mis à profit, très vite, dans des analyses effectives. Enfin, à cette visée principale de notre ouvrage s'en ajoute une autre (qui à nos yeux n'est pas moins importante) : nous espérons, par cet échantillonnage des meilleures analyses de film, donner le goût de lire ces analyses — parfois longues, souvent difficiles, mais auxquelles le lecteur aura toujours intérêt à retourner lui-même. Nous espérons ainsi que ce livre — avant tout destiné à tous ceux qui étudient le cinéma (ou l'enseignent, ce qui revient au même) — pourra aussi satisfaire le lecteur simplement curieux d'approfondir sa réflexion sur les films, en la rendant plus rationnelle et mieux documentée.

Les auteurs de ce livre ont aussi collaboré, avec Alain Bergala et Marc Vernet, à la rédaction d'un ouvrage antérieur, *Esthétique du Film,* paru dans la même collection en 1983, et qui est largement complémentaire du présent volume.

Nous nous sommes permis, à plusieurs reprises, sur tel ou tel point théorique que nous ne pouvions réexposer en détail, de renvoyer en note à cet ouvrage.

Nous remercions, pour l'aide amicale qu'ils nous ont apportée dans la rédaction de notre manuscrit, notamment par leurs critiques sur des versions antérieures, André Gaudreault, Ratiba Hadj-Moussa, Roger Odin, Dana Polan, Francis Vanoye, Marc Vernet.

Enfin, nous tenons à rendre un hommage particulier à Raymond Bellour, dont les travaux, décisifs pour la reconnaissance de l'analyse filmique comme partie intégrante de l'activité théorique, ont permis l'idée même de ce livre ; notre titre, délibérément voisin de son *Analyse du film,* veut aussi traduire cet hommage.

N.B. Nous avons tenté, autant que possible, de commenter des analyses écrites par d'autres chercheurs ; cependant, il nous arrive pour certains points particuliers, et notamment dans le chapitre 5, de résumer des analyses écrites par l'un d'entre nous. Le « nous » renvoie à l'auteur bicéphale de cet ouvrage, le nom propre de l'un ou de l'autre à des analyses individuelles antérieures.

CHAPITRE 1

POUR UNE DÉFINITION DE L'ANALYSE DE FILMS

1. ANALYSE ET AUTRES DISCOURS SUR LE FILM

1.1. Divers types de discours sur le film.

Ce livre est consacré à la présentation et à l'examen d'un certain type de discours sur les *films*. Cela ne veut pas dire que nous évacuerons toute considération des aspects purement « cinématographiques ». Les films sont aussi des produits, vendus sur un marché spécifique ; leurs conditions matérielles, et surtout psychologiques de présentation au public, et à chaque spectateur en particulier, sont modelées par l'existence d'une institution, socialement acceptée et économiquement viable, d'autant plus perceptible qu'elle est actuellement en pleine mutation ; il n'est pas jusqu'au dispositif même de la salle obscure qui ne détermine, jusqu'à un certain point, leur réception et leur existence. Nous aurons l'occasion de revenir sur ces conditions et ces contraintes antérieures au film, extérieures à lui, mais inscrites plus ou moins nettement dans son corps même.

Pourtant, il nous faut souligner d'entrée de jeu que le type de discours que nous entendons étudier ici se préoccupe avant tout des films, considérés en tant qu'œuvres prises en elles-mêmes, indépendantes, infiniment singulières. Aussi bien est-ce par rapport à toutes les variétés de discours sur le film ainsi entendu que se définit le plus commodément et le plus clairement celui dont nous voulons parler.

Nous n'aborderons que très accessoirement les discours sur le film qui l'envisagent d'un point de vue extérieur à l'œuvre : il existe un discours juridique, sociologique, psychologique sur le film, autant d'approches que de sciences humaines. Nous les distinguerons de l'analyse de film proprement dite.

L'analyse de film, dans l'acception que nous lui donnerons tout au long de cet ouvrage, n'est pas étrangère à une problématique d'ordre esthétique ou langagier. Le but de l'analyse est alors de faire mieux aimer l'œuvre en la faisant mieux comprendre. Il peut également être un désir de clarification du langage cinématographique, avec toujours un présupposé valorisant vis-à-vis de celui-ci.

Les méthodes d'analyse que nous étudierons dans ce livre appartiennent à cet ensemble. Nous considérerons par conséquent le film comme une œuvre artistique autonome, susceptible d'engendrer un *texte* (analyse textuelle) fondant ses significations sur des structures narratives (analyse narratologique), sur des données visuelles et sonores (analyse iconique), produisant un effet particulier sur le spectateur (analyse psychanalytique). Cette œuvre doit être également envisagée dans l'histoire des formes, des styles et de leur évolution.

Nous proposerons donc de distinguer les analyses de films intrinsèques de celles qui nécessitent une confrontation de l'œuvre étudiée avec d'autres manifestations sociales. Pour prendre un exemple, l'analyse proprement historique d'un film devra bien entendu dans un premier temps procéder à l'étude interne de l'œuvre, en décomposant notamment les éléments de représentation socio-historique observables en son sein. Mais cette étude sera sélective ; elle ne tiendra pas compte des éléments qui ne jouent aucun rôle dans le mécanisme de représentation historique ; par exemple, le fait que le film soit en couleur, ou en CinemaScope. De plus, elle devra nécessairement confronter ses résultats aux autres types de représentation produits par la littérature, la presse, l'affiche, etc.

Dans *Sociologie du cinéma*, l'historien Pierre Sorlin prélève dans *Ossessione* (Visconti, 1942) toutes les unités qui concernent la représentation de la femme, l'image de la campagne et son opposition à la ville, *telle que la construit le film*. Selon son analyse, la ville a un cadre alors que la campagne n'en a pas : « Les cinéastes ne voient pas la campagne, elle ne leur est pas perceptible, ils n'arrivent à la saisir que par des traits périphériques ou transitifs (ce qui passe à travers). C'est cette cécité qui intéresse l'historien des sociétés pour ce qu'elle lui apprend du milieu productif de film dans l'Italie de 1942. »

Cependant, analyser un film, même en tant qu'œuvre artistique, est au fond une activité banale, du moins sous une forme non systématique, que tout spectateur tant soit peu critique, distant de l'objet, pratique à un moment donné de sa vision. Le regard que l'on porte sur un film devient analytique dès que, comme l'étymologie l'indique, l'on décide de dissocier certains éléments du film pour s'intéresser plus spécialement à tel moment, telle image ou partie d'image, telle situation. Ainsi définie, minimalement mais exactement, par l'attention portée au détail, l'analyse est une attitude commune au critique, au cinéaste et à tout spectateur un peu conscient. Il doit être clair, en particulier, qu'un bon critique est toujours peu ou prou un analyste, au moins en puissance, et qu'une de ses qualités est précisément son pouvoir d'attention envers les détails, lié à une forte capacité interprétative. Toutefois, la myopie analytique peut se transformer en aveuglement en noyant le regard dans la forêt des détails.

Mais si l'attitude analytique est, ou devrait être, la chose du monde la mieux partagée, comme le sens critique, il nous reste à définir l'analyse systématique d'un film, en tant que discours spécifique. Pour ce faire, il convient de la confronter au discours qui en est le plus proche : le discours critique. En effet, que le film puisse être l'objet d'une grande diversité de discours est une évidence ; c'en est une également de constater que celles-ci sont différentes de l'analyse de films proprement dite.

1.2. Analyse et critique.

Nous ne retiendrons des principes et des buts de l'activité critique que les traits qui permettent de la distinguer de l'analyse de film. Cela nous amène aussitôt à situer le discours critique par rapport au discours « cinéphilique ». Celui-ci relève d'une attitude fondée sur l'effusion amoureuse vis-à-vis de l'objet et il est rare qu'elle fasse bon ménage avec le plaisir du décorticage analytique. Là encore, il faut préciser les acceptions. L'attitude cinéphilique est susceptible de tous les dosages possibles entre la relation passionnelle immédiate et le désir de connaissance.

Aux deux extrêmes, il y a l'approche cinéphilique prioritairement fétichiste, celle des magazines « grand public », de *Cinémagazine* jadis à *Première* ou *Studio* aujourd'hui, fondée sur le culte de l'acteur et des stars ; à l'autre pôle, la cinéphilie analytique qui est à la base de la critique de films conçue comme critique d'art. La première est caractérisée par l'évaluation fortement sélective, très souvent intolérante, le plaisir de l'accumulation répétitive et obsessionnelle, la pratique de l'allusion pour les « happy few ». Woody Allen dans *Annie Hall* (1975) et *La Rose pourpre du Caire* (1985) nous a offert de savoureux portraits de cinéphiles maniaques. La seconde approche recoupe celle des critiques des mensuels spécialisés comme les *Cahiers du Cinéma* et *Positif*. Il va sans dire que l'activité critique suppose la culture cinéphilique alors que l'amour du cinéma peut se satisfaire d'une relation exclusivement passionnelle et aveuglée, le désir de connaître étant alors perçu comme un obstacle à la jouissance.

L'activité critique a trois fonctions principales : informer, évaluer, promouvoir. Ces trois fonctions concernent très inégalement l'analyse. L'information et la promotion sont décisives pour la critique journalistique, celle des quotidiens et des hebdomadaires. L'évaluation qui permet l'expression du sens critique est aussi directement liée à l'activité analytique. Un bon critique est celui qui a du discernement, qui sait apprécier grâce à son acuité synthétique l'œuvre que la postérité retiendra. C'est aussi un pédagogue du plaisir esthétique, s'efforçant de faire partager la richesse de l'œuvre au plus large public possible. Il est évident que la part évaluative et analytique s'étoffe dans l'exercice de la critique spécialisée, celle des mensuels, alors que la part informative est prépondérante dans toute activité critique liée à l'actualité : presse écrite, radio, télévision, etc.

Il y a toutefois quelques rares exemples d'exercice de la critique quotidienne fondée sur une démarche analytique très poussée. Le cas le plus connu est celui d'André

Bazin, rédacteur de plusieurs centaines de notules dans *Le Parisien Libéré* dont la valeur critique ont justifié la réédition en volume. Bazin était un essayiste travesti en journaliste. Serge Daney, d'abord critique dans un mensuel spécialisé, les *Cahiers du cinéma*, exerce son talent analytique dans *Libération*. Ses articles quotidiens ont également donné lieu à une nouvelle publication en livre.

L'activité critique qui s'exerce dans les publications spécialisées sans lien direct avec l'actualité est rarement pratiquée par un journaliste professionnel. Le profil du critique est plutôt celui du militant culturel, la plupart du temps animateur, enseignant ou professionnel impliqué dans un des secteurs de la distribution et de l'exploitation des films. Le critique de mensuel a la tâche ingrate et toujours renouvelée de multiplier les informations sur les cinématographies méconnues et d'aborder les films plus confidentiels parce que plus difficiles, dont parle rarement le critique de quotidien. La part réservée à l'analyse plus approfondie d'une œuvre, qui est aussi une de ses vocations, est le plus souvent réduite à la portion congrue. L'évolution récente, tant de la presse spécialisée que de la distribution cinématographique de recherche et d' « art et essai » accentue ces difficultés : il est souvent plus urgent de mobiliser plusieurs pages en faveur d'un film novateur menacé de disparition rapide sur les écrans que de développer l'étude d'étaillée d'un des grands films d'auteur reconnus de l'année qui, lui, aura rencontré son public.

Le critère d'actualité ne joue aucun rôle dans la démarche de l'analyse ; son auteur peut choisir l'œuvre qui lui convient dans toutes les époques de l'histoire du cinéma, il n'est jamais soumis directement aux aléas de la distribution.

Pour le critique, le jugement d'appréciation est fondamental. En principe, il n'intervient pas dans les choix de l'analyste qui peut porter son attention sur les chefs-d'œuvre indiscutés de l'histoire du cinéma comme sur le tout-venant de la production commerciale. Ce choix doit être déterminé par des critères « objectivables », en fonction d'une pertinence donnée (esthétique, sociologique, historique, etc.). Bien entendu, une telle neutralité scientifique reste très illusoire et, derrière tout « choix d'objet », comme dans la relation amoureuse, il y a toujours des prédilections personnelles. Ce livre, comme tous les autres de sa catégorie, se réfère au corpus des films analysés, ensemble qui correspond peu ou prou à celui de la cinéphilie classique.

Le critique informe et offre un jugement d'appréciation, l'analyste doit produire des connaissances. Il est tenu de décrire minimalement son objet d'étude, de décomposer les éléments pertinents de l'œuvre, de faire intervenir le plus grand nombre possible de ses aspects dans son commentaire et d'offrir, ce faisant, une *interprétation*.

1.3. Analyse et théorie, analyse et singularité du film.

L'analyse n'a donc ni à définir les conditions et les moyens de la création artistique, même si elle peut contribuer à les éclairer, ni à porter des jugements de valeur, ni à établir des normes.

Ce dernier trait, en particulier, est important. Outre le fait qu'il distingue l'analyse d'une certaine conception de la critique, il contribue en effet à rapprocher l'analyse d'un autre ensemble de discours sur le cinéma que l'on a pris l'habitude de rassembler sous l'appellation de « théorie du cinéma ». A vrai dire, ce singulier est abusif car s'il existe depuis longtemps une activité théorique intense autour du cinéma et du phénomène filmique, c'est peu de dire qu'il n'existe à ce jour aucune théorie unifiée de l'un ou de l'autre. Comme « la » théorie donc, l'analyse de film est une façon de rendre compte en les rationalisant de phénomènes observés dans les films ; comme la théorie « du cinéma », l'analyse de films est une activité avant tout descriptive et non modélisante, même là où elle se fait parfois plus explicative.

L'analyse et la théorie partagent en fait les caractéristiques suivantes :

— l'une et l'autre partent du filmique, mais aboutissent souvent à une réflexion plus large sur le phénomène cinématographique ;
— l'une et l'autre ont un rapport ambigu à l'esthétique, rapport souvent nié ou refoulé, mais apparent dans tel choix d'objet ;
— l'une et l'autre enfin, ont actuellement leur place pour l'essentiel dans l'institution éducative, et plus spécialement dans les universités et les instituts de recherche.

Comme nous l'avons affirmé d'emblée en introduction, il n'existe pas, malgré ce qui en a parfois été dit ici ou là, de méthode universelle d'analyse de films. Certes, il existe des méthodes, relativement nombreuses, et de portée plus ou moins générale (sans quoi ce livre n'aurait pas d'objet) mais, du moins à ce jour, elles restent relativement indépendantes les unes des autres.

Autrement dit, il serait préférable de dire que ce dont il est question ici, c'est de la possibilité et de la **façon d'analyser** un film plutôt que de la **méthode générale d'analyse** du film : d'où le choix de notre titre : *L'Analyse des films*.

En somme, il n'y aurait jusqu'à un certain point que des analyses singulières, entièrement appropriées dans leur démarche, leur longueur, les objets qu'elles considèrent, au film particulier dont elles s'occupent.

Naturellement, à peine émise, cette idée doit être contestée. D'abord, parce qu'elle est un peu simpliste. Certes, chaque analyste doit se faire à l'idée qu'il lui faudra plus ou moins construire son propre modèle d'analyse, uniquement valable pour *le* film ou *le* fragment de film qu'il analyse ; mais en même temps, ce modèle sera toujours, tendanciellement, une possible ébauche de modèle général, ou de théorie : c'est là, au fond, une conséquence directe de ce que nous avons dit un peu plus haut sur la consubstantialité de l'analyse et de la théorie. Tout analyste a vocation à devenir théoricien, s'il ne l'est déjà au départ, et la multiplication des analyses singulières a bien souvent pour cause ou pour but le désir de perfectionner ou de contester la théorie.

On peut déjà mentionner, à titre de symptôme de cette tendance au général à partir du singulier, les titres de deux livres qui sont des recueils d'analyses singulières et de textes méthodologiques sur des points particuliers : *L'Analyse du film,* de Raymond Bellour, et *Théorie du film,* ouvrage collectif sous la direction de Jacques Aumont et Jean-Louis Leutrat.

Mais si l'idée d'une analyse irréductiblement singulière doit être acceptée avec précaution, c'est aussi parce que, si on la poussait à ses ultimes conséquences, elle impliquerait aussitôt des questions presque insolubles relativement à la validité de l'analyse. On peut toujours imaginer que, outre sa méthode propre, l'analyste se soucie aussi de définir ses propres critères de validité — mais on voit bien que ces critères, s'ils doivent à chaque fois être considérés comme *sui generis,* risquent d'être peu convaincants.

C'est là une question de fond, toujours présente dans la pratique et la méthodologie de l'analyse de films : si l'analyse est singulière, qu'est-ce qui la garantit ? Cette singularité ne va-t-elle pas affecter aussi bien l'analyste ? Autrement dit, ne risque-t-on pas d'aboutir très vite à un relativisme universel, à la possibilité de concevoir l'analyse comme infiniment singulière, et par exemple à l'idée qu'il existe une infinité d'analyses possibles de chaque film, toutes aussi valables et légitimes ?

Nous reviendrons sur tous ces points dans le chapitre 7, 2 : « Garanties et validation d'une analyse. »

1.4. Analyse et interprétation.

La question de la validité d'une analyse est donc centrale, elle recouvre la question suivante : l'analyse se distingue-t-elle seulement de la critique ? Question qui, elle-même, touche à une autre question, également délicate, celle de *l'interprétation.*

Pour de nombreux analystes, le mot « interprétation » est marqué péjorativement, et très souvent synonyme de « surinterprétation » ou d'interprétation arbitraire ou « délirante » : ce serait, en somme, l'excès de subjectivité d'une analyse, la part plus ou moins injustifiable quoique inévitable de projection ou d'hallucination.

Or, la question n'est pas simple. Certes, il est relativement aisé en général (mais pas toujours) de rejeter des interprétations abusives, fondées sur des éléments trop peu nombreux ou incertains. Mais il est toute une frange de l'analyse qui, par nature même, confine à l'interprétation, sans qu'on puisse trancher aussi aisément. Pour notre part, il nous semble qu'une attitude plus franche consisterait à admettre que l'analyse a bel et bien à voir avec l'interprétation ; que cette dernière serait, si l'on veut, le « moteur » imaginatif et inventif de l'analyse ; et que l'analyse réussie serait celle qui parvient à utiliser cette faculté interprétative, mais en la maintenant dans un cadre aussi strictement vérifiable que possible.

Inutile de dire que c'est là un idéal rarement atteint, et que l'analyste reste toujours un peu « coincé » entre le désir de s'en tenir strictement aux faits, au risque de ne faire que paraphraser le film, et le désir de dire quelque chose d'essentiel sur son objet, au risque de déformer les faits ou de les tirer abusivement dans une direction.

Dans son article « Pour une sémio-pragmatique du cinéma », Roger Odin a proposé l'hypothèse que chaque film peut donner lieu, sinon à une infinité, du moins à un grand nombre d'analyses, et que le texte même du film jouerait par rapport à cette possibilité de multiplication comme une limitation : le film, en somme, ne proposerait de lui-même aucune analyse particulière, il ne ferait qu'interdire certaines voies d'approches. « Non seulement un film ne produit pas de sens en lui-même, mais tout ce qu'il peut faire, c'est *bloquer* un certains nombres d'investissements signifiants. »

Cette formulation a l'avantage de définir le film comme garant — et seul garant — de la pertinence de l'analyse, et du non-délire de l'analyste.

L'histoire du cinéma est riche en films ayant donné lieu à des interprétations largement divergentes, voire franchement contradictoires ; c'est le cas de nombreuses œuvres de Luis Buñuel : *Nazarin* (1958), *L'Ange exterminateur* (1962), *Le Fantôme de la liberté* (1974) ; comme de Pier Paolo Pasolini : *L'Évangile selon Saint Matthieu* (1964), *Théorème* (1968), *Salò ou les 120 journées de Sodome* (1974).

2. DIVERSITÉ DES APPROCHES ANALYTIQUES : QUELQUES JALONS HISTORIQUES

Nous avons évoqué en introduction l'ancienneté de la tradition consistant, selon divers contextes, à analyser des films. Les deux sources principales sont donc l'exercice de la critique et celle de l'enseignement. L'un des précurseurs en ce domaine est assurément le jeune cinéaste soviétique, Lev Koulechov, qui eut l'occasion d'être en 1919 l'un des premiers enseignants de cinéma au sein de l'École d'État de la Cinématographie de Moscou. L'atelier qu'il dirige alors verra passer en dix ans à peu près tout ce que le cinéma russe muet compte de réalisateurs et aussi d'acteurs de quelque importance. En 1929, à la veille de bouleversements majeurs dans le cinéma soviétique, Koulechov publie un petit livre intitulé *L'Art du Cinéma* où il reprend et synthétise l'essentiel des acquis théoriques et pratiques de ses dix années d'enseignement.

Cette brochure de Koulechov ne comporte pas d'analyses de films en bonne et due forme, mais elle traite systématiquement des principaux problèmes de l'art du cinéma d'un point de vue mi-théorique mi-pratique : le montage, l'éclairage, le décor, le travail du cameraman, le scénario, le jeu de l'acteur... Nous citons ce livre ici car, fort d'une réflexion et surtout d'une expérience accumulée sous formes de travaux « de laboratoire », il présente chaque problème sous une forme extrêmement *articulée* et même parfois carrément sous forme de *grille* analytique. Le meilleur exemple du travail d'analyse proposé par Koulechov, et assurément le plus original encore aujourd'hui, serait son étude du jeu d'acteur. On y trouve une théorie de la « mise-en-cadre » de l'acteur qui doit permettre au cinéaste de plier ce matériau rebelle au calcul général de la mise en scène. Koulechov propose même un tableau très analytique de tous les mouvements envisageables pour le corps placé devant la caméra.

L'essai de Koulechov est, avec ceux de Béla Balàzs et de Vsevolod Poudovkine parus dans les mêmes années, à l'origine des « grammaires » du cinéma, notamment de celle de Raymond J Spottiswoode publiée à Londres en 1935 : *A Grammar of the Film : An Analysis of Film Technique* (sur ce point, voir

Esthétique du film, pp. 117-119). Nous retrouverons l'influence de ces grammaires dans les « fiches filmographiques » que nous aborderons en 2.2. ; mais elles ne comportent pas de véritables analyses de séquences de films, ou de construction générale d'un film, comme nous allons en trouver dans les exemples que nous allons maintenant aborder.

2.1. Un cinéaste scrute son œuvre pour mieux la défendre : Eisenstein.

Il est logique que nous rencontrions d'abord dans l'histoire de l'analyse S.M. Eisenstein en raison de l'ampleur et de la précocité de ses écrits consacrés, tant à l'esthétique générale du cinéma qu'à l'analyse d'œuvres artistiques de différents domaines : romans, peintures, pièces de théâtre, etc.

De plus, l'analyse de film que nous allons citer a été écrite en 1934 et nous n'avons pas connaissance d'études antérieures se livrant à une analyse aussi systématique d'une suite de plans. Elle inaugure une première période de l'esthétique du cinéma allant jusqu'aux années soixante, car on retrouve une démarche du même type dans la plupart des essais didactiques consacrés au découpage cinématographique : citons parmi des dizaines d'exemples possibles l'analyse d'une séquence de *Première Désillusion (The Fallen Idol,* de Carol Reed, 1948) menée par J.M.L. Peters dans un manuel publié par l'UNESCO en 1961.

D'autre part, l'analyse d'Eisenstein restée inédite en français a été traduite et publiée en 1969, soit 35 ans après (!), dans le n° 210 des *Cahiers du cinéma.* Cette traduction est une véritable résurrection du texte et il est intéressant de constater qu'elle ne précède que de six mois la publication de la première analyse « structurale » de film par Raymond Bellour dans la même revue (« *Les Oiseaux :* analyse d'une séquence »).

En 1934, alors même que l'esthétique « réaliste socialiste » est en passe de devenir hégémonique en U.R.S.S., les débats se font extrêmement vifs entre les cinéastes « poètes-montagistes » et les « prosateurs-narrateurs » ; quelques années seulement après les derniers grands films muets, leur charge métaphorique et pathétique se voit dénigrée par les critiques et les cinéastes officiels, au nom d'une exigence de représentation « réaliste » de l'homme vivant, de l'homme contemporain, de la vie quotidienne. C'est dans ce contexte, et pour faire face à l'accusation, encore implicite mais dangereuse, de formalisme, qu'Eisenstein décide de publier une analyse d'un bref fragment (14 plans) de son film *Le Cuirassé « Potemkine »* (1925).

L'article n'est pas long, et pour une fois Eisenstein y renonce presque entièrement à ses habituelles digressions, au profit d'un projet clairement annoncé et défini : défendre la « pureté du langage cinématographique » contre les excès du « retour aux classiques » du théâtre et de la littérature, qui servirent d'excuse à trop de cinéastes médiocres pour oublier les acquis de la réflexion sur le montage. Il est très remarquable que, plutôt que de critiquer les films jugés par lui mauvais et d'en faire ressortir par l'analyse la charge idéologique (ce qui se pratiquera, à grande échelle, à propos du cinéma hollywoodien

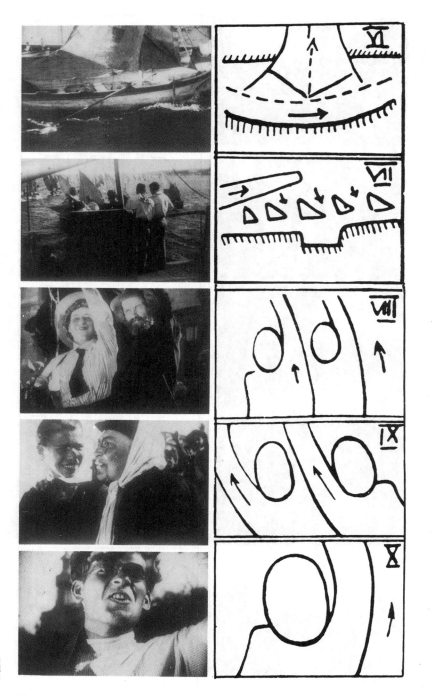

S. M. Eisenstein, *Le Cuirassé « Potemkine »* (1925).

dans tant de textes des années soixante et soixante-dix), Eisenstein choisit d'analyser, *positivement,* un fragment d'un de ses films, et de le prendre en quelque sorte comme exemple d'un langage de qualité : orientation constructive de l'analyse, et de la critique, qui n'est pas fréquente.

La ligne principale de l'analyse est excellemment exposée par l'auteur au début de son analyse :

> Pour démontrer l'interdépendance plastique des plans successifs, on a volontairement choisi non l'une des scènes choc, mais le premier passage venu : quatorze plans successifs de la scène qui précède la fusillade sur l' « escalier d'Odessa ». Il s'agit de la scène où les habitants d'Odessa envoient des yoles chargées de vivres au cuirassé mutin.
> L'envolée des salutations amicales se construit selon un chassé-croisé précis de deux thèmes :
> 1. Les yoles s'élancent vers le cuirassé ;
> 2. Les habitants d'Odessa font des signes d'amitié.
> A la fin, les deux thèmes se confondent. Pour l'essentiel, la composition est à deux plans : le fond du champ et le premier plan. Alternativement, chacun des thèmes devient dominant, passe au premier plan et repousse l'autre au second.
> La composition est bâtie : 1° sur l'interaction plastique des deux plans (à l'intérieur du cadre), 2° sur la modification, de cadre en cadre, des lignes et formes des deux plans de profondeur (par le montage). Dans le second cas, le jeu de la composition se fera par l'interaction des impression plastiques de l'image précédente venant se joindre à la suivante soit en choc, soit par un enchaînement de l'action.

Il n'est pas possible ici de reproduire dans son détail l'analyse entière, qui suit immédiatement cette déclaration de principe. La planche de photos et de schémas ci-jointe, due à Eisenstein lui-même, permettra de saisir rapidement comment l'auteur met en œuvre son programme d'analyse. On remarquera par exemple, aux plans II, III, IV, V et VI, l'apparition et les transformations d'un thème plastique, nettement souligné comme tel par les schémas : le thème de l'arc de cercle. Les schémas font également ressortir de façon très claire l'importance formelle accordée, par exemple, aux directions des mouvements dans le cadre comme aux directions des regards vers le hors-cadre (voir notamment les plans I, II, III, IV, V). Ou bien encore cet élément, sur lequel le texte insiste beaucoup, qu'est l'alternance du pair et de l'impair, particulièrement dans les plans sur des personnages.

Ce qui frappe avant tout, à vrai dire, dans cette analyse, c'est son caractère extrêmement *formel* ; Eisenstein s'y attache beaucoup au détail de la composition des plans, aux cadrages, au côté plastique de la succession des cadres, etc. — ce qui peut paraître surprenant à propos d'un film dont on a surtout vanté, à toutes les époques, la puissance lyrique et l'enthousiasme révolutionnaire. Mais l'analyse n'en est que plus éclairante : il s'agit, précisément, de démontrer que le lyrisme, l'enthousiasme (communicatif), et en fin de compte l'efficacité politique du film, ne s'atteignent qu'à travers un travail formel minutieux, obéissant à des lois propres dont la transgression, loin de ramener le cinéma vers plus de réalisme, ne fait que l'aplatir. Si Eisenstein passe tant de temps à relever ces arcs de cercle, ces verticales et ces horizontales, ces groupes pairs et impairs, ce n'est que pour mieux faire saillir, à sa place politiquement *et formellement* exacte, le plan sur le drapeau rouge (XIII) :

Après s'être éparpillée en petites voiles, la grande voile se rassemble à nouveau ; mais cette fois, ce n'est plus une voile, mais le drapeau flottant sur le « Potemkine ». Qualité nouvelle du fragment : il est statique et dynamique à la fois — le mât vertical est immobile, le drapeau flotte au vent. Formellement, le plan XIII répète le XI. Mais le remplacement de la voile par le drapeau transforme le principe de l'union plastique en principe de l'union idéologique-thématique. Ce n'est plus une simple verticale unissant plastiquement les divers éléments de la composition — c'est l'étendard révolutionnaire qui unit le cuirassé, les yoles et la rive.

Naturellement, cet exemple est, à bien des égards, exceptionnel. Même parmi les cinéastes les plus conscients des moyens de leur art, bien peu avaient, en 1934 et même plus tard, atteint à ce degré de raffinement et de méticulosité dans l'examen de leurs films. Chez Eisenstein lui-même, ce texte est peut-être celui qui va le plus loin dans une approche aussi systématique (et, bien souvent, il applique plus volontiers ses qualités d'analyste à la peinture ou à la littérature). Avec ses limites et ses défauts, car il y aurait beaucoup à redire, sinon à la méthode, du moins à certaines remarques de détail, il apparaît aujourd'hui comme l'un des prototypes, des « ancêtres » de l'analyse filmique.

2.2. Les analyses de films dans le cadre de l'animation culturelle : Les fiches filmographiques.

Lev Koulechov et S.M. Eisenstein étaient des cinéastes, en même temps que des enseignants intervenant dans le cadre d'écoles professionnelles de formation de créateurs. Il a fallu attendre 1943, puis 1945 en France (création de l'IDHEC par Marcel L'Herbier, puis développement de l'école) pour voir apparaître un phénomène du même genre. Simultanément, l'extension très rapide des ciné-clubs à partir de la Libération va favoriser la naissance de revues destinées aux animateurs. Ces revues publieront des analyses détaillées de films baptisées alors « fiches filmographiques » qui connaîtront une certaine fortune pendant deux décennies.

L'IDHEC qualifia dès l'origine de « filmographiques » les « fiches » rédigées par les élèves de l'Institut dans le cadre de leurs activités pédagogiques ; la fiche rédigée en première année était suivie d'un mémoire plus étoffé, dont certains ont été publiés par Jean Mitry, alors directeur d'études, dans sa collection « Les Classiques du cinéma » aux Éditions Universitaires. Le terme utilisé ici n'a qu'un lointain rapport avec l'acception que lui donnait Étienne Souriau dans son *Vocabulaire de la filmologie* (1951) pour lequel il désignait « tout ce qui existe et s'observe au niveau de la pellicule même ».
Outre les fiches de l'IDHEC, citons celles de l'UFOLEIS publiées par *Image et Son,* celles de la FFCC publiées par *Cinéma 54* et sq, celles de la FLECC publiées dans *Téléciné,* toutes trois revues de fédération de ciné-clubs. *Téléciné* avait toutefois la particularité d'être quasi exclusivement consacrée à l'édition de ces fiches et de ne pas pratiquer de « critique » de films, au sens traditionnel, comme les autres revues.

Image et Son, devenu *La Revue du Cinéma* et *Cinéma* ont cessé de publier ces fiches au début des années soixante pour se consacrer à la critique journalistique (comptes rendus brefs des films de l'actualité). Certaines fiches de l'IDHEC ont été publiées en monographies autour d'un auteur, par exemple à propos de Renoir (se reporter à la bibliographie en annexe du chapitre). La plupart de ces fiches ne sont consultables que dans des bibliothèques très spécialisées. Leur disparition est un symptôme de l'évolution des mensuels de cinéma, de la pédagogie « militante » au journalisme lié à l'actualité des médias, aux « films-événements ». Bien entendu cette évolution est directement liée aux transformations économiques de la *distribution* des films.

La fiche filmographique était une étude consacrée à un seul film, relativement détaillée, pouvant aller jusqu'à une quinzaine de pages. Rédigée par un étudiant dans une école professionnelle, par un critique ou un animateur enseignant, elle avait pour but principal d'apporter au présentateur néophyte la documentation suffisante lui permettant de situer le film et son auteur, puis de nourrir une discussion après la projection, selon le rituel bien connu alors en vigueur[1].

Elle comportait traditionnellement trois parties :
— l'une informative : générique détaillé, bio-filmographie du réalisateur, conditions de production et de distribution du film,
— la seconde descriptive et analytique : liste des séquences ou résumé du film, partie analytique proprement dite, ou corps de la fiche,
— la troisième énumérait les questions suscitées par le film, des suggestions pour l'animateur du débat.

Cette répartition reproduit à l'évidence le modèle de la dissertation littéraire classique qui régnait alors sans partage. Les risques d'application scolaire étaient amplifiés par la nouveauté de l'objet. Le plus grave résidait sans doute dans une dispersion artificielle de l'analyse dans des rubriques préétablies : ainsi l'analyse dite « cinématographique » (ou « cinégraphique » suivant les auteurs) — par opposition à l'analyse « littéraire » — était décomposée en étude de la mise en scène, du montage, de la lumière, des décors, du son, des dialogues comme si ces entrées allaient de soi. Elles vérifient les dangers d'une approche strictement empirique, reprenant les divisions des phases de la production matérielle du film sans les interroger.

Nous prendrons deux exemples sélectionnés parmi celles qui présentent encore aujourd'hui un réel intérêt. La première, *Zéro de conduite* analysée par Jean-Patrick Lebel respecte le plan imposé : c'est une fiche de jeune élève de l'IDHEC. La seconde est beaucoup plus personnelle, puisqu'elle est rédigée par l'une des autorités intellectuelles du mouvement ciné-club de l'après-guerre : *Le Jour se lève* par André Bazin.

---

1. De très nombreux critiques devenus célèbres et des cinéastes non moins célèbres ont ainsi participé à la rédaction de ces fiches ; citons quelques noms : Jean Collet, Gilbert Salachas, Claude Miller, Chris Marker et même Jean-Luc Godard.

2.2.1. *Zéro de conduite* **(Jean Vigo, 1933), « filmographié » par Jean-Patrick Lebel.**

La fiche rédigée dans le cadre de la dix-huitième promotion de l'IDHEC comprend six grandes subdivisions classiques : la documentation, le scénario, l'analyse littéraire, l'analyse cinégraphique, la « portée du film », les questions à débattre.

La rubrique documentation comprend la « fiche technique », c'est-à-dire le générique détaillé avec nom des interprètes et des personnages, dates de tournage et de distribution, puis la partie « contexte de l'œuvre » se divise elle-même en circonstances matérielles, accueil fait au film et circonstances morales. Lebel bénéficie des recherches biographiques publiées antérieurement par P.E. Salès Gomès dans sa biographie de Jean Vigo. *Zéro de Conduite* est un film dont le tournage difficile et la distribution (censure) se prêtent au développement de la partie informative. Mais Lebel sait éviter les pièges de l'anecdote biographique, montre comment Vigo lui-même avait tendance à assimiler sa propre enfance à celle de son père, comment l'auteur s'est également « distribué » à travers les trois jeunes enfants du film (Bruel, Tabard et Colin).

« Si *Zéro de conduite* est l'expression spontanée et obscure d'une enfance toujours présente dans la mémoire de Vigo, c'est aussi l'œuvre par laquelle il assume définitivement son enfance et se délivre de l'angoisse et de la tension irrésolues qu'elle portait en elle. »

La partie « scénario » comprend un résumé très détaillé de trente lignes (le film ne dure que 44 minutes) et une liste de vingt-quatre séquences, elles-mêmes résumées. L'analyse littéraire est divisée en analyse dramatique et analyse de certains thèmes avec des subdivisions internes : construction dramatique et personnages. Malgré la rigidité de ce cadre rhétorique, Lebel montre que la construction de *Zéro de conduite* échappe aux contraintes de la dramaturgie classique, qu'elle n'obéit pas au schéma classique de l'évolution avec nœud dramatique et résolution mais que l'unité du film réside dans son écriture poétique.

L'étude des personnages, écueil le plus dangereux de ce type d'approche car rapidement déviée vers la paraphrase psychologisante, cerne avec justesse les partis pris esthétiques de Vigo concernant les adultes et les enfants. Les adultes sont à la fois « eux-mêmes et leur caricature ». Il n'y a pas schématisation mais « stylisation physique et morale donnant à chacun d'eux une richesse que les modèles réels n'ont certainement jamais possédée ». Quant aux enfants, qui représentent autant de projections de Vigo, ce qui frappe en eux, c'est la vitalité intense : « Jamais il ne nous a été permis de voir à l'écran des gosses aussi justes, aussi présents, aussi semblables à l'image que nous avons de l'enfance et à celle que nous avions de nous-mêmes quand nous étions enfants. »

L'analyse thématique est centrée sur la satire dans le film, son aspect pamphlétaire, « les adultes stagnants dans une atmosphère d'horreur morale, de trouble latent, de monstruosité généralisée ». Lebel insiste sur le thème des « latrines de l'enfance », le fond de complaisance scatologique dans lequel le film baigne, qu'il estime « produit par le regard de la société des adultes, sa mauvaise conscience latente, sa sensation de péché et d'aliénation étouffante ». Le parallèle plutôt convenu entre Vigo et Rimbaud est concrétisé par des rapprochements originaux entre deux situations du film et des épisodes de *Un Cœur sous une soutane.*

L'analyse cinégraphique privilégie l'unité onirique du film, fait la part belle à la mise en scène, appréhendée à travers les mouvements de caméras et les cadrages, aux dialogues et à la musique, également, mais elle sacrifie l'étude du montage, de la lumière et des décors : « Le film semble se dérouler dans un rêve », note l'auteur. Lebel commente avec une grande précision panoramiques et recadrages dans la séquence de l'étude en folie, puis dans celle du dortoir. Il montre comment Vigo a su transcender les déplorables conditions techniques de l'enregistrement sonore pour donner une forme particulière au dialogue, « un accent inimitable » : la répétition des mots transforme les dialogues en « des sortes de litanies où les mots jouent plus pour leur valeur sonore et par le simple fait qu'ils soient des mots que par leur signification » ; il cite le ton de la phrase de Caussat à Colin : « Tabard, c't'une fille, j'te dis ! »

La partie « portée du film », sans doute la plus désuète aujourd'hui, correspond au souci d'éducation morale (humaniste ou spirituelle) alors très présent dans les organismes de culture populaire : il fallait stratégiquement contrecarrer la réputation négative et immorale du spectacle cinématographique à l'époque. Jean-Patrick Lebel contourne habilement cette problématique inévitable, mais fort malencontreuse concernant *Zéro de conduite,* en axant sa conclusion sur la liaison étroite entre le thème de la révolte dans le film, et la liberté poétique dans la représentation : « Le film, seul acte réel chez Vigo dans sa révolte, n'est qu'un acte poétique qui, en même temps que sa beauté et sa grâce, porte en lui son vice secret. La délivrance qu'il accorde à Vigo s'effectue en dehors de la réalité et ne lui permet aucune réconciliation avec le monde (...) Cette réconciliation, c'est *L'Atalante* qui en apportera l'espoir. »

Les « questions à débattre », en fin de fiche, reprennent les thèmes évoqués dans l'analyse : « Réalisme et poésie », *Zéro de conduite* et les films sur l'enfance, rapport de Vigo à la Nouvelle Vague et, plus spécialement à François Truffaut (*Les 400 coups,* 1959).

2.2.2. Le regard d'André Bazin sur *Le Jour se lève* (Marcel Carné, 1939).

Comme on le sait, André Bazin fut un infatigable animateur de l'association d'éducation populaire « Travail et Culture ». Dans ce cadre, il eut l'occasion de présenter des dizaines de fois l'un de ses films fétiches dans les lieux les plus variés : ciné-clubs scolaires mais aussi comités d'entreprises, salles paroissiales, etc. D'abord version sténographiée d'interventions orales, la fiche de Bazin connut plusieurs versions différentes : nous les citons en bibliographie.

La première caractéristique de la fiche publiée est sa longueur, assez exceptionnelle : une bonne vingtaine de pages. C'est ensuite la liberté que l'auteur prend par rapport au plan préexistant. Bazin précise dans son préambule qu'il a choisi de partir de la « forme » du film, et plus précisément de sa construction dramatique, que « rien n'est plus dangereux qu'un commentaire de film traitant séparément du « sujet » et de la « forme ». Il parle ainsi des « naïfs pédants de ciné-clubs qui veulent toujours qu'on discute de la technique ». Pour sa part, l'auteur entend démontrer avec *Le Jour se lève*, qu'on se trouve en présence d' « une technique dont l'excellence est rigoureusement inappréciable indépendamment de la matière de l'action ».

Bazin part de l'originalité de la construction du film, l'alternance entre scènes au présent et scènes au passé, et envisage les moyens filmiques qui ont permis la transition présent-passé tout au long du film. Il développe l'exemple de l'utilisation de la musique en liaison avec la particularité des fondus-enchaînés, puis passe à une énumération exhaustive des éléments du décor et de leur fonction dans le film. L'analyse du rôle des objets lui permet de dresser un véritable portrait anthropométrique, au sens policier du terme, de François, qu'interprète Jean Gabin dans le film, « héros à la mesure d'un monde urbain, d'une Thèbes banlieusarde et ouvrière où les dieux se confondent avec les impératifs aveugles mais tout aussi tranchants de la société ».

Jean Gabin et Jacqueline Laurent dans *Le Jour se lève,* de Marcel Carné (1939).

La progression de l'argumentation est un exemple magistral de démarche didactique car le texte est parsemé de questions à poser au public dans une stratégie d'animation (Bazin va jusqu'à donner le pourcentage type de réponses apportées !).

Nous nous en tiendrons au résumé de l'un des deux exemples développé par l'auteur, celui du décor.

François est enfermé, dans le film, dans sa chambre d'hôtel, avec autour de lui la plupart des objets qui symbolisent ses souvenirs amoureux. Bazin propose alors de faire reconstituer par le public le décor de la chambre. Il énumère :
— les meubles :
réponse certaine du public : un lit, une table, une cheminée, une glace, un fauteuil de rotin, une chaise, une armoire normande.
Réponse improbable, mais possible dans la proportion d'un quart : un lavabo, une table de nuit.
— Les objets divers :
réponse certaine du public : sur la cheminée, un ours en peluche, la broche, le revolver à la fin, une lampe électrique recouverte d'un journal, un ballon de football.
Certains spectateurs auront remarqué un pédalier de vélo.
— Autres objets qui passent en cours d'action sur divers meubles : la cravate neuve, le cendrier, un paquet de cigarettes, un réveille-matin, deux boîtes d'allumettes vides, deux photos et un dessin de Gabin au mur, les photos de sport de chaque côté de la glace, etc.
Demander encore au public comment est le tapis de la table, la couverture du lit, le papier peint du mur. Presque tous les spectateurs en auront remarqué la nature et l'aspect.

Les spectateurs oublient sans exception un meuble et des objets qui apparaissent à maintes reprises à l'écran : une commode à dessus de marbre située entre la cheminée et l'armoire ; sur cette commode, un bidon d'aluminium que l'on fixe sur le guidon du vélo, une mallette à casse-croûte ; par terre, contre la commode, des boyaux de vélo.

C'est qu'ils sont les seuls, dans toute la chambre, à n'avoir à aucun moment de fonction dramatique.

Bazin reprend chaque objet l'un après l'autre, en démontre l'utilisation dramatique et la fonction symbolique en fonction du caractère du personnage de François, le fait qu'il prend par exemple bien soin de faire tomber dans le cendrier la cendre de cigarette qui macule le tapis de la chambre : « Tant de propreté et d'ordre un peu maniaque révèle le côté soigneux et un peu vieux garçon du personnage et frappe le public comme un trait de mœurs. » Il commente l'obligation pour Gabin d'allumer ses cigarettes l'une après l'autre, faute d'allumettes...

Relevons seulement quelques points du commentaire de l'armoire normande : « Cette fameuse armoire normande que Gabin pousse devant la porte et qui donne lieu à un savoureux dialogue dans la cage d'escalier entre le commissaire et le concierge (...) Ce n'est pas la commode, la table ou le lit que Gabin pouvait mettre devant la porte. Il fallait que ce fût cette lourde armoire normande qu'il pousse comme une énorme dalle sur un tombeau. Les gestes avec lesquels il fait glisser l'armoire, la forme même du meuble font que Gabin ne se barricade pas dans sa chambre : *il s'y mure* ». Et Bazin d'en conclure : « La perfection du *Jour se lève*, c'est que le symbolisme n'y précède jamais le réalisme, mais qu'il l'accompagne comme par surcroît. »

L'auteur poursuit son « espèce d'enquête à la Sherlock Holmes pour reconstituer la vie et le caractère de Gabin » sur d'autres indices offerts par le décor de la chambre afin de répondre à la question « Qui est Gabin ? », « Que représente-t-il en tant que mythe ? ».

Évidemment, André Bazin possédait un sens de l'analyse filmique de tout premier ordre, ce n'est plus à démontrer. Ce qui est ici intéressant, c'est de voir cette intelligence critique s'exercer dans l'animation, dans la relation directe avec le public. Chez lui, c'est cette pratique qui est à l'origine même de sa maîtrise dans l'analyse et l'on regrette aujourd'hui que tant d'analyses orales, dues à Bazin comme à quelques autres brillants animateurs, n'aient pas été plus systématiquement sténographiées.

2.3. La politique des auteurs et l'analyse interprétative.

L'histoire de la critique et, par voie de conséquence, celle de l'analyse, ont été marquées dans les années cinquante par une manière particulière d'aborder les films : à travers la « politique des auteurs », principalement définie et pratiquée par les *Cahiers du cinéma,* à partir d'un célèbre numéro spécial consacré à Alfred Hitchcock en 1954. La meilleure défense et illustration de cette politique se trouve développée trois ans plus tard dans la monographie que Claude Chabrol et Éric Rohmer consacrent au cinéaste.

Lorsque Chabrol et Rohmer entreprennent d'écrire cet essai, ils entendent accorder une promotion culturelle à un réalisateur jusqu'alors considéré avec condescendance par la critique officielle de l'époque comme un brillant technicien certes, mais un cinéaste sans « message » personnel.

Sont en effet considérés comme auteurs de films dans les années cinquante un nombre très réduit de réalisateurs, dont l'œuvre se caractérise par au moins deux traits : le contrôle absolu du processus de production et de création du film, et complémentairement, la continuité d'une thématique personnelle aisément repérable à travers le choix des sujets abordés. Ce Panthéon des classiques regroupe pour le muet, Charles Chaplin, D.W. Griffith, Victor Sjöström, S.M. Eisenstein ; et pour le parlant Luis Buñuel, Ingmar Bergman, Roberto Rossellini, Jean Renoir, Robert Bresson : Bazin cite ces trois derniers cinéastes dans son célèbre texte « Comment peut-on être Hitchcocko-Hawksien ? ».
L'hostilité envers le cinéma américain est alors encore très forte. Il est envisagé comme une énorme machine industrielle broyant toute expression individuelle. Les carrières d'Eric von Stroheim, d'Orson Welles et de Charles Chaplin cautionnent cette analyse.

La « politique des auteurs » est donc, au départ, polémique ; elle entend démontrer que de véritables artistes peuvent se révéler malgré tout, et parfois surtout, dans le contexte le plus coercitif des studios. Cette politique entend écarter de la notion d'auteur celles de « thèmes apparents » ou de « sujets explicites » des scénarios pour leur substituer celles de « mise en scène » et de « regard du cinéaste ».

Alfred Hitchcock va permettre à cette tendance critique d'étoffer une politique dont il faut avouer trente ans plus tard qu'elle a triomphé au-delà de toute espérance en ce qui concerne ce cinéaste puisque celui-ci est devenu l'un des terrains privilégiés de l'analyse de films. Nous le vérifierons tout au long de cet ouvrage.

En 1957, la hiérarchie des genres est encore idéologiquement très forte dans la culture officielle, même cinématographique. Un réalisateur qui a quasi exclusivement consacré sa carrière à des adaptations de récits policiers ne peut être un auteur au sens plein du terme. Chabrol et Rohmer vont donc consacrer 160 pages à démontrer le contraire en partant du postulat que chez Hitchcock, plus encore qu'ailleurs, « les problèmes de fond et de forme sont liés d'une manière particulièrement étroite ».

« Je sais que la littérature dont il s'inspire n'est pas la meilleure, qu'elle n'a pas d'autres prétentions que d'être récréative. Hitchcock aurait-il mieux fait de choisir les œuvres plus ambitieuses de Dostoïevsky, de certains romanciers anglais auxquels à juste raison nous renvoient Chabrol et Domarchi ? Qu'importe pour lui, puisqu'il n'y aurait pas découvert une matière plus riche et que Dostoïevsky ou les romanciers anglais n'ont fait, eux aussi, que traiter des thèmes populaires auxquels seul le développement qu'ils leur donnent confère une dignité littéraire. »
« A qui la faute ? », Maurice Schérer (pseudonyme   Eric Rohmer).

Dans l'article que nous venons de citer, Rohmer affirme également « Qu'on ne s'étonne point trop de trouver au lieu des mots travelling, cadrage, objectif, et tout l'affreux jargon des studios, les termes nobles et plus prétentieux d'âme, de Dieu, de diable, d'inquiétude et de péché. » C'est qu'il s'agit pour les deux critiques de révéler la métaphysique latente de l'œuvre et d'aller la chercher dans la forme : « C'est dans la forme qu'il convient de chercher la profondeur, c'est elle qui est grosse d'une métaphysique. »

Rohmer et Chabrol prennent l'exemple de la construction en alternance et du mouvement de va-et-vient qui caractérisent les récits hitchcockiens et soustendent ses films de poursuite ; ils démontrent que ce mouvement est étroitement imbriqué avec l'idée et le thème de l'échange que l'on rencontre tout au long de son œuvre, qu'il peut trouver soit une expression morale (le transfert de culpabilité), soit psychologique (le soupçon), soit dramatique (le chantage, voire le pur suspense), soit encore matérielle (le rythme du récit).

En accentuant la provocation vis-à-vis du système des valeurs des années cinquante, ils entendent concrétiser leur démonstration à partir de la période américaine du cinéaste : « Avec *Rebecca,* " l'Hitchcock touch " qui était auparavant simple trait devient vision du monde. »
La notion de vision du monde est la pierre de touche de la politique des auteurs car elle est conçue indépendamment du thème du film.
Pour étayer cette vision du monde propre à Hitchcock, Chabrol et Rohmer vont être amenés à pratiquer l'analyse de ses films. L'un des chapitres les plus fouillés s'intitule « Le nombre et les figures » ; il est consacré à l'analyse de *l'Inconnu du Nord Express* (1951). Recherchant la métaphysique dans la forme, ils vont traquer la matérialisation de l'idée d'échange sous la forme du renvoi et du va-et-vient :
« Barrons cette droite d'un cercle, troublons cette inertie d'un mouvement giratoire ; voici notre figure construite, notre réaction déclenchée. Il n'est pas une des trouvailles de *Strangers on A Train* qui ne sorte de cette matrice. » Suit une vertigineuse et très convaincante énumération des motifs du vertige, de la vitesse, de la blancheur et du cercle dans le parcours du film :
« Qu'il s'agisse du vertige du meurtre, du goût de la machination, de la perversion sexuelle, de l'orgueil maladif, toutes ces tares, sous les espèces de la Figure et du Nombre, nous sont dépeintes de façon assez abstraite, universelle, pour que nous puissions établir entre les obsessions du héros et les nôtres une différence de degré non de nature. L'attitude criminelle de Bruno n'est que la dégradation d'une attitude fondamentale de l'être humain. (...)
L'art d'Hitchcock est de nous faire participer, par la fascination qu'exerce sur chacun de nous toute figure épurée, quasi géométrique, au vertige qu'éprouvent les personnages, et au-delà du vertige, nous découvrir la profondeur d'une idée morale. »
Quelques lignes plus loin, ils ajoutent :
« Chaque geste, chaque pensée, chaque être matériel ou moral est dépositaire d'un secret à partir duquel tout s'éclaire » ; pour terminer par : « Nous sommes happés littéralement par le maëlstrom de la gravitation universelle. Il n'est pas vain d'évoquer l'auteur d'*Euréka.* »

Il est vrai qu'à la fin de l'essai de Chabrol et Rohmer, Hitchcock se retrouve « père d'une métaphysique », pour reprendre leur expression.

La politique des auteurs, logiquement centrée sur l'analyse de l'œuvre est donc une méthode interprétative des films. Chaque élément d'un film particulier est décrypté en fonction d'une vision du monde définie par l'analyste, et ce n'est pas un hasard si c'est l'œuvre hitchcockienne qui a donné naissance à cette critique interprétative ; comme l'a justement noté Jean Narboni : « Si, aux commentateurs français d'Hitchcock, tout est apparu comme *signe* dans ses films, c'est peut-être parce qu'aux yeux des héros hitchcockiens eux-mêmes, tout fonctionne comme *signe* : objets, paysages, figures du monde et visage d'autrui, parce que ces héros, êtres de désir essentiellement, n'y sont pas seulement mus par des affects ou par des sentiments, mais par une passion interprétatrice et une fièvre de déchiffrement qui peut aller, dans les plus grands films, jusqu'au délire de la construction d'un monde mettant à mal le principe de réalité. » (« Visages d'Hitchcock »).

2.4. L'arrêt sur image.

Nous reviendrons un peu plus loin (au chapitre 3) sur les liens étroits entre toute une partie de la réflexion théorique, liée à l'importante vague sémiologique des années 60-70, et de nombreux aspects de l'analyse de films. Mais il nous semble important de souligner dès maintenant, à titre si l'on veut de dernier exemple du caractère multiforme de l'analyse, une conjonction, largement surdéterminée historiquement, entre la publication des premiers textes fondateurs de la sémiologie du cinéma, l'introduction des *études* cinématographiques à l'université, l'apparition de nouvelles générations de cinéastes-cinéphiles, tous facteurs qui incitent à l'étude détaillée des films, en lui procurant, qui plus est, un lieu d'actualisation et une légitimation culturelle.

Mais ces études naissantes se sont heurtées d'emblée à un problème qui, pour relever de la seule base matérielle de l'enseignement, n'en fut pas moins crucial : celui de l'inaccessibilité des copies de films. Il serait simpliste de conclure que cette pénurie, plus ou moins relative, de films à se mettre sous les yeux en dehors des seules conditions de réception en salle de cinéma, serait la seule cause de la multiplication des analyses de films isolés ; il n'en est pas moins probable que la rareté des films, jointe à la possibilité (elle aussi relativement nouvelle) de les *visionner* sur des tables de montage ou des projecteurs « analytiques », explique en partie que l'analyse ait, par rapport à d'autres approches possibles, occupé alors tant de terrain.

Dans cette période — peut-être close sous cette forme, avec le regain d'intérêt pour les études historiques, la création ou la transformation des cinémathèques, la constitution de fichiers et de catalogues de films — la théorie et l'analyse ont, c'est le moins qu'on puisse dire, fait bon ménage. Très souvent l'analyse a été vécue à la fois comme le moment empirique et comme le moment heuristique de la théorie : moment et moyen de vérification des théories, mais aussi de leur invention ou de leur perfectionnement (nous y reviendrons en 8.1).

Le signe, l'emblème de cette connivence, c'est peut-être dans l'*arrêt sur image* qu'on pourrait le trouver. Ce qui, dans le film, apparaît de prime abord comme le plus *résistant* à l'analyse, c'est bien entendu le temps, le fait que le film défile dans le projecteur, que, à la différence du livre dont on tourne soi-même les pages, on ne maîtrise pas le flux, normalement inarrêtable, de la projection. C'est précisément ce caractère inéluctable du défilement que vient briser l'arrêt sur image, en permettant, de façon parfois abusive aux yeux de certains, de greffer une parole, un discours, sur ce qui normalement l'interdit : l'image mouvante et sonore.

Il est clair que toute l'analyse ne se résume pas à l'arrêt sur l'image (c'est pourquoi nous disons que celui-ci est l'emblème de celle-là, non sa méthode ou son essence) : il est indéniable pourtant que c'est à partir de la possibilité de cet arrêt que l'objet film devient pleinement analysable : même si l'on n'y a pas effectivement recours, c'est bien à partir des éléments repérables dans l'arrêt sur image que l'on peut construire les relations logiques et systématiques qui sont toujours le but de l'analyse.

3. CONCLUSION : POUR UNE DÉFINITION DE L'ANALYSE DES FILMS.

De notre essai de typologie et de notre bref parcours historique, nous retiendrons trois principes :
A. Il n'existe pas de méthode universelle pour analyser des films.
B. L'analyse de film est interminable, puisqu'il restera toujours, à quelque degré de précision et de longueur qu'on atteigne, de l'analysable dans un film.
C. Il est nécessaire de connaître l'histoire du cinéma et l'histoire des discours tenus sur le film choisi pour ne pas les répéter, de s'interroger d'abord sur le type de lecture que l'on désire pratiquer.

Il est d'autant plus important d'insister sur le premier principe que le désir de découvrir une méthode universelle peut apparaître comme un désir légitime. Si l'analyse est bien, en un sens, l'opposé de tous les discours « impressionnistes » sur le cinéma, si elle veut être un discours rigoureux différant des divagations interprétatives, un discours fondé, à l'inverse de l'arbitraire critique — il lui faut bien avoir des *principes* (et si possible, des principes scientifiques). L'erreur commence lorsqu'on croit que ces principes doivent nécessairement se manifester sous forme plus ou moins comparable à (et parfois délibérément copiée sur) la méthode expérimentale dans les sciences de la nature. Il y a, à la racine de toutes les tentatives (même les plus dérisoires) pour définir « la » grille universelle, une grave erreur épistémologique, consistant à ne pas voir la différence entre une science « naturelle » (ce qu'on appelle parfois science « exacte ») et les « sciences » sociales et humaines. Si le degré de rigueur peut et doit être le même dans les deux cas, si l'appareil formel peut même éventuellement y être comparable, il y aura toujours une essentielle différence de nature entre les *faits*, les *objets* des unes et des autres. La sémiologie, et l'analyse du film avec elle, ne seront jamais des sciences expérimentales, parce qu'elles n'ont pas affaire à du *répétable,* mais à de l'infiniment singulier (ce qui est répétable dans les sciences sociales est toujours partiel par rapport aux phénomènes).

Pour tempérer notre énoncé, nous dirons donc qu'il n'existe aucune méthode qui puisse s'appliquer *également* à tous les films quels qu'ils soient.

Toutes les méthodes à portée potentiellement générale que nous allons évoquer doivent toujours être spécifiées, et parfois ajustées, en fonction de l'objet précis qu'elles visent. C'est cette part d'ajustement plus ou moins empirique qui fait souvent la différence entre une véritable analyse et le simple placage d'un modèle sur un objet.

Nous reviendrons sur le second principe dans le chapitre consacré à l'analyse textuelle (chap. 3), à propos du caractère interminable de toute analyse.

Nous illustrerons le troisième principe à l'aide d'un exemple, celui de *Citizen Kane*, d'Orson Welles (1940), car il s'agit de l'un des films les plus célèbres et les plus commentés de toute l'histoire du cinéma.

Film-monstre, film unique, il a souvent été vu, consciemment ou non, comme « le » film par excellence, comme une sorte d'épitomé paradoxal du style classique américain ; ce film qui, à sa sortie, conjugua l'échec commercial le plus cinglant avec l'accueil critique le plus enthousiaste, est devenu aujourd'hui classique indiscret. Sa place dans l'histoire du cinéma est toujours éminente, quel que soit le point de vue auquel on se place : il marque le temps le plus fort du « cinéma d'auteur » à Hollywood — mais il est aussi, dans une généalogie des styles filmiques, un jalon incontournable bien que jamais vraiment imité.

Sa richesse formelle n'est pas moins impressionnante : à commencer par la construction narrative, qui étage et imbrique les uns dans les autres divers niveaux ; la mise en scène et le jeu violemment « extraverti » des acteurs, qui signent la référence aux origines théâtrales de Welles (mais plus littéralement, inscrivent le théâtre dans le corps même du film) ; le traitement « polyphonique » de la bande-son où les voix sont musicalisées tandis que la musique se fait commentaire ; enfin, bien sûr, des caractères visuels si frappants qu'on reconnaît, à coup sûr, un plan de *Citizen Kane* pris au hasard (la profondeur de champ, les objectifs à focale courte, le plan long, la contre-plongée, certains montages brefs, tels usages du gros plan, voire des traits plus superficiels comme les fameux plafonds).

Bref, qui veut s'attaquer à un tel film doit d'abord être conscient de ce que nous venons de rappeler rapidement : on n'aborde pas un film aussi célèbre, aussi exceptionnel, avec innocence, et dans un cas comme celui-là (atypique, il est vrai), le premier geste de l'analyste consistera à vérifier qu'il apprécie correctement la place du film dans l'histoire du cinéma et qu'il connaît suffisamment les discours auxquels il a donné lieu.

Mais, plus essentiellement (car ce second préliminaire s'applique, lui, à presque tout film), l'analyste devra d'abord s'interroger sur le type de lecture qu'il désire pratiquer, parmi la multiplicité de toutes celles que le film offre : sans vouloir être complet, on peut dire qu'à l'évidence, *Citizen Kane* peut s'aborder au moins par le biais d'une problématique d'auteur (en y analysant les rapports entre protagonistes, réalisateur et acteur), ou en termes narratifs (par une analyse des flash-backs et plus largement de la temporalité notamment), en termes « énonciatifs » (position des divers personnages par rapport au récit et à l'énonciation), dans son rapport stylistique à un supposé style hollywoodien classique (écart repérable, dans les caractéristiques formelles du film, par rapport à un modèle d'ailleurs à préciser, comme ont pu le faire David Bordwell, Janet Staiger et Kristin Thompson), ou encore en termes psychanalytiques (l'inscription de la thématique de l'enfance, du souvenir et du fantasme dans une structure d'enquête de type « policier »)...

Il devra enfin décider, soit de considérer le film entier — ce qui impose un certain type de choix d'objet et une certaine visée, relativement large — soit au contraire de n'en retenir qu'un fragment ou un aspect — auquel cas l'analyse partielle devra toujours s'inscrire dans la perspective d'une analyse plus globale, au moins potentielle.

C'est l'ensemble de ces choix que nous allons développer dans les chapitres qui suivent.

BIBLIOGRAPHIE ————————————————

1. DIVERS TYPES DE DISCOURS SUR LE FILM

1.1. Christian METZ, *Langage et Cinéma,* Larousse, 1971, rééd., Albatros, 1977, chapitre 1 « A l'intérieur du cinéma, le fait filmique » et chapitre 2 « A l'intérieur du fait filmique, le cinéma ».
Pierre SORLIN, *Sociologie du cinéma,* Paris, Aubier-Montaigne, 1977, troisième partie, « Analyse filmique et histoire sociale », chap. 1, Les cadres de l'analyse, p. 151 à 197.

1.2. Analyse et critique
Cinéma 83, n° 300, décembre 1983 et *Cinéma 84,* n° 301, janvier 1984, enquête « La critique en question », notamment Joël Magny, « Flux et reflux », p. 10 à 17 et enquête sur le métier de critique.
André BAZIN, *Qu'est-ce que le cinéma ?* Cerf, 1978, plusieurs rééditions.
André BAZIN, *Le Cinéma français de l'occupation et de la résistance,* coll. « 10/18 », Paris, U.G.E., 1975.
André BAZIN, *Le Cinéma de la cruauté,* Paris, Flammarion, 1975.
Serge DANEY, *La Rampe,* Cahier critique, 1970-1982, Paris, Cahiers du cinéma-Gallimard, 1983.
Serge DANEY, *Ciné-Journal,* 1981-1986, Paris, Cahiers du cinéma, 1986.

1.3. Analyse et théorie
Raymond BELLOUR, *L'Analyse du film,* Paris, Albatros, 1980, « D'une histoire », p. 9 à 41.
Collectif (sous la direction de Jacques AUMONT et Jean-Louis LEUTRAT), *Théorie du film,* Paris, Albatros, 1980.
CinémAction, n° 20, août 1982, « Théories du cinéma », sous la direction de Joël MAGNY, Paris L'Harmattan, 1982.

1.4. Analyse et interprétation
Roger ODIN, « Dix années d'analyses textuelles de films », bibliographie analytique, *Linguistique et Sémiologie,* 3, Lyon, 1977.
Roger ODIN, « Pour une sémio-pragmatique du cinéma », *Iris,* vol. 1, n° 1, Paris, 1983, pp. 67-82.

Maurice DROUZY, *Luis Buñuel, architecte du rêve,* Paris, Pierre Lherminier, Filméditions, 1978.

Marcel OMS, *Don Luis Buñuel,* « 7e art », Paris, éd. du Cerf, 1985.

2. DIVERSITÉ DES APPROCHES ANALYTIQUES

Lev KOULECHOV, *Kuleshov on Film,* ed. and trans. Ronald Levaco, Berkeley, Univ. of California Press, 1974.

« L'Effet Koulechov », *Iris,* vol. 4, no 1, Paris, 1986.

Raymond J. SPOTTISWOODE, *Grammar of Film,* Londres, 1935.

J. M. L. PETERS, *L'Éducation cinématographique,* Paris, UNESCO, 1961.

2.1. Un cinéaste scrute son œuvre

Serge M. EISENSTEIN, « Eh ! De la pureté du langage cinématographique », *Sovietskoie Kino,* 1934, no 5, dans les *Cahiers du Cinéma,* no 210, mars 1969.

Raymond BELLOUR, « *Les Oiseaux :* analyse d'une séquence », *Cahiers du Cinéma,* no 216, octobre 1969, repris dans *L'Analyse du film,* Albatros, 1980.

2.2. Les fiches filmographiques

Zéro de conduite, fiche filmographique no 181, Jean-Patrick LEBEL, IDHEC, Paris, 1963, in *Films et Documents,* no 193, novembre 1963.

Collectif, *Analyses filmographiques des films de Jean Renoir,* IDHEC, 1966.

André BAZIN, fiche filmographique du *Jour se lève,* « Peuple et Culture », 1953, in *Regards neufs sur le cinéma,* Paris, Le Seuil, 1953, rééd. 1963, repris dans *Le Cinéma français de la libération à la Nouvelle Vague, 1945-1958,* « Essais », Cahiers du Cinéma, 1983.

P.E. SALÈS-GOMÈS, *Jean Vigo,* « Cinémathèque », Paris, Le Seuil, 1957.

2.3. La politique des auteurs et l'analyse interprétative

Claude CHABROL et Éric ROHMER, *Alfred Hitchcock,* « Classiques du cinéma », Paris, éd. Universitaires, 1957, rééd. 1986.

Maurice SCHÉRER (Éric ROHMER), « A qui la faute ? », *Cahiers du Cinéma,* no 39, octobre 1954, spécial *Alfred Hitchcock,* repris dans un nouveau numéro spécial en 1980, Paris, éd. de l'Étoile.

André BAZIN, « Comment peut-on être Hitchcocko-Hawksien ? », *Cahiers du Cinéma,* no 44, rééd. 1980, in *Alfred Hitchcock, op. cit.*

2.4. L'arrêt sur image

Thierry KUNTZEL, « Le défilement », *Revue d'esthétique,* numéro spécial « Cinéma, Théorie, Lectures », Paris, Klincksieck, 1973.

Raymond BELLOUR, « D'une histoire », *L'Analyse du film, op. cit.*

Sur *Citizen Kane* (liste très sélective)

André BAZIN, *Orson Welles,* « 7e art », Paris, éd. du Cerf, 1972.

Michel CIMENT, « Ouragans autour de Kane », *Les Conquérants d'un nouveau monde,* « Idées », Paris, Gallimard, 1981.

Pauline KAEL, *The Citizen Kane Book,* Bantam Books, New York, Martin Secker and Warburg, Londres, 1971.

Michel MARIE, « Le film, la séquence » et Marie-Claire ROPARS, « Narration et signification », in *Le Cinéma américain, Analyses de films,* t. 2 (dir. BELLOUR), Paris, Flammarion, 1980.

Orson WELLES, *Cahiers du cinéma,* 1982, hors-série no 12.

Marie-Claire ROPARS, « Narration et signification », in *Le cinéma américain, op. cit.*

CHAPITRE 2

INSTRUMENTS ET TECHNIQUES
DE L'ANALYSE

1. FILM ET MÉTA-FILM : NON-IMMÉDIATETÉ DU TEXTE FILMIQUE

1.1 Le film et sa transcription.

Plus encore que pour n'importe quelle autre forme de production artistique, l'analyse du film nécessite le recours à différentes étapes, à divers documents, à des « instruments ».

Comme nous y avons déjà fait allusion, les conditions propres au spectacle cinématographique sont, psychologiquement, très particulières. Assis dans le noir, dans un état de passivité certain, le spectateur n'a pas la maîtrise du déroulement des images, il est très vite submergé par le flux de la projection ; à tout moment, le film lui offre une importante quantité d'informations sensorielles, cognitives, affectives. Certes, en voyant un même film à plusieurs reprises, on peut arriver à mémoriser plus fidèlement certains détails, à restituer les principaux moments du déroulement narratif sans trop d'erreurs, à faire référence à tel ou tel passage visuellement frappant avec une certaine précision. Les meilleurs critiques de cinéma prouvent journellement que l'acuité critique est éminemment perfectible, que l'œil et l'oreille peuvent s'éduquer, s'affiner. Il faut donc voir et revoir les films que l'on analyse, et l'on n'imagine pas un travail analytique qui ne serait fondé sur au moins trois visions du film.

Cela dit, naturellement, la vision, même la re-vision, n'est pas tout. Dans un certain sens, on peut même presque dire que l'objet de l'analyse de film n'a que des rapports assez lointains avec l'objet-film perçu immédiatement par le spectateur dans la salle de cinéma. C'est que, quelle que soit l'approche choisie, le but de l'analyse est d'élaborer une sorte de « modèle » du film (au sens cybernétique et non normatif, évidemment), et que par conséquent, comme tout objet de recherche, l'objet de l'analyse de film demande à être construit. Certains théoriciens ont même été jusqu'à poser une distinction radicale entre le film, unité spectatorielle et le film, unité analytique.

Dans un article de 1973 intitulé « Le défilement », Thierry Kuntzel a nettement distingué entre le « film-pellicule », le « film-projection », et ce troisième état du film qui est celui auquel l'analyste a affaire. « Le *filmique* dont il sera question dans l'analyse filmique ne sera donc ni du côté de la mouvance, ni du côté de la fixité, mais **entre** les deux, dans l'engendrement du film-projection par le film-pellicule, dans la négation de ce film-pellicule par le film-projection (...) »

Mais en même temps, naturellement, c'est bien le film lui-même qu'il s'agit d'analyser, non son simulacre ni sa transcription. Le film, en quelque sorte, est le point de départ, et doit être le point d'arrivée, de l'analyse. Ce que signifie cette idée d'un « autre film » auquel l'analyse aurait affaire, ce n'est donc ni plus ni moins que la difficulté, voire l'impossibilité, qu'il y a à analyser un film sans recourir à des artefacts intermédiaires, déjà eux-mêmes partiellement « analytiques », et qui permettent d'échapper aux contraintes du **défilement.**

Nous allons maintenant énumérer les plus importants de ces artefacts, de ces « instruments », mais auparavant, nous voudrions encore insister un moment sur ce rapport de l'analyse au « film lui-même ».

Par rapport à l'analyste de textes littéraires, de tableaux, de pièces de théâtre, d'œuvres musicales, l'analyste de film est en effet dans une position assez particulière ; à la différence du tableau ou de la performance théâtrale, il n'y a pas d'« original » filmique (sinon peut-être le négatif du film, auquel seuls les techniciens de laboratoire ont accès) ; mais inversement, et contrairement au texte littéraire ou musical, le film résiste mal à la reproduction, qui tend à le déformer : une pièce de Corneille mal imprimée reste égale à elle-même, mais un film de Dreyer dans une copie charbonneuse est irrémédiablement transformé. Il est donc clair — et cela mérite d'être longuement souligné à un moment où le support magnétique devient de plus en plus prédominant dans les études filmiques — qu'il faut voir *Cléopâtre,* de Joseph Mankiewicz, en 70 mm, et que *Playtime,* de Jacques Tati, ne sera peut-être plus jamais visible dans sa version originale.

Cette exigence que nous rappelons ici a essentiellement valeur de principe, et la plupart des analystes travaillent la majeure partie du temps soit sur des copies plus ou moins fidèles, soit sur des copies magnétiques, sans parler des instruments encore moins immédiats dont nous allons parler. De même l'analyse de tableaux peut-elle, un certain temps, se satisfaire du recours à la reproduction. Dans l'un et l'autre cas, ce qu'on utilise comme support de l'analyse conserve tout de même **quelque chose** de l'œuvre elle-même ; mais dans l'un et l'autre cas, il faut revenir le plus possible à l'original.

1.2. Les instruments de l'analyse filmique.

Il nous faut d'abord nous expliquer sur le mot « instruments » lui-même. Ses connotations techniques semblent suggérer, en effet, que l'analyse de films est une opération scientifique, ou à tout le moins, qu'elle engage des procédures objectives, objectivement descriptibles. C'est là une vision un peu idéalisée de l'analyse filmique ; en effet, quels que soient l'intérêt et le degré de généralité de certaines méthodes, il n'y a pas, nous l'avons déjà dit, de méthode universelle ; il en va de même des « instruments » : certains sont d'un intérêt presque général, et pourront être utilisés à propos de n'importe quel film ou presque ; d'autres en revanche seront plus ou moins *ad hoc*. En outre, une analyse se définit par une visée d'ensemble et une stratégie globale : c'est cette visée, et cette stratégie, qui déterminent le recours à tel ou tel « instrument », disons plutôt, à tel ou tel état intermédiaire de l'objet.

De façon générale, l'analyse de film utilise trois grands types d'instruments :

a) des instruments **descriptifs,** destinés à pallier la difficulté d'appréhension et de mémorisation du film à laquelle nous faisions allusion un peu plus haut. Tout, dans un film, est potentiellement descriptible, et par conséquent ces instruments seront très variés. Compte tenu de la prédominance du film narratif, beaucoup d'entre eux visent à décrire les grandes (ou moins grandes) unités narratives ; mais il est souvent intéressant de pouvoir décrire tels ou tels traits de l'image, ou de la bande sonore ;

b) des instruments **citationnels,** qui remplissent un peu la même fonction que les précédents (= réaliser un état intermédiaire entre le film projeté et sa « mise à plat » analytique), mais en restant plus près de la lettre même du film ;

c) enfin, des instruments **documentaires,** qui se distinguent des précédents en ce qu'ils ne décrivent ni ne citent le film lui-même, mais apportent à son sujet des informations provenant de sources extérieures à lui.

Il nous est impossible de présenter en détail tous les instruments possibles et imaginables ; nous nous en tiendrons aux plus représentatifs dans chacune de ces trois catégories, quitte évidemment à donner d'autres exemples ultérieurement.

2. INSTRUMENTS DE DESCRIPTION

De façon générale, on peut dire que l'essentiel des éléments qui sont couramment *décrits* dans une analyse de film sont des éléments de la narration, de la mise en scène ou certaines caractéristiques de l'image — et qu'il est rare de rencontrer des descriptions systématiques de la bande sonore d'un film. Nous nous en tiendrons donc à ces instruments les plus fréquemment rencontrés.

2.1. Le découpage.

Technologiquement parlant, un film de 90 minutes, projeté à la vitesse standard de 24 im/s, comporte très exactement 129 600 images différentes. Mais, bien évidemment, ce que le spectateur perçoit, ce ne sont pas ces images individuelles, « annulées » par le défilement de la pellicule dans le projecteur, mais des unités d'un type tout différent. Dans le cas, largement dominant, du cinéma narratif-représentatif, les unités les plus apparentes sont les **plans,** ou portions de film comprises entre deux collures [1]. Avec un minimum d'entraînement, tout spectateur peut, dans la majorité des cas, percevoir assez aisément la succession des plans d'un film.

Sans qu'il y ait de règle absolue en la matière, le nombre de plans qui composent un film varie remarquablement peu. Certes, il est des films exceptionnels qui comportent un nombre de plans très élevé (3 225 dans *Octobre,* de S. M. Eisenstein) ou au contraire très faible (73 pour *India Song,* de Marguerite Duras, une vingtaine pour certains films de Miklos Jancso). Mais, dans la plupart des cas, un film de durée moyenne comprend de 400 à 600 plans. Quelques exemples, pris dans des films dont le découpage a été publié [2] : *Pépé le Moko,* de Julien Duvivier (449 plans) ; *Volpone,* de Maurice Tourneur (447) ; *Les Yeux sans visage,* de Georges Franju (445) ; *Les Fraises sauvages,* d'Ingmar Bergman (574) ; *Le Grand Sommeil,* d'Howard Hawks (609) ; *Hiroshima mon amour,* d'Alain Resnais (423).

Dans le cinéma narratif classique, les plans se combinent à leur tour en unités narratives et spatio-temporelles communément appelées des **séquences** (= suites de plans). C'est à ces deux unités, le plan et la séquence narrative, que s'applique la notion de **découpage.**

Le mot « découpage » appliqué à un film comporte, au moins, deux acceptions sensiblement différentes :

— Initialement, ce terme appartient au vocabulaire de la production des films, et désigne l'opération qui lie la phase finale de l'élaboration du scénario à la phase initiale de la mise en scène. Cette opération, et le terme lui-même, datent des débuts de la division technique du travail dans l'industrie du cinéma (on en trouve déjà des mentions nombreuses dans la presse spécialisée en 1917). Dans l'état actuel de l'industrie, le découpage succède à d'autres états du scénario (le synopsis et la continuité dramatique), et divise l'action en séquences, scènes, puis en plans numérotés, et donne les « indications techniques, scéniques, faciales, gestuelles, nécessaires à la bonne exécution des prises de vues » [3]. Notons au passage que certains réalisateurs ont publié ces découpages, en principe simples instruments de travail (ainsi, Louis Delluc, regroupant en 1923, sous le titre *Drames de cinéma,* le découpage, numéroté plan par plan, de quatre de ses films). Notons enfin qu'il existe toujours un certain écart

---

1. Sur les problèmes théoriques soulevés par la notion de plan, voir *Esthétique du film,* pp. 26-30.

2. Dans la revue *L'Avant-Scène cinéma.*

3. Henri Diamant Berger, *Cinémagazine,* 9 septembre 1921, cité par Jean Giraud, *le Lexique du cinéma français des origines à 1930,* Paris, (CNRS),1958.

entre le découpage technique avant tournage et le montage définitif du film, même si certains cinéastes, réputés pour leur minutie (comme Alfred Hitchcock ou Henri-Georges Clouzot), tendent à s'éloigner fort peu du découpage initial.

— D'autre part, le terme désigne une description du film dans son état final, généralement fondée sur les deux types d'unités (plan et séquence) que nous avons définies plus haut. C'est évidemment en ce second sens que nous entendrons principalement le mot dans la suite de cet ouvrage.

Un tel découpage est un instrument pratiquement indispensable si l'on veut réaliser l'analyse d'un film dans sa totalité, et si l'on s'intéresse à la narration, ou au montage, dans ce film. Mais il peut — plus rarement, il est vrai — s'avérer également utile pour l'analyse d'autres aspects d'un film, dans la mesure où, même pour des caractéristiques purement visuelles (l'échelle des plans par exemple), il peut permettre éventuellement de rendre plus apparents les choix stylistiques et rhétoriques.

Un découpage devant comporter les éléments que l'analyste a choisi de faire intervenir dans son travail, et ceux-là seuls, on conçoit qu'il n'y ait pas de découpage, ni de modèle obligatoire. On peut concevoir un repérage minimal, qui ne comporte que le numéro du plan, une indication sommaire du contenu de l'image, la transcription des dialogues ; mais, en fonction des exigences particulières de l'étude entreprise, on pourra ajouter de très nombreux autres paramètres.

Voici une liste de quelques-uns des paramètres les plus fréquemment considérés dans des découpages analytiques :
1. Durée des plans ; nombre de photogrammes.
2. Echelle des plans[4] ; incidence angulaire (horizontale et verticale) ; profondeur de champ[4] ; étalement des personnages et objets en profondeur ; type d'objectif utilisé (focale).
3. Montage : types de raccords utilisés[4] ; « ponctuations » : fondus, volets, etc.
4. Mouvements : déplacements des acteurs dans le champ, entrées et sorties de champ ; mouvements de caméra[4].
5. Bande sonore : dialogues, indications sur la musique ; bruitage ; échelle sonore ; nature de la prise de son.
6. Relations son-image : « position » de la source sonore par rapport à l'image (« in »/« off »)[4] ; synchronisme ou asynchronisme entre l'image et le son.
Cette liste n'est évidemment pas exhaustive.

Nous donnons pages suivantes deux exemples de découpages effectivement réalisés (et publiés). Le premier est extrait de *Muriel,* le second de *L'Ami de mon amie,* d'Éric Rohmer.

Le type de découpage que nous évoquons ici est fondé sur la succession des plans. Ceci ne va pas sans poser quelques problèmes, à la fois pratiques et théoriques. Faire du plan l'unité de description, c'est d'abord soulever tous les problèmes théoriques liés à la notion même (voir ci-dessus). En fin de compte, le risque majeur consiste toujours à retomber dans l'illusion que le plan consti-

---

4. Pour toutes ces notions, voir *Esthétique du film,* ch. 1 et 2.

MURIEL, Alain Resnais, 1963

| PLAN | | BANDE-IMAGE | | BANDE-SON | |
N°	DURÉE	DESCRIPTIF (couleur, contenu, mouvement)	CAMÉRA (échelle, angles, mouvement)	PAROLE (in/off)	BRUITS + MUSIQUE
6 (510)	1,8 sec.	- Orange-marron. - Deux tiroirs en forme d'alvéole, superposés, contenant des couverts argentés. - Fixe.	- G.P. - Face, légèrement accentuée. Plongée de biais moins accentuée. - Fixe.	*Il y avait ensuite la bonneterie « A la grâce de Dieu ».*	Oiseaux.
7	1,83 sec.	- Blanc. - Verres brillants renversés sur une vitre devant une glace → reflets décalés. - Fixe.	- G.P. - 30° droite. Plongée. - Fixe.	— *Mais je ne vois pas ce magasin, c'était un*	
8 (510)	1,83 sec.	- Blanc et marron. - Quatre piles d'assiettes blanches (deux niveaux) posées devant une glace sur une table marron. Serviettes blanches. Salières. - Fixe.	- P.P. - Légèrement gauche. Légère plongée. - Fixe.	*tabac.* — *Oh ! mais qu'est-ce que vous me racontez là ?*	
9 (509)	1,41 sec.	- Blanc, rouge et rose. - Salières, moutardiers, bouquet rose. - Fixe.	- P.P. plus éloigné. Plongée gauche. - Fixe.	*Vous mélangez tout.*	
10 (515)	5,62 sec.	- Sombre et rouge. - Trois personnages : un de dos en premier plan, deux de face au deuxième plan. L'un est derrière un bar, les deux autres devant. Lampe allumée (bouteille de whisky et abat-jour écossais rouge). Décor peint derrière le barman. - Le barman parle en agitant la tête. Le deuxième personnage au fond hoche la tête.	- P.A. - 30° gauche. - Fixe.	(Barman) : J'ai habité ce coin pendant trente ans. Ce n'est pas parce que les bombes sont tombées dessus que je ne me souviens plus de ma rue.	

L'Ami de mon amie, Eric Rohmer, 1987

Environs de Neuville-sur-Oise - extérieur jour

212. Plan d'ensemble : les environs immédiats des lacs (le « Domaine des jeunes »). Un paysage vallonné, avec de l'herbe déjà jaunie, de maigres arbustes. Fabien et Blanche s'éloignent.

213. Plan général : le sommet d'une petite colline ; quelques rochers affleurent dans l'herbe. Blanche et Fabien entrent par l'avant à gauche, s'arrêtent sur les rochers, contemplent le paysage : une ligne d'arbres, au fond du plan.

Blanche. Ah, mais c'est l'Oise...

214. Plan d'ensemble panoramique, de gauche à droite (au téléobjectif), sur le paysage vu par Blanche et Fabien. Une rivière bordée d'arbres (l'Oise), des cultures maraîchères, un village au fond (Jouy-le-Moutier).

Blanche. *(off).* ... là-bas ! Hein ?

Fabien *(off).* Oui ! Là, qui se confond avec les arbres !

215. (= 213), sur le couple.

Fabien. Et elle forme une boucle. Là, on s'en rend bien compte. Elle forme une boucle comme ça *(il montre du bras, en tournant sur lui-même vers la droite),* tu vois, elle tourne là dans la petite cuvette, face au pied de...

216. Plan d'ensemble. Cergy-St-Christophe, vu (dans le lointain) depuis la petite colline ; au premier plan, de nombreux arbres.

Fabien *(off).* ... là où tu habites, là, Saint-Christophe !

Blanche *(off).* Ah oui ! On voit la tour du Belvédère !

Fabien *(off).* Oui...

217. (= 215), sur le couple.

Fabien *(il continue de tourner, fait maintenant face à la caméra).* Et puis elle continue comme ça...

218. Plan d'ensemble : le paysage décrit par Fabien : au premier plan, des arbres, au loin, Cergy-Pontoise (panoramique de gauche à droite suivant la description de Fabien).

Fabien *(off).* ... elle fait tout le tour en boucle comme ça, elle passe devant Cergy-Préfecture, jusqu'au pied de la tour E.D.F.

219. (= 217), sur le couple.

Fabien *(il se retourne complètement, dans l'autre sens, jusqu'à nous tourner le dos de nouveau, et désigne une direction vers la gauche).* Et puis là, je connais un petit chemin de halage qui est très agréable, là, juste, près du bord de l'Oise...

220. Plan général : Blanche et Fabien marchent sur un chemin de terre bordé d'arbustes ; la caméra les accompagne en panoramique de droite à gauche, on découvre alors qu'ils longent l'Oise. Une péniche passe derrière eux, très lentement.

221. Plan général : le chemin est devenu plus étroit, une sente envahie par les herbes, enserrée entre les arbustes. Blanche et Fabien

avancent vers la caméra, en silence, elle devant.

222. Plan général (selon l'axe inverse) : le même chemin. Ils s'éloignent, toujours en silence, lui derrière.

223. Plan général : le chemin n'est même plus marqué dans les herbes. Blanche et Fabien avancent vers la caméra, en silence, elle devant. Ils sortent par l'avant à droite, laissant le champ vide un instant.

224. Plan général : un mur en pierre au bord d'un chemin ; Blanche et Fabien arrivent par la droite, s'approchent du mur. Fabien fait la courte échelle à Blanche pour qu'elle passe le mur, qu'il escalade à son tour. Ils sont passés dans une sorte de jardin, ou de bois, surélevé par rapport au chemin, (le parc de Neuilly). *

225. Plan général : Blanche et Fabien, marchant dans un sous-bois, de gauche à droite, accompagnés en panoramique. Ils avancent toujours dans le plus grand silence, sans se regarder. Ils s'arrêtent ; Fabien s'assied par terre, tandis que Blanche reste debout, regardant vers le haut.

226. (Contre-champ) : les arbres, le soleil à travers la ramure (petit panoramique de gauche à droite).

227. Plan moyen : sur Blanche, mains à la taille, regardant toujours vers le haut, tête complètement renversée, l'air ému.

228. (Contre-champ) : nouveau panoramique sur les arbres et le ciel ; les feuilles sont un peu agitées par le vent ; toujours le plus profond silence.

229. Plan moyen : sur Blanche, toujours mains aux hanches ; elle tourne la tête et le buste, revient à sa première position.

230. Plan rapproché : Fabien, assis, le buste de trois-quarts gauche, la tête tournée vers la caméra, regarde vers le haut et à droite (vers Blanche).

231. (= 229), sur Blanche. Elle se détourne encore davantage, puis revient face à la caméra, les larmes aux yeux, tandis que Fabien, qui s'est levé, entre par la gauche.

Fabien *(surpris, un peu gêné, ému lui aussi).* Tu pleures ? *(Il passe derrière Blanche, se retrouve à droite.)*

Blanche. Non ! *(Elle se détourne de lui.)*

Fabien. C'est le soleil ?

Blanche. Non, je ne sais pas ce que c'est.... *(Elle part brusquement à gauche, accompagnée par la caméra en panoramique, qui quitte Fabien.)* Peut-être ce silence ou... ou c'est l'heure, parce que... tu sais, quand le soleil commence à descendre, on a toujours un petit coup d'angoisse... *(Soupir.)...* Et je me sens bien... *(Elle sourit.)...* Même trop bien ! *(Elle essuie une larme.)*

Fabien *(off).* Comment ça, trop ?

---

tue une unité « naturelle » du langage cinématographique. Or, comme nous le verrons de façon plus précise dans le chapitre 3, l'analyse d'un film a affaire à des unités relationnelles, abstraites, qui n'occupent pas toutes une surface filmique manifeste ; les unités pertinentes de l'analyse n'ont aucune raison, a priori, de toujours coïncider avec la division en plans. Enfin, redisons-le, un découpage plan par plan contribue, par définition, à perpétuer le privilège unanimement (et souvent inconsciemment) accordé à la bande-image. La bande sonore est beaucoup plus continue, en un sens, que la bande-image — ou du moins, les transitions sonores se produisent sur un tout autre mode que le « changement de plan ». Aussi, le découpage en plans, souvent utile, ne doit-il absolument pas être considéré comme une panacée.

En outre, il existe un certain nombre de difficultés « techniques » qui limitent dans la pratique la portée d'un tel découpage. La plus évidente de ces difficultés surgit toutes les fois qu'un changement de plan est impossible à localiser avec précision (soit par trucage, ou en raison d'un mouvement de caméra très rapide, ou pour toute autre raison).

Voici quelques exemples de cette impossibilité ou difficulté pratique à délimiter des plans :
— en raison de leur extrême brièveté : c'est le cas dans *Octobre*, de S. M. Eisenstein, à la fin de la séquence de fraternisation entre les bolcheviks et les cosaques, les plans devenant de plus en plus brefs (beaucoup moins d'une seconde) [5] ;
— en raison d'un mouvement d'appareil : dans *Hiroshima mon amour*, d'Alain Resnais, au début du film, un panoramique filé nous fait passer « en continuité » d'un plan du musée d'Hiroshima à un plan d'actualités reconstituées ;
— en raison d'un noir momentané : l'exemple le plus célèbre est ici les transitions de « plan » à « plan » (de bobine à bobine) dans *La Corde*, d'Alfred Hitchcock, où les acteurs avancent vers la caméra jusqu'à complètement masquer l'objectif à chaque changement de bobine ;
— en raison de trucages : le cas le plus simple est celui des surimpressions, surtout lorsqu'elles sont multipliées, comme dans la séquence de la tempête à l'Assemblée nationale dans le *Napoléon*, d'Abek Gance, ou dans le finale de *L'Homme à la caméra*, de Dziga Vertov.

Mais, assez paradoxalement, le découpage en plans n'est pas moins difficile à manier lorsqu'on a affaire à des films utilisant des plans très longs, souvent assortis de mouvements de caméra complexes. Dans les films de Miklos Jancso, mais aussi dans les séquences musicales des films de Busby Berkeley ou de Stanley Donen, ou encore dans des films comme *Madame de...* ou *La Ronde*, de Max Ophuls, la description peut très vite se noyer dans les tourbillons des mouvements de caméra et les arabesques des mouvements des personnages. De même, un film construit sur de longs plans presque fixes, comme *Gertrud*, de Carl T. Dreyer, pose des problèmes spécifiques : cette fois, ce sont les personnages qui, à tous moments, entrent dans le champ ou en sortent, provoquant d'incessants mais minimes recadrages ; la mise en scène se fonde sur les gestes, regards, adresses diverses en direction du hors-champ — et le changement de plan, rendu plus rare, n'est plus qu'un élément parmi d'autres, que la description n'a pas de raison de privilégier.

---

5. Plans 1350 à 1422 dans la numérotation de Philippe Desdouits *et alii*.

Ainsi, ce type de découpage est-il surtout opératoire pour les films réalisés selon les canons du « style classique », avec des plans d'une durée moyenne (8 à 10 secondes), raccordés par une figure nettement repérable, et en fonction d'une mise en scène qui se centre alternativement et également sur les divers personnages.

Avec ces limitations, le découpage par plans est un instrument intéressant. Au minimum, il constitue un outil de référence, permettant par exemple de juger si la copie dont on dispose pour le film étudié est complète et conforme à l'original.

Ces questions de « philologie » filmique sont importantes, notamment en ce qui concerne le cinéma muet. En effet, de très nombreux films de cette période étaient soit réalisés en différentes versions destinées à l'exportation dans différents pays, soit remontés, abrégés, « charcutés » de diverses façons par producteurs et exploitants. Dans la plupart des cas, il est impossible de déterminer avec certitude le montage original voulu par l'auteur ; l'analyste devra alors s'efforcer de confronter les diverses copies existantes (dans les cinémathèques où cela est possible), et faire état des différences constatées. C'est ce qu'ont fait, entre autres, Eric Rohmer pour son découpage du *Faust,* de Murnau, Michel Bouvier et Jean-Louis Leutrat pour leur découpage de *Nosferatu,* de Murnau, Charles Tesson pour le découpage de *Vampyr,* de Dreyer, etc. Pour nous en tenir à de grands classiques, des films comme *Naissance d'une Nation,* de Griffith, *Octobre,* d'Eisenstein, *Metropolis,* de Fritz Lang, existent actuellement dans plusieurs copies différentes, et l'analyste doit, à défaut de pouvoir rétablir un improbable état original, être au moins conscient du problème.

Plus généralement, le découpage par plans, dans la mesure même où il est un **découpage,** peut utilement être comparé au « découpage » avant tournage, et donner lieu ainsi à de révélatrices études de genèse du film, et des diverses modifications apportées entre les états successifs de la production (de l'« écriture »). Pour nous limiter à deux exemples portant sur des films relativement récents, citons ici *Glissements progressifs du plaisir,* dont Alain Robbe-Grillet a publié en 1974, réunis en un seul volume, le synopsis, la continuité dialoguée et le découpage après montage, et *Muriel,* d'Alain Resnais et Jean Cayrol, dont Marie-Claire Ropars a étudié une séquence en termes de genèse, ainsi que nous venons de le suggérer[6].

2.2. La segmentation.

Ce qu'il est convenu aujourd'hui d'appeler la « segmentation » concerne un relevé de ce que, dans le langage critique courant, on nomme les « séquences » d'un film (narratif). Dans le vocabulaire technique de la réalisation (et par suite, dans le vocabulaire critique), une séquence est une suite de plans liés par une unité narrative, donc comparable, dans sa nature, à la

---

6. Alain Robbe-Grillet, *Glissements progressifs du plaisir,* Paris, Éd. de Minuit, 1974. Claude Bailblé, Michel Marie, Marie-Claire Ropars, *Muriel,* Paris, Galilée, 1974.

« scène » au théâtre, au « tableau » dans le cinéma primitif. Dans le film de long métrage narratif (le plus souvent analysé), la séquence est dotée d'une forte existence institutionnelle ; c'est à la fois l'unité de base du découpage technique, et, une fois le film réalisé, l'unité de mémorisation et de « traduction » du récit filmique en récit verbal. Ce dernier rôle peut être vérifié simplement par chacun de nous : lorsque nous « racontons » un film à quelqu'un qui ne l'a pas vu, par exemple, il est fréquent que nous nous référions à ces grands blocs narratifs que sont les « séquences » (en un sens très large et très lâche). Quant à l'importance de la notion dans le processus de réalisation, elle tient entre autres au fait que c'est elle qui assure l'unité de plans tournés dans un ordre qui est loin d'être toujours celui du récit. L'ordre de tournage des plans, en effet, est avant tout déterminé par des impératifs pratiques et budgétaires, amenant par exemple à enregistrer ensemble tous les plans situés dans un lieu ou un décor donné.

Ainsi, Alain Resnais a d'abord enregistré tous les plans extérieurs de *Hiroshima, mon amour,* à Hiroshima, les plans d'intérieurs, à Tokyo, les plans d'extérieurs situés en France dans le récit, à Nevers, enfin de nombreux plans d'intérieurs, en studio à Paris.
Ce type de pratique est encore dominant aujourd'hui, mais il a souvent été contesté par tels ou tels mouvements cinématographiques. Au moment de la Nouvelle Vague française, par exemple, la plupart des films ont été tournés, délibérément, dans l'ordre du récit (ce qui n'est pas sans conséquences, entre autres, sur le jeu des acteurs).

L'influence de cette conception dominante de la séquence est très sensible sur les descriptions et découpages de films publiés. En effet, dans la pratique du tournage, les indications de lieux sont déterminantes, et elles sont souvent données en fonction de critères du type « extérieur/intérieur » ou « jour/ nuit ». Aussi n'est-il pas rare de voir des descriptions de films après montage se conformer à ces distinctions (c'est souvent le cas dans la revue *L'Avant-scène,* par exemple), ce qui ne va pas sans poser quelques problèmes dans le cas de séquences de films qui brassent des lieux et des décors très divers.

Le début d'*A bout de souffle,* de Jean-Luc Godard, en serait un bon exemple : la suite d'épisodes sur la Nationale 7, puis la recherche de Patricia par Michel Poiccard, enchaînant des plans de rue, un hall d'hôtel, la chambre de Patricia, un café, une cour d'immeuble, sont des fragments de films difficiles à décrire selon la seule logique des lieux successifs, très disparates alors même que manifestement on a affaire à une action unitaire.

Il est donc indispensable, si l'on veut rendre cette notion de « séquence » plus opératoire, de la préciser davantage. Très généralement, cette notion soulève trois types de problèmes : 1º Celui de la **délimitation** des séquences (où commence et où s'arrête telle séquence ?) ; 2º Celui de la **structure interne** des séquences (quels sont les divers types de séquences les plus courants ? Peut-on en construire une typologie complète ?) ; 3º Celui de la **succession** des séquences : quelle est la logique qui préside à leur enchaînement ? Nous allons aborder ces problèmes dans cet ordre.

En ce qui concerne la **délimitation,** le premier critère qui vient à l'esprit est de se fonder sur les repères les plus faciles à identifier, les divers « fondus » et « volets » qui ont souvent été comparés à des signes de ponctuation séparant des « chapitres » du film. Ce critère, qui a pour lui la simplicité, est malheureusement loin d'être absolu ou même un tant soit peu systématique, comme l'ont démontré de nombreuses tentatives de segmentation fondées sur ces signes de ponctuation.

Donnons l'exemple d'*Ossessione,* de Luchino Visconti. Le film dure 2 h 20, comporte 482 plans ; la présence de 20 fondus a permis à Pierre Sorlin de proposer un découpage du film en 21 segments ou séquences narratives. Mais ces séquences sont très inégales et très dissemblables. La première séquence du film, consacrée à l'arrivée d'un vagabond, Gino, à la trattoria tenue par l'aubergiste Bragana et sa femme Giovanna, comporte plusieurs scènes successives ; une première scène de 7 plans montre l'arrêt du camion à l'auberge ; l'aubergiste bavarde avec les camionneurs, le vagabond descend et se dirige vers l'auberge ; la deuxième partie de la séquence (22 plans) représente la rencontre entre Gino et Giovanna. En revanche, la séquence 11, au milieu du film, ne comporte qu'un seul plan-séquence de 9 minutes, montrant l'interrogatoire de Gino et Giovanna. Bien que formellement comparables en vertu du critère adopté, ces deux fragments n'ont pas vraiment le même rapport au récit.

Même dans le cinéma le plus classique, cette délimitation par des signes visibles de ponctuation n'est pas du tout systématique, et le raccord « cut » entre deux séquences successives n'est pas exceptionnel. A fortiori, ce critère devient tout à fait insuffisant dès qu'on essaie de délimiter des séquences dans un film au style moins classique.

Pour revenir rapidement sur l'exemple d'*A bout de souffle,* le critère des marques de ponctuation (fondus-enchaînés, fondus et iris au noir) permet d'obtenir 12 unités de durée extrêmement inégale (de 28 minutes et 10 secondes pour la longue séquence entre Michel et Patricia dans la chambre, à 30 secondes pour le gros plan du couple s'embrassant dans le noir d'une salle de projection), et ne correspondant pas à des « chapitres » d'importance égale[7].

C'est entre autres pour pallier ces difficultés que Christian Metz, dans un de ses premiers articles, a proposé, sous le nom devenu célèbre de « grande syntagmatique », une typologie plus précise des agencements séquentiels dans le film de fiction. Nous allons indiquer plus loin les principaux types proposés par Metz ; notons pour l'instant, en ce qui concerne la délimitation proprement dite des segments, ceci :
— D'abord, la « grande syntagmatique » ne concerne que la bande-image ; elle repose donc sur l'hypothèse implicite que tous les changements de séquence (ou, plus précisément, de *segment*) coïncident avec des changements de plans, ce qui n'est pas toujours évident, par exemple lorsque le *son* d'un segment donné se prolonge sur le segment suivant.
— Les critères de délimitation sont multiples ; Metz considère comme segment autonome d'un film tout passage de ce film qui n'est interrompu « ni par

---

7. Nous empruntons ces résultats à Marie-Claire Ropars.

un changement majeur dans le cours de l'intrigue, ni par un signe de ponctuation, ni par l'abandon d'un type syntagmatique pour un autre ». Si le critère des signes de ponctuation est sans ambiguïté (mais de peu d'intérêt général, comme nous venons de le voir), les deux autres sont d'application plus délicate. La notion de « changement majeur » est assez floue, même si elle reste souvent praticable. Quant au troisième critère, l'abandon d'un type de syntagme pour un autre, il renvoie à la typologie des segments.

— En fin de compte, le modèle de la « grande syntagmatique » ne fournit pas, en ce qui concerne la délimitation des segments, des solutions toutes faites. Dans pratiquement tous les cas d'application concrète qui en ont été tentés, on se heurte à des difficultés ou à des incertitudes. Cependant les catégories qu'il dégage gardent, dans la plupart des cas, un grand pouvoir de suggestion, et cette typologie reste une référence très utile, qu'il faut savoir adapter aux cas particuliers rencontrés.

Venons-en donc aux divers types de segments décrits par Metz, et à la question de la structure interne de ces segments. La table des différents types de segments est construite, dans l'article de Christian Metz, par application d'une série de dichotomies successives, fondées sur des critères logiques. Le tableau suivant résume ces opérations :

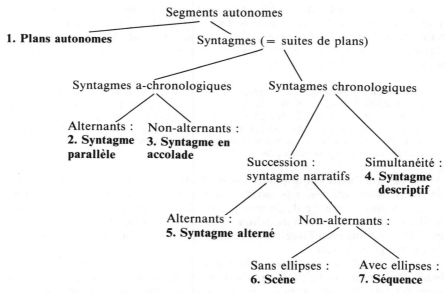

Ce tableau appelle un certain nombre de remarques :

— La catégorie des « plans autonomes » (nº 1) est en fait, très vaste ; elle comprend aussi bien des plans isolés sous forme d'insert (un gros plan sur une montre dans une scène où un personnage regarde l'heure, par exemple), que des plans-séquences pouvant durer plusieurs minutes ; pratiquement, la segmentation d'un film donné devra toujours distinguer précisément entre ces divers cas.

— La notion de « syntagme a-chronologique » signifie qu'il n'y a pas de relations chronologiques **marquées** entre les différents plans constituant le segment ; la notion de « syntagme chronologique » implique évidemment le contraire, et les relations chronologiques en question peuvent être, soit de succession, soit de simultanéité. Ces deux dichotomies (chronologique/a-chronologique, succession/simultanéité), ainsi que la dernière (présence ou non d'ellipses narratives dans le segment), reposent sur une appréciation des rapports **diégétiques**[8] entre les différents plans. En revanche, le critère de l'alternance, lui, est purement formel (puisqu'il se définit comme l'alternance de deux ou plusieurs motifs **visuellement identifiables**).

— Enfin, comme nous l'avons déjà suggéré, il ne faut pas prendre ce tableau au pied de la lettre ; il définit des critères très généraux et très puissants de délimitation entre segments, mais ne rend pas compte de l'infinie variété des cas concrets que l'on peut rencontrer. De façon générale, il s'applique plus aisément à un film dont le « degré de classicisme » est élevé, plus difficilement à un film stylistiquement innovateur. Dans bien des cas, on aura intérêt à **s'inspirer** de cette typologie et à l'adapter aux problèmes et aux buts de l'analyse entreprise. On pourra en particulier décider de segmenter davantage (en tenant compte par exemple de changements « mineurs » dans le cours de l'intrigue, produisant des césures jugées intéressantes), ou au contraire s'intéresser à des structures encore plus larges (en négligeant, par exemple, les inserts contenus dans une scène ou une séquence, pour traiter l'ensemble comme une seule unité).

De nombreux analystes ont utilisé des critères de segmentation plus ou moins *ad hoc*. Dans leur travail sur les films français des années trente, Michèle Lagny, Marie-Claire Ropars et Pierre Sorlin distinguent ainsi trois types de structures internes des segments : la continuité, linéaire ou à ellipses ; l'alternance ; l'« épaisseur temporelle ». Il est facile de voir que chacune de ces catégories correspond grosso modo à plusieurs types de « grands syntagmes » metziens.

Finalement le dernier problème lié à la segmentation est celui de la logique d'implication qui gouverne la succession des segments. C'est là une question de narratologie que nous ne pouvons traiter en détail. Nous nous contenterons d'indiquer que, dans le film narratif classique (ce serait une de ses définitions possibles), il y a le plus souvent une relation explicite entre deux segments successifs, et que cette relation est soit de type temporel (succession chronologique marquée, simultanéité marquée, etc.), soit de type causal (un élément du premier segment est la cause, marquée comme telle, d'un élément du second), et de souligner que, par conséquent, les choix opérés lors du processus de segmentation, dans la mesure où, inévitablement, ils sont liés à cette logique d'implication, dépassent déjà le niveau simplement descriptif, pour constituer une première étape de l'interprétation et de l'appréciation des structures narratives dans le film étudié.

---

8. Sur la notion de *diégèse,* voir *Esthétique du film,* p. 80.

Pour terminer, nous allons montrer sur un exemple le type de problèmes (en l'occurrence particulièrement aigus) auxquels on peut s'attendre lorsqu'on effectue une segmentation. Il s'agit d'un exemple d'apparence assez simple : c'est l'histoire d'un couple qui vient revoir le père de la femme, retiré à la campagne depuis plusieurs années. Le couple est accompagné de ses deux enfants, et de la sœur de la femme. Après avoir déjeuné avec le père, le couple et les enfants repartent ; la sœur a décidé de rester quelques temps avec le père : c'est le début d'*Elisa, Vida mía,* de Carlos Saura.

Il y a plusieurs façons de segmenter ce début. Mais, la notion de « début » étant vague, il faut d'abord le délimiter, ce qui revient déjà à poser une première hypothèse de lecture. Le film ne comporte aucun signe de ponctuation visuel ; les changements dans le cours de l'intrigue sont à peu près réduits (si l'on excepte les passages « fantastiques » ou « rêvés ») à l'arrivée du père ; la seul limite nettement marquée se situe au plan 172 (après plus d'une demi-heure de film !) : nous sommes un autre jour, on voit une petite voiture blanche conduite par Elisa partir de la ferme où vit le père, elle va à la ville téléphoner à son mari. En dehors de cette césure, on peut observer plusieurs ellipses, mais les segments s'enchaînent de façon continue, sans effet de rupture, et nous pouvons donc **décider** de considérer ce fragment de film déjà très long comme le « début », le premier mouvement du film (il y a notamment, une évidente similitude entre le plan 3, où une automobile arrive à la ferme, et le plan 172, où une autre automobile en repart ; le cadrage, en particulier, est pratiquement le même). Le premier critère qui s'offre à nous pour le segmenter est celui de la continuité temporelle. Trois ellipses manifestes permettent de délimiter quatre grands blocs narratifs : la première de ces ellipses suit l'arrivée du père à bicyclette, et introduit la scène du repas ; la seconde survient à la fin de la promenade entre Luis (le père) et Elisa (la fille), et mène à la scène où Elisa prépare son lit ; enfin, la troisième est plus marquée : Elisa est dans sa chambre, elle vient d'avoir une « vision » concernant l'histoire de meurtre que lui a racontée son père durant leur promenade, et l'on passe alors à un long panoramique sur la campagne, puis à Luis, dans son bureau, écrivant. Nous avons ainsi défini quatre blocs d'inégale longueur (plans 1-35, 36-129, 130-140, 141-171). Le critère le plus évident pour continuer à les segmenter est d'ordre diégétique : le deuxième de ces blocs, par exemple, est marqué par l'espèce d'enclave que constitue la « vision » (ou l'hallucination ?) d'Elisa (plans 62-66) ; le troisième, semblablement, par la « vision » du meurtre (138-139) ; le quatrième juxtapose plusieurs de ces passages « oniriformes ». Enfin, on obtiendrait une segmentation encore plus fine en fonction des lieux diégétiques représentés[9]. Ainsi, le premier plan représente une vue d'ensemble d'une plaine vide, traversée par une voiture qui arrive de l'horizon, et constitue à lui seul un premier segment. Les plans 2-6 montrent le trajet de la voiture jusqu'à la cour intérieure de la ferme (2e segment). Les personnages entrent dans la maison au plan 6, traversent une pièce, se dirigent vers la cuisine (plans 6-19, 3e segment). Au plan 20, Elisa entre dans le bureau du père (et l'un des thèmes musicaux commence) ;

---

9. C'est la solution adoptée par Blandine Pérez-Vitoria.

Début d'*Elisa, Vida mía,* de Carlos Saura (1977).

Joaquim Hinojosa dans *Elisa, Vida mía* (1977).

Geraldine Chaplin et Isabel Mestres dans *Elisa, Vida mía*, de Carlos Saura (1977).

elle va lire le manuscrit qu'elle trouve sur le bureau (plans 20-30, 4e segment) ;
au plan suivant, on est de nouveau dans la cour de la ferme, le père arrive
(plans 31-35, 5e segment) ; etc.

Nous n'irons pas plus loin sur cet exemple. Nous voulions seulement suggérer, d'abord la difficulté qu'il y a, dès qu'on s'écarte un tant soit peu du
« classicisme » le plus strict, à utiliser d'emblée les catégories de segments définies par la « grande syntagmatique » ; ensuite, l'importance d'une adéquation
des critères de segmentation adoptés au but poursuivi. Les phases successives
que nous avons esquissées dans la segmentation du début d'*Elisa, Vida mía,*
passant de très larges fragments du film à des fragments de plus en plus fins,
mènent en quelque sorte d'une « macro-segmentation », correspondant aux
très grands blocs narratifs (de l'ordre de la « séquence » au sens que ce mot a
dans le langage courant), à une « micro-segmentation », qui vise à repérer les
articulations les plus infimes (et il est clair que la dernière segmentation que
nous avons ébauchée pourrait se poursuivre encore longtemps).

2.3. La description des images de film.

Avec ce paragraphe, nous nous éloignons considérablement, à vrai dire, de
la notion d'« instrument ». Décrire une image — c'est-à-dire, transposer en langage verbal les éléments d'information, de signification, qu'elle contient —
n'est pas une entreprise évidente, malgré son apparente simplicité. Beaucoup
plus encore qu'une segmentation du film, la description détaillée des plans qui
le composent présuppose un parti pris analytique et interprétatif affirmé : en
effet, il n'est pas question de décrire « objectivement » et exhaustivement tous
les éléments présents dans une image, et le choix auquel on se livre dans la description relève toujours, en fin de compte, de la mise en œuvre d'une hypothèse
de lecture, explicite ou non.

Mieux que toute argumentation abstraite, un exemple fera saisir les problèmes effectifs qui se posent à l'analyste. Nous avons choisi un plan relativement long, le plan 33 de *Muriel,* d'Alain Resnais (il dure 32 secondes). Le plan
précédent cadrait les mains de Bernard en gros plan, tenant un filtre à café de
la main gauche et essuyant un dessus de table du revers de la main droite. Le
plan 33 reprend Bernard de face au moment où il va s'asseoir dans un fauteuil
gris, de face, au centre du cadre (il porte un pull bleu vif) ; c'est un plan moyen,
cadrant le personnage à la taille. A gauche, derrière le fauteuil, des rideaux
rose vif séparent deux pièces ; à droite, une commode en bois sombre, avec une
lampe de chevet. Bernard pose le filtre à café sur le rebord du fauteuil. Puis
Hélène traverse le champ de droite à gauche, au premier plan (bruits de pas
marqués sur le parquet de bois) ; elle disparaît du champ à gauche pour tirer
les rideaux (bruit très fort des rideaux tirés). Bernard, à Hélène (toujours hors
champ) : « Il arrive quand ? » ; il jette un bref regard hors champ, vers elle.
Hélène : « Dans moins d'une heure. » Elle entre dans le champ à gauche et
pousse l'autre rideau (bruit de la tringlerie). Recadrage ascendant et vers la
gauche sur le mouvement d'Hélène ; elle revient vers le premier plan et va tra-

verser la pièce assez rapidement en repassant devant Bernard. La caméra l'accompagne en panoramique latéral rapide. Bernard, toujours assis : « Il va rester longtemps ? ». Hélène, contournant le fauteuil et traversant la pièce : « Tu seras bien aimable de ne pas le lui demander ; il pourrait être ton père ». Bernard, hors champ, d'un ton ironique : « C'est pas une raison. » La caméra s'arrête au moment où Hélène disparaît quelques secondes dans la chambre. La fin du plan est fixe sur Hélène qui est réapparue. (Bruits de pas ; sirènes et moteurs de bateaux, pendant les quelques secondes sans paroles.) Hélène a actionné l'interrupteur de la chambre au moment où elle est entrée. Hélène (revenue dans la pièce, dans l'embrasure de la porte, et regardant Bernard hors champ à gauche) : « Tu ne vas pas le lui reprocher. Alphonse est un homme que la vie n'a pas ménagé. » (Elle parle lentement, en détachant les mots.) Elle retire son pull de laine grise pour mettre la veste marron de son tailleur tout en parlant. Bernard, toujours hors champ, et assez brusquement : « Je vais faire un tour, voir Muriel. » Hélène, assez fort (ton de surprise) : « Mais tu rentreras pour dîner, j'espère ! C'est le premier soir ! » Bruits de sirènes et de moteurs de bateaux sur ces dernières paroles d'Hélène. Le plan suivant recadre en contre-champ Hélène, de dos au premier plan, regardant Bernard, au fond de la pièce.

Cette description donne une idée des problèmes. D'abord, la linéarité du langage verbal trahit inévitablement la simultanéité des gestes et des paroles (c'est ce qui amène parfois à présenter ce genre de descriptions en tableaux, où des colonnes permettent de séparer nettement les divers éléments). Ensuite, et plus fondamentalement, ce fragment descriptif déjà détaillé, et passablement aride à lire, est loin d'épuiser son objet ! Indépendamment même des difficultés d'un rendu verbal de l'espace (nous ne sommes pas sûrs d'avoir bien fait comprendre la topographie des lieux, ni la nature exacte des déplacements), nous avons « oublié » de très nombreux détails, du décor, des couleurs, des gestes, mimiques, attitudes des personnages — pour ne rien dire des notations sonores, qui ne disent rien ni du ton de la voix des acteurs, ni de leur timbre, ni des effets produits par une post-synchronisation très sélective, qui a tendance à souligner tous les bruits.

De façon générale, les difficultés de la description des images de films sont liées à deux facteurs :

— D'abord, l'image filmique est, la plupart du temps, inséparable de la notion de champ[10] ; elle fonctionne comme un fragment d'un univers diégétique qui la comprend et l'excède. Notre description du plan 33 de *Muriel,* par exemple, utilise des éléments de lecture de la topographie de l'appartement qui proviennent de plans antérieurs du même film (le fait, notamment, de situer la chambre, non vue, derrière les rideaux). Mais, plus essentiellement peut-être, la description d'un plan particulier doit s'attacher à faire ressortir des éléments qui paraissent chargés d'information, dans la mesure où ils se rattachent à des éléments précédemment présentés. Ainsi, toujours dans le même exemple, il faudrait indiquer que le geste de Bernard s'inscrit dans une série antérieure où on l'a vu, en de très brefs inserts, préparer son café (plans 7, 17, 28, 32) dans la

---

10. Voir *Esthétique du film,* p. 12 et 59.

cuisine, pendant qu'Hélène raccompagnait une cliente ; en outre, jusque-là, on n'avait vu que les mains de Bernard, à peine entrevu son visage lors d'un plan très bref (plan 30, une seconde). Dans le plan analysé, il faudrait faire ressortir combien la mise en scène souligne l'extrême mobilité des personnages, le fait qu'ils ne tiennent pas en place, le désarroi d'Hélène (irritée par la désinvolture de Bernard ? angoissée par le retour d'Alphonse ?) sans parler, bien entendu, des nombreuses informations fragmentaires ou mystérieuses livrées par le dialogue (qui est Muriel ? qui est ce « il » qui doit arriver bientôt ?).

— Ensuite, et corrélativement, la description, comme tout transcodage, est sélective, nous l'avons souligné à l'instant ; mais en outre, une image — c'est devenu un lieu commun de la sémiologie du visuel — possède toujours plusieurs niveaux de signification. A tout le moins, l'image véhicule toujours des éléments **informatifs,** et des éléments **symboliques** (la frontière entre ces deux niveaux souvent distingués par les sémiologues n'étant pas toujours imperméable). La première tâche de l'analyste décrivant une image est d'identifier correctement les éléments représentés, de les reconnaître, de les nommer. Ce niveau du sens littéral, de la « dénotation » paraît aller de soi, mais en fait les « sèmes » visuels ont des limites culturelles bien précises : pensons par exemple, très simplement, à l'appartement dans lequel se déroule le plan 33 de *Muriel,* et aux difficultés qu'aurait, sans nul doute, un filmologue japonais ou bambara pour comprendre la structure et la fonctionnalité de cet espace (voir, évidemment, en sens inverse, le mal que nous avons souvent à comprendre la structure de la maison dans les films d'Ozu). Quant au niveau « symbolique », il est encore plus nettement et plus franchement conventionnel, et sa lecture correcte, même au stade de la simple description, demande une familiarité réelle avec les coutumes, l'arrière-plan historique, les symbolismes de l'univers diégétique décrit par le film.

C'est dire qu'il n'y a pas, en · matière de description de plans, de recette-miracle, et que, plus clairement que jamais, la description est ici un premier stade de l'analyse. Nous reviendrons, au chapitre 5, sur ces questions de l'analyse de l'image et du son, et proposerons quelques voies d'approche.

2.4. Tableaux, graphiques, schémas.

Avec cette dernière rubrique, nous introduisons de réels **instruments** de description, relativement formalisés — mais d'une diversité quasi infinie. En effet, pratiquement tout ce qui, dans le film, est susceptible de se décrire, peut donner lieu à schématisation ou se présenter sous forme de tableau. C'est le cas, bien entendu, des découpages en plans ou en segments dont nous avons parlé ci-dessus. Les deux exemples de découpages que nous avons présentés sont ainsi révélateurs dans leurs différences de présentation.

Il en va de même des segmentations de films, qui peuvent adopter la forme d'un tableau faisant ressortir plus ou moins nettement la grille analytique adoptée pour opérer la segmentation. Nous reproduisons ci-après le début du découpage/segmentation de *Gigi,* de Vincente Minnelli, publié par Ray-

P	Sur-S	S	Lieux	Sous-S	Personnages	Plans	Syntagme	Musiques	Actions
	0	0	Générique sur des gravures multiples		multiples	x plans		Champagne Gigi	
A	I	1	Le bois	a	Honoré	1-15	séquence	thème bois	Honoré présente le bois de Boulogne et se présente : rentier célibataire et amateur de femmes.
				b	Honoré/ Gigi	16-21		Little Girls thème puis par Honoré	Il fait l'éloge des petites filles et présente Gigi, qui joue avec ses camarades. Elle passe devant lui et s'en va à travers bois.
	II	2	Chez Gigi (ext. int.)		Gigi Mamita	22-24	séquence	vocalises /mère off/	Gigi arrive chez sa grand-mère Mamita qui lui rappelle que c'est jour de visite chez sa tante Alicia.
	III	3	Dans Paris Chez Gaston (ext.)		/Honoré/	25	plan autonome	Little Girls variation	Un cabriolet traverse une place et s'arrête devant un luxueux immeuble.
		4	Chez Gaston (int.)		Gaston fournisseur valet	26	Plan autonome		On annonce à Gaston Lachaille la visite de son oncle. Il finit de régler quelques affaires et sort.
		5	Chez Gaston (ext.)		Honoré Gaston	27-28	séquence		La rencontre de l'oncle et du neveu qui partent en cabriolet à travers Paris.
		6	Dans Paris		Honoré Gaston	29-40	scène	It's a bore thème puis Honoré/Gaston	Honoré vante les charmes de la vie (Paris, le vin, les femmes, le grand monde). Gaston lui réplique que tout l'ennuie, et fait arrêter le cabriolet.
	IV	7	Chez Gigi (ext. int.)		Gaston Mamita	41-48	scène		Gaston arrive chez Mamita. Ils parlent de Gigi. Gaston s'étonne des "leçons" que lui donne Alicia.
	V	8	Chez Alicia (ext. int.)		Alicia Gigi	49-64	séquence		Gigi arrive en courant chez Alicia. Leçon d'éducation (comment manger les ortolans). Conversation sur le mariage.

mond Bellour en annexe de son article « Segmenter, analyser ». Le titre même des colonnes de ce tableau est indicatif quant au but poursuivi : cinq colonnes (P= Parties, S = Segments, Sur-S = Sur-segments, Sous-S = Sous-segments, Syntagme = type de « grand syntagme » selon la typologie de Christian Metz) sont consacrées à la question du découpage en segments de diverses tailles (les « sous-segments » sont pour Bellour les unités d'action minimales, séparées par des changements mineurs dans l'intrigue ; à l'autre extrême, les « parties », au nombre de cinq pour tout le film, sont les grands épisodes narratifs, ceux qui permettraient de raconter le film, précisément, en quelques phrases). C'est donc essentiellement la question de la segmentation qui a ici, visiblement, préoccupé l'analyste, en elle-même.

Mais, dans une perspective toute différente, la description du segment XIII de *L'Eden et après,* d'Alain Robbe-Grillet, amène Dominique Chateau et François Jost à proposer le schéma suivant :

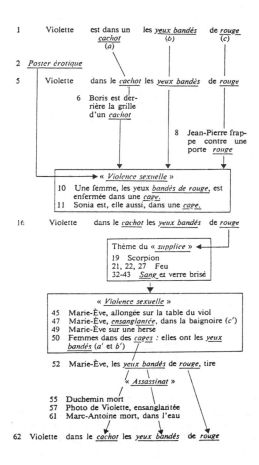

Les critères d'organisation, cette fois, sont d'ordre **thématique.** Un tel schéma est déjà, on le voit, informé par une lecture approfondie du film, et représente une véritable interprétation de ce film.

Ce dernier exemple nous amène à mentionner tous les schémas (très fréquemment utilisés, aussi bien d'ailleurs au stade de la production qu'au stade de l'analyse) qui représentent les relations **narratives** à l'intérieur d'un film donné. En voici deux exemples extraits de l'étude de *La soif du mal* par Stephen Heath (« Film and System, Terms of Analysis »), parue dans *Screen.*

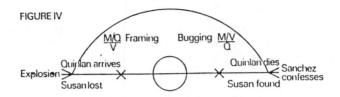

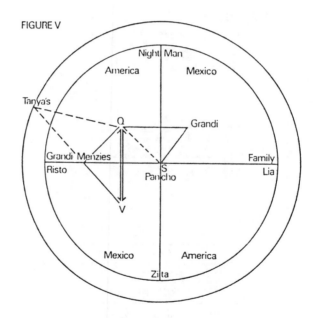

Ces schémas montrent bien l'extrême souplesse de ce genre d'« instrument » ; si la visualisation qu'ils produisent peut être précieuse en ce qu'elle fait saisir immédiatement des réseaux de relations éventuellement complexes, ces instruments n'interviennent qu'*a posteriori,* alors que, précisément, la situation qu'on veut schématiser a déjà été analysée et caractérisée.

Enfin, mentionnons un dernier exemple de schéma, parfois utile pour l'analyse de la mise en scène, du cadrage, etc : le « plan » des emplacements de caméras dans une séquence de film donnée. Voici comment Edward Branigan restitue les emplacements successifs de la caméra dans une scène de *Fleur d'équinoxe,* de Yasujiro Ozû.

FAMILY OUTING
PLAN VIEW 2-8

(Nous disons bien « restitue » : en effet, un tel « plan » présuppose une unité du lieu diégétique, qui dans la pratique est obtenue au prix d'innombrables petites « tricheries » de détail sur les emplacements relatifs des objets et des personnages d'un plan à l'autre — ce qui interdit en général d'attribuer à la caméra une position absolument certaine ; ce genre de schéma est donc surtout utile à mettre en évidence les positions **relatives** des emplacements successifs de caméra.)

3. INSTRUMENTS CITATIONNELS

3.1. L'extrait de film.

En posant ainsi comme premier instrument de citation d'un film l'extrait de film, nous courons le risque de sembler affirmer une banalité. Pourtant, cela nous semble nécessaire. En effet, il est devenu très courant, en parlant de l'analyse de films, de souligner, et de déplorer, les difficultés qu'offre le film à la citation — à la différence du texte littéraire ou du tableau. Or, cette difficulté (qui peut d'ailleurs se contourner, comme nous le verrons aux paragraphes suivants) n'en est une que pour l'analyse **écrite.** Dans ce livre, qui s'adresse principalement à des lecteurs, étudiants ou enseignants, qui pratiquent l'analyse de film en situation pédagogique, il nous a donc paru essentiel de redonner à l'analyse **orale,** effectuée sur le film lui-même, la place prépondérante qui est la sienne — et même si ces analyses orales elles-mêmes sont... difficilement citables !

Nous reviendrons en 8.5 sur ce caractère didactique de l'analyse de films. Pour l'instant, nous mentionnerons donc seulement l'importance pratique — très grande — de la disponibilité des copies de films, de l'utilisation d'extraits plus ou moins longs illustrant une analyse, enfin de techniques permettant d'examiner cet extrait « à la loupe » : ralenti, accéléré, arrêt sur image, etc. Bref, il y a une technique de l'analyse orale, dont les principes découlent en partie de ceux même de l'analyse en général, mais qui ne peut s'apprendre que par la pratique.

Les avantages et les inconvénients de l'utilisation d'extraits de films sont, *mutatis mutandis,* comparables à ceux de l'extrait de texte littéraire. Le principal intérêt est d'offrir un objet de taille plus maîtrisable, se prêtant mieux au commentaire analytique ; l'inconvénient le plus sérieux est d'accoutumer à ne voir les films que par morceaux, et à la longue de ne plus voir les films que comme des collections d'extraits citables (danger qui n'est que trop avéré dans les études littéraires). Nous saisissons donc cette occasion pour insister de nouveau sur la nécessité de ne jamais réaliser une analyse qui perde de vue totalement le film analysé, mais au contraire d'y revenir chaque fois que possible.

3.2. Le photogramme.

Parmi les opérations que nous venons de citer à propos de l'analyse orale, il en est une qui, plus fondamentalement que les autres, a été considérée comme typique de l'analyse filmique : il s'agit de l'arrêt sur image. Ce geste qui consiste à figer momentanément le défilement filmique fait ressortir doublement le photogramme [11] : d'abord, en supprimant purement et simplement la dimension sonore du film (il n'y a pas d'« arrêt sur le son » !), ensuite en sup-

---

11. Sur la question du photogramme, voir *Esthétique du film,* pp. 11-13.

primant ce qui, depuis toujours, est réputé faire l'essentiel de l'image de film, à savoir le mouvement.

D'un point de vue théorique général, le photogramme est un objet paradoxal. Il est en effet, en un sens, la citation la plus littérale d'un film qui se puisse imaginer, puisqu'il est prélevé dans le corps même de ce film ; mais en même temps, il est le témoin de l'arrêt du mouvement, sa négation. S'il fait bel et bien partie du « corps » du film, le photogramme n'est pas fait pour être normalement perçu, et le défilement du film dans le projecteur a souvent été décrit comme « annulant » les photogrammes au profit de l'image en mouvement. Ce statut paradoxal se révèle dans la plupart des photogrammes individuels d'un film, qui conservent, sous forme de flou, de « bougé », d'illisibilité partielle, quelque chose du mouvement de l'image de film (ainsi que l'arrêt sur image en cours de projection le démontre bien). Aussi les photogrammes qui sont pratiquement utilisés dans l'analyse de films sont-ils souvent des photogrammes soigneusement choisis pour éliminer ou atténuer cet effet qui, essentiel au plan théorique, est souvent ressenti comme gênant par l'analyste. Celui-ci, en effet, cherche surtout à utiliser l'aspect purement citationnel du photogramme, à exploiter le « confort » qu'il permet pour étudier les paramètres formels de l'image comme le cadrage, la profondeur de champ, la composition, les éclairages — voire les mouvements de caméra, qu'une suite de photogrammes permet de « décomposer » et d'étudier plus analytiquement.

Cette capacité d'évocation du photogramme, jusques et y compris la dimension essentielle du mouvement, a souvent été mise à profit dans des descriptions récentes. Ainsi, par exemple, Michel Marie a-t-il réalisé (dans la revue *L'Avant-Scène*) une « continuité photogrammatique » du *Dernier des hommes,* de Murnau qui, se passant pratiquement de tout commentaire, permet néanmoins de se faire une idée très précise, entre autres, des célèbres mouvements de caméra qui ont fait la réputation du film.

Naturellement, comme à propos de l'arrêt sur l'image, il faut ici être prudent. Le photogramme n'est qu'un médiocre instrument de travail pour tout ce qui concerne l'aspect narratif d'un film (par rapport auquel il joue plutôt un rôle d'aide-mémoire), et un instrument carrément dangereux si on cherche à l'utiliser pour une interprétation du film en termes de personnages et de psychologie. Les gestes, mimiques, situations, figés plus ou moins arbitrairement par l'arrêt sur l'image, sont en effet profondément transformés, au point d'être parfois lus à contresens.

Plus qu'une longue discussion, un exemple illustrera ces divers points, positifs et négatifs. Voici, pages suivantes, 14 photogrammes du plan 33 de *Muriel,* d'Alain Resnais, que nous avons essayé de décrire ci-dessus (2.3).

Outre cet usage comme support de l'analyse elle-même (le plus important en droit), le photogramme est aussi utilisé — c'est sa fonction la plus visible sinon la plus importante — comme **illustration** de la plupart des analyses publiées. Ici encore, la substitution du photogramme à la **photo de plateau** a marqué un tournant dans le rapport aux films. La photo de plateau se caractérise en général par son « léché », sa « perfection » technique ; à l'inverse, le

Quatorze photogrammes du plan 33 de *Muriel,* d'Alain Resnais (1963).

photogramme est parfois flou, il manque toujours de « piqué ». Il est entièrement dépendant de l'état matériel de la copie sur laquelle on l'a prélevé. Pour
peu qu'il provienne d'un plan en mouvement, il est facilement illisible. Enfin, il
est toujours plus ou moins consciemment référé, mentalement, au film lui-
même, vu en projection, dont le spectateur a le sentiment (si la copie et la projection sont correctes...) qu'il est toujours net et précis. Aussi est-il souvent
jugé, par le lecteur non averti, comme une illustration de moindre qualité. Si,
malgré cela, il est aujourd'hui (y compris dans des publications journalistiques)
l'illustration la plus fréquente des textes sur des films, c'est évidemment en raison même de son degré, supposé élevé, de fidélité.

Les photogrammes utilisés à des fins d'illustration seront donc en général sélectionnés en fonction de leur lisibilité (et, secondairement, en fonction de critères « esthétiques »). Mais tout aussi important, bien que moins explicite, est un autre critère : le photogramme utilisé comme illustration d'une analyse doit être « parlant » ; autrement dit, on aura souvent tendance à choisir le photogramme le plus **typique** (d'un film donné, d'une scène donnée, voire d'un plan donné) — c'est-à-dire, là encore, à renoncer en partie à ce qui fait le statut théorique privilégié du photogramme, son « anonymité ». C'est pour contrer ce danger d'une sélection trop soigneusement fondée sur des principes esthétiques ou sur une espèce de rentabilité sémiologique, que certains analystes se fixent des règles plus ou moins arbitraires à ce sujet.

La plus courante de ces « règles » est celle qui consiste à reproduire le premier et le dernier photogramme de chaque plan dans une analyse de séquence.
C'est ce qu'a fait Raymond Bellour pour son travail sur la séquence de l'attaque de l'avion dans *La Mort aux trousses,* d'Alfred Hitchcock ou Jacques Aumont pour quelques plans de son analyse d'une scène de *La Chinoise,* de Jean-Luc Godard. Une autre possibilité tout à fait comparable consiste à choisir le photogramme central (bien que la notion soit moins clairement définie) de chaque plan ; c'est ce qu'ont choisi de faire les auteurs de la continuité photogrammatique d'*Octobre,* d'Eisenstein (un film principalement composé de plans courts et fixes, qui se prête éminemment à cette tactique).

Nous n'entrerons pas dans les problèmes posés par l'intégration des photogrammes à une analyse écrite. Très généralement, l'état actuel de l'édition française d'ouvrages sur le cinéma ne permet pas d'adopter systématiquement la solution la plus élégante, et aussi la plus utile à étayer l'analyse — celle qui consiste à reproduire chaque photogramme à la place exacte où il est appelé par le texte (et plusieurs fois si nécessaire — luxe rarement atteint).

Il y a évidemment des exceptions heureuses. Mentionnons comme exemple particulièrement réussi l'analyse du début des *Chasses du Comte Zaroff,* de Ernest B. Schoedsack par Thierry Kuntzel : adaptant la technique de Roland Barthes, qui dans *S/Z* découpait en « lexies » commodes le texte de Balzac qu'il analysait, Kuntzel intègre à leur place exacte les fragments de découpage technique, les illustrations photogrammatiques, et arrive ainsi à se tenir aussi près que possible du texte filmique qu'il commente.
L'édition anglo-saxonne, généralement moins limitée par la nécessité d'aller à l'économie, a donné des exemples remarquables ; outre l'ouvrage de David Bordwell sur Dreyer, reproduisant des photogrammes d'une qualité exceptionnelle et parfaitement intégrés au texte, il faut citer le livre d'Alfred Guzzetti sur *Deux ou trois choses que je sais d'elle,* de Jean-Luc Godard qui est peut-être le meilleur « rendu » d'un film jamais réalisé par écrit, avec au moins un photogramme par plan (au format original du CinemaScope, bien entendu), un découpage très détaillé, la notation exacte des interventions musicales, etc.

3.3. Autres moyens de citation.

Ce bref paragraphe est simplement destiné à rappeler que l'extrait de film et le photogramme, s'ils sont de loin les techniques de citation les plus employées, ne sont pas les seules. D'abord, il est possible, dans une certaine mesure, de citer la bande-son d'un film. Le marché du disque a même fait une certaine place aux bandes originales de films, qui comportent parfois, outre les parties musicales et chantées, des extraits des dialogues. On peut également considérer que la partition musicale d'un film est (de façon un peu limitée certes) une citation.

Ensuite, il faut signaler que certains analystes ont imaginé des moyens originaux de citation de certains films. L'exemple le plus notable ici est celui d'Eric Rohmer, utilisant dans son étude du *Faust*, de Murnau des croquis réalisés par lui par décalque sur l'écran de la table de montage et destinés à matérialiser la composition de certains plans. En voici un exemple, avec le photogramme correspondant :

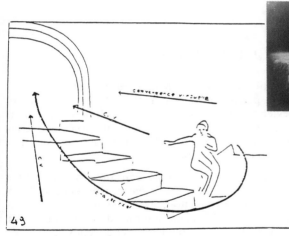

Croquis d'Éric Rohmer d'après une scène du *Faust,* de Murnau.

4. LES INSTRUMENTS DOCUMENTAIRES

De façon générale, nous visons ici un ensemble de données factuelles **extérieures** au film et susceptibles d'être utilisées dans l'analyse. La première question qui se pose est donc celle de la légitimité de leur utilisation. Les positions, à ce sujet, sont extrêmement variables : certains analystes excluent quasi totalement, par principe, de leur champ d'investigation, toute donnée qui ne découle pas strictement d'une considération interne et autonome du film ; à l'autre extrême, d'autres n'envisagent l'analyse que nourrie et entourée de données historiques. Ces deux positions extrêmes nous semblent devoir aujourd'hui s'expliquer surtout historiquement : la tendance à privilégier absolument l'étude interne, immanente du film a certainement été une réaction légitime contre les excès de la « critique d'intentions », qui, sous une forme ou une autre, a tendance à ne comprendre un film que par rapport à un savoir extérieur à lui (cf. ci-dessus, 1.3.). Inversement, la tendance, plus récente, à inscrire l'analyse dans une perspective historique plus large, doit sans doute se lire comme une réaction contre l'excessive anhistoricité de certaines analyses, « structuralistes » ou autres, des années 70 — et aussi, comme une conséquence des progrès spectaculaires de l'histoire du cinéma ces dernières années (nous y reviendrons, au chapitre 7).

Dans ce chapitre consacré aux « instruments » et aux « techniques », nous nous limiterons à évoquer l'emploi de documents relatifs aux films eux-mêmes (à l'exclusion, donc, de données plus générales, liées à l'histoire des styles, à celle des genres, à l'histoire économique, etc). Par commodité, nous envisageons séparément des documents respectivement antérieurs et postérieurs à l'exploitation publique du film.

4.1. Données antérieures à la diffusion du film.

La production et la réalisation d'un film sont des entreprises complexes, dont tous les stades, en principe, peuvent être documentés. Depuis les premiers projets (que l'initiative en revienne au producteur ou au réalisateur) jusqu'au tournage et au montage, en passant par les divers états du scénario et du découpage, la genèse du film est un processus long, dont les traces peuvent éventuellement éclairer certains aspects du film terminé.

Les documents eux-mêmes, auquel l'analyste aura affaire, sont de nature très diverse. Ils comprennent des sources écrites : scénario, états successifs du découpage, budget du film, plan de production, éventuellement journal de tournage (tenu par le/la script[e]), parfois même, journal de réalisation écrit par le cinéaste ; d'autre part, un grand nombre de données peuvent se présenter sous forme non écrite : d'abord, bien entendu, les déclarations, reportages, interviews (radiodiffusées, télévisées, voire filmées) des différents participants du film ; mais aussi des documents photographiques ou filmiques, comme les photos de plateau réalisées durant le tournage, ou, d'un tout autre point de vue, les chutes non utilisées au montage (ces dernières sont souvent des documents très précieux dans le cas de films anciens, spécialement muets, qui ont subi des remontages, ou dont le négatif est perdu).

Inutile de dire que ces documents, dans leur variété, ne se prêtent pas à une utilisation uniforme et irréfléchie. Si le scénario, ou, d'un tout autre point de vue, l'accès aux plans coupés au montage, peuvent aider directement à formuler des hypothèses d'analyse, les déclarations des cinéastes, acteurs, etc., sont toujours à prendre avec les plus grandes précautions, puisqu'il s'agit déjà d'**interprétations,** quelles que puissent être les excellentes intentions des interviewers et interviewés.

Dans la seconde partie de leur ouvrage sur *Nosferatu,* de Murnau, Michel Bouvier et Jean-Louis Leutrat donnent un excellent exemple d'une utilisation réfléchie et productive des documents relatifs à la production : script, liste des cartons, différentes copies du film, et tout particulièrement, deux ou trois pages extrêmement denses sur la Prana Films (société de production éphémère), où l'enquête factuelle s'avère singulièrement éclairante.

4.2. Données postérieures à la diffusion.

Soulignons d'abord que notre distinction chronologique entre deux types de sources est un peu arbitraire : en effet, nombre de documents relatifs au tournage sont aussi bien des documents relatifs à la sortie du film, notamment à travers leur intégration dans les diverses formes de publicité pour un film. C'est typiquement le cas des photos de plateau, essentiellement destinées à la promotion d'un film dans la presse.

Toutefois, un certain nombre de données concernent plus exclusivement la « carrière » du film : d'abord sa carrière économique, avec tous les éléments relatifs à sa distribution, au chiffre des entrées et des recettes, au nombre de copies diffusées, au type de réseau de diffusion, etc. Mais l'essentiel, pour l'analyste, reste en général plutôt l'ensemble des **données critiques** sur le film : critiques parues dans la presse, spécialisée ou non (la différence est parfois très significative), au moment de la sortie ; mais aussi, l'ensemble du discours suscité par un film donné, et qui, dans le cas de certains films célèbres, finit par entourer l'œuvre si complètement qu'il se substitue presque à elle. Il est devenu extrêmement difficile, par exemple, d'étudier *Citizen Kane, Le Cuirassé « Potemkine »* ou *Le Voleur de bicyclette* en oubliant les kilos de littérature qu'ils ont respectivement suscités. C'est peut-être à propos de films comme ceux-là, sur lesquels la masse du discours critique, et l'espèce de consensus mou qu'il recouvre, sont particulièrement gênants, qu'une politique de « table rase » peut le mieux se comprendre — quitte à pratiquer une rigoureuse critique du discours critique une fois l'analyse réalisée. Naturellement, parmi ces sources « secondaires », figurent en bonne place les analyses déjà réalisées sur le film que l'on analyse soi-même ; l'utilisation de ces analyses dépend entièrement de la nature du projet analytique : le genre « thèse universitaire » oblige à prendre en considération le plus vaste corpus possible d'analyses déjà publiées, mais en dehors de l'institution universitaire, on peut éventuellement juger qu'il vaut mieux « repartir à zéro ».

En fait, les études filmographiques sont encore suffisamment peu nombreuses (si l'on compare, par exemple, à la masse de travaux publiés sur la peinture) pour qu'un analyste puisse toujours, à propos d'un film donné, trouver un point de vue inédit, ou proposer une méthode nouvelle — plutôt que de reprendre et de creuser des hypothèses émises avant lui. Il est même relativement rare de voir une analyse en prolonger (ou en critiquer) délibérément une autre (on peut le déplorer).

BIBLIOGRAPHIE ───────────────────────

1. LE FILM ET SA TRANSCRIPTION

Raymond BELLOUR, « Le texte introuvable », in *L'Analyse du film, op. cit.*
Thierry KUNTZEL, « Le défilement », *Revue d'esthétique*, 1973, *op. cit.*
Michel MARIE, « Description-Analyse », in *Ça/Cinéma* nᵒ 7-8, mai 1975, numéro spécial « Christian METZ » ; traduction espagnole avec 5 pages de tableaux, *Vidéo-Forum*, nᵒ 4, novembre 1979, Caracas, Venezuela.
Bertrand AUGST, « The Defilement into the Look », *Camera Obscura*, nᵒ 2.

2. INSTRUMENTS DE DESCRIPTION

2.1. Le découpage
Michel MARIE, « Découpage », in *Lectures du film*, Paris, Albatros, 1976, plusieurs rééditions.
Revue *L'Avant-scène cinéma*, notamment numéros consacrés aux films suivants : *India Song*, nᵒ 225, *Pépé le Moko*, nᵒ 269, *Volpone*, nᵒ 189, *Les Yeux sans visage*, nᵒ 188, *Les Fraises sauvages*, nᵒ 331, *Le Grand Sommeil*, nᵒˢ 329-330, *L'Ami de mon amie*, nᵒ 366, etc.
Raymond RAVAR (sous la direction de) *« Tu n'as rien vu à Hiroshima ! »*, Institut de Sociologie, Université libre de Bruxelles, 1962.
Louis DELLUC, *Drames de cinéma*, éd. du Monde Nouveau, Paris, 1923, réédition Cinémathèque française établie par Pierre Lherminier (à paraître).
Pierre BAUDRY, « Découpage plan par plan d'*Intolérance* », in *Cahiers du Cinéma*, nᵒ 231 à 234, 1971.
Michel MARIE, « Découpage après montage de *Muriel* », in *Muriel, Histoire d'une recherche*, Paris, Galilée, 1974.
Jean CAYROL, *Muriel*, Paris, Le Seuil, 1963.
Philippe DESDOUITS et al., *"Octobre" d'Eisenstein, continuité photogrammatique intégrale*, Cinémathèque universitaire, Paris, 1980.
Éric ROHMER, *L'Organisation de l'espace dans le "Faust" de Murnau*, coll. « 10-18 », Paris, UGE, 1977.
Charles TESSON, Découpage de *Vampyr* de Carl Dreyer, *Avant-scène cinéma*, nᵒ 228, et *Le Mécanisme du film dans "Vampyr" de Dreyer*, Thèse de doctorat de 3ᵉ cycle, Université de Paris-III, 1979.
Carl Th. DREYER, *Œuvres cinématographiques*, 1926-1934, Cinémathèque française, Paris, 1983, chap. 2, consacré à *Vampyr*, « Le scénario, le découpage et le film », par Charles Tesson.
Michel BOUVIER et Jean-Louis LEUTRAT, *Nosferatu*, Cahiers du Cinéma, Paris, Gallimard, 1981, deuxième partie.
Alain ROBBE-GRILLET, *Glissements progressifs du plaisir*, Paris, Ed. de Minuit, 1974.

2.2. La segmentation
Jean-Luc GODARD, *A bout de souffle*, Avant-scène Cinéma, nᵒ 79, et Bibliothèque des classiques du Cinéma, Paris, Balland, 1974.
Pierre SORLIN, *Sociologie du cinéma, op. cit.*, sur *Ossessione*, troisième partie, « Analyse filmique et histoire sociale », chap. 1, « les cadres de l'analyse ».
Marie-Claire ROPARS, *Littérature*, nᵒ 46, mai 1982, « L'instance graphique dans l'écriture du film : *A bout de souffle* ou l'alphabet erratique ».

Christian METZ, « La grande syntagmatique de la bande-images », *Essais sur la signification au cinéma*, t. 1, Paris, Klincksieck, 1968, plusieurs rééditions.

Daniel PERCHERON, « Ponctuation » et « Séquences », in *Lectures du film, op. cit.*

Michèle LAGNY, Marie-Claire ROPARS, Pierre SORLIN, *Générique des années 30*, Presses universitaires de Vincennes, 1986.

Blandine PEREZ-VITORIA, *" Elisa, Vida mía " de Carlos Saura*, Découpage et étude filmique, Paris, éd. Hispaniques, 1983.

Raymond BELLOUR, « Segmenter, analyser », in *L'Analyse du film, op. cit.*

2.3. La description des images de film

Claude BAILBLÉ et al. *Muriel, histoire d'une recherche, op. cit.*

2.4. Tableaux, graphiques, schémas

Raymond BELLOUR, « Segmenter, analyser », *op. cit.*, in *L'Analyse du film.*

Dominique CHATEAU et François JOST, *Nouveau cinéma, nouvelle sémiologie*, coll. « 10-18 », Paris, UGE, 1979, rééd., Paris, Ed. de Minuit, 1985.

John FELL, « Structuring Charts and Patterns in Film », *Quarterly Review of Film Studies* vol. 3, no 3, 1978, 341-388.

Stephen HEATH, « Film and System, Terms of Analysis », *Screen*, vol. 16, no 1, 1975, 7-77, vol. 16, no 2, 1975, 91-113.

Edward BRANIGAN, « The Space of Equinox Flower », *Screen*, vol. 17, no 2, 1976, 74-105.

2.5. Instruments citationnels

Sylvie PIERRE, « Éléments pour une théorie du photogramme », *Cahiers du Cinéma*, nos 226-227, janvier-février 1971.

Éric ROHMER, Michel MARIE, Francis COURTADE, *Avant-scène cinéma*, nos 190-191, découpages de *Faust, Le Dernier des Hommes* et *Tartuffe*, de F. W. Murnau, numéro spécial Murnau.

Thierry KUNTZEL, « Le travail du film, 2 », *Communications* no 23, Paris, Le Seuil, 1975 et « Savoir, pouvoir, voir », in *Le Cinéma américain, analyses de films*, t. 1, *op. cit.*

David BORDWELL, *The Films of Carl-Theodor Dreyer*, University of California Press, Berkeley, London, Los Angeles, 1981.

Alfred GUZZETTI, *Two or Three Things I Know about Her, analysis of a film by Godard*, Harvard University Press, 1981.

Éric ROHMER, *L'organisation de l'espace dans le " Faust " de Murnau, op. cit.*

2.6. Les instruments documentaires

Carl Th. DREYER, *Réflexions sur mon métier*, Paris, éd. de l'Étoile, 1983.

Michel BOUVIER et Jean-Louis LEUTRAT, *Nosferatu, op. cit.*, deuxième partie.

Edgar MORIN, « Aspects sociologiques de la genèse d'un film », in *Tu n'as rien vu à Hiroshima, op. cit.*

Michel MARIE, « Contexte », in *Muriel, Histoire d'une recherche, op. cit.*

CHAPITRE 3

L'ANALYSE TEXTUELLE :
UN MODÈLE CONTROVERSÉ

Ainsi, les instruments dont dispose l'analyste — et, corrélativement, les objets d'analyse particuliers et les voies d'approche d'un film donné — sont nombreux, pour ne pas dire innombrables. Ce qui guette l'analyse de films, c'est donc entre autres la dispersion (quant à l'objet) et l'incertitude (quant à la méthode). C'est en grande partie pour parer à ces dangers qu'est née la notion d' « analyse textuelle ». Si nous lui donnons, dans ce livre, une place aussi visible, ce n'est pas parce qu'elle est d'une nature essentiellement différente, encore moins parce qu'elle apporte une solution toute faite à toutes les difficultés, mais pour deux types de raisons plus limitées :

— la notion de « **texte** » pose la question fondamentale de l'unité de l'œuvre et de son analyse ;

— de façon plus contingente, l' « analyse textuelle » a souvent été, non sans malentendus, une sorte d' « équivalent général » de l'analyse tout court.

1. ANALYSE TEXTUELLE ET STRUCTURALISME

Il n'est ni possible ni nécessaire de résumer en quelques lignes l'histoire de ce qu'on a appelé le **structuralisme**. Mais, dans les années soixante, le mot avait fini par devenir une étiquette un peu « attrape-tout », qui s'attacha, à juste titre ou abusivement, à bon nombre de travaux intellectuels. C'est le cas, en particulier, de maints aspects de la théorie et de l'analyse du film, et c'est pourquoi nous ouvrons ce chapitre sur une très brève considération du structuralisme en général.

1.1. Quelques concepts élémentaires.

Comme l'indique le mot même, une notion centrale est celle de structure : ce que la critique ou l'analyse structuraliste cherche à mettre au jour, c'est toujours la structure « profonde » sous-jacente à une production signifiante donnée, et qui explique la forme manifeste de cette production. Le premier exemple important fut donné par Claude Lévi-Strauss, étudiant de vastes corpus de récits mythiques, en fonction de l'hypothèse selon laquelle ces récits, souvent complexes, apparemment arbitraires, trahissent en fait une régularité et une systématicité très grandes — qualités qui sont celles, précisément, des structures « profondes » de ces mythes. Les travaux de Lévi-Strauss démontrent en outre que l'idée de structure, ainsi comprise, entraîne un corollaire : à savoir, que des productions signifiantes en apparence fort dissemblables peuvent en fait partager la même structure.

> « Ce qui importe aussi bien sur le plan spéculatif que sur le plan pratique, c'est l'évidence des écarts, beaucoup plus que leur contenu ; ils forment, dès qu'ils existent, un système utilisable à la manière d'une grille qu'on applique, pour le déchiffrer, sur un texte auquel son inintelligibilité première donne l'apparence d'un flux indistinct, et dans lequel la grille permet d'introduire des coupures et des contrastes, c'est-à-dire *les conditions formelles d'un message signifiant*. » (Souligné par nous.)
> Claude Lévi-Strauss, *La Pensée sauvage*, éd. Plon, p. 100.

Cette grille, ce système d'écarts dont parle Lévi-Strauss, sont à proprement parler la structure du « texte » considéré. La phrase que nous venons de citer, avec son évocation d'un **flux** que l'analyse doit découper en y repérant des **différences,** fait irrésistiblement penser à l'opération linguistique, qui consiste précisément à découper des flux verbaux en y repérant des oppositions significatives (c'est le sens de la distinction, posée par Ferdinand de Saussure, entre **langue** et **parole**). Aussi bien la linguistique « structurale » a-t-elle été, pour tout le mouvement structuraliste, une référence et une inspiration théorique constante ; ainsi, les **structures** sont-elles souvent vues comme des systèmes d'**oppositions binaires** (sur le modèle de celles qui, pour Saussure, fondent la langue). Ce rôle fondamental de la linguistique dans le développement du structuralisme a été encore renforcé par le fait que le langage est souvent vu comme la base même, l'infrastructure, et la condition de possibilité, de toute autre production signifiante. C'est ainsi que Lévi-Strauss s'efforce de construire des « mythèmes » (évoquant les morphèmes de la langue) ou que, plus radicalement, Jacques Lacan proclame que « l'inconscient est structuré comme un langage ».

1.2. L'analyse structurale.

L'analyse structurale s'applique donc à toutes les productions signifiantes importantes, du mythe à l'inconscient en passant par ces productions plus limitées et plus historiquement définies que sont les œuvres artistiques et littéraires (par exemple, les films). Même si les filiations sont parfois hasardeuses, l'analyse textuelle du film dérive indubitablement de l'analyse structurale en général.

Lévi-Strauss lui-même n'a que peu pratiqué l'analyse structurale appliquée à la littérature et à l'art. Il a plusieurs fois souligné que l'analogie possible entre mythologie et littérature s'arrêtait à la poésie, c'est-à-dire à toutes les œuvres où les mots mêmes utilisés possèdent une « aura » qui les rend intraduisibles — alors que, pour lui, les mythes ont des éléments logiques qui survivent même à la pire traduction. Il fut pourtant, en collaboration avec Roman Jakobson, l'un des premiers à étudier « structuralement » un poème, en l'occurrence *Les Chats*, de Baudelaire (1962) ; cependant, ni cette analyse, ni celle, par Jakobson seul, d'un autre poème de Baudelaire, *Spleen* (1967), ne nous semblent avoir eu d'influence immédiate (à l'exception de quelques réminiscences dans l'analyse d'un fragment des *Oiseaux*, d'Alfred Hitchcock, par Raymond Bellour en 1967).

L'analyse de film la plus ouvertement « lévi-straussienne » est sans conteste le livre de Jean-Paul Dumont et Jean Monod consacré à *2001*, de Stanley Kubrick. Les auteurs (eux-mêmes ethnologues) y visent à « dégager la structure sémantique » du film, en n'ayant « recours aux éléments lexicaux et grammaticaux que de façon accessoire ». Ce parti pris est cohérent avec leur vision du film comme « nouvelle version » du mythe de l'origine des astres (relevant, en tant que tel, de l'analyse mythématique). Il se confirme dans leur mode opératoire : l'analyse toute entière a été réalisée à partir d'une transcription (« sur trois colonnes : son, image, parole ») d'un enregistrement comportant la bande-son du film et un commentaire descriptif des auteurs : c'est dire notamment que la bande-image n'a été prise en considération que minimalement (ce qui est évidemment gênant, dans le cas d'un film aussi « visuel »). L'analyse procède dès lors en suivant le déroulement chronologique du film ; les éléments jugés significatifs sont organisés en systèmes d'oppositions/différences. L'essentiel de l'entreprise (et son côté le plus typiquement structuraliste) tient dans « la négation méthodologique de l'existence d'un sens ultime », auquel les auteurs substituent des significations conçues « en termes de relations entre les éléments signifiants à l'intérieur d'un langage ». Tout au plus l'établissement d'un tel système de relations peut-il en fin de compte étayer des tentatives d'interprétation.

En dehors de Lévi-Strauss, les influences les plus évidentes sur le développement de l'analyse textuelle furent sans doute celle d'Umberto Eco, de Roland Barthes, et, bien sûr, de Christian Metz. Le livre d'Eco, *La Structure absente* (1968), fut l'un des premiers à poser l'idée que les phénomènes de communication et de signification (y compris les œuvres littéraires et artistiques) constituent des systèmes de signes, que l'on peut étudier en rapportant chaque **message** singulier aux **codes** généraux qui en règlent l'émission et la compréhension. Le second chapitre du livre (intitulé « Le Regard discret ») commence par un assez long développement consacré à la définition des codes de l'image et à leur articulation ; il comporte ensuite une lecture détaillée de quatre « messages » visuels (des publicités). Plus manifeste encore est l'importance, pour le développement de l'analyse textuelle des films, du travail de Barthes. Nous retrouverons, au chapitre 4, les textes de cet auteur consacrés à l'analyse structurale des récits. Signalons ici le rôle important joué par deux textes : d'abord, « Rhétorique de l'image », consacré, comme le texte d'Eco, à l'analyse d'une image publicitaire (pour les pâtes Panzani) ; à la différence d'Eco, Barthes insiste davantage sur le niveau de la signification que sur celui de la communication : détectant, par exemple, dans l'emploi des couleurs verte et rouge, une connotation d' « italianité », il s'intéresse surtout à la place de cette connotation dans le réseau des significations immanentes (dans le « texte ») de l'image

— et assez peu aux conditions de perception de ce message par le destinataire, le lecteur.

Avant même la période de la formalisation structuraliste, Barthes avait, dans ses *Mythologies* (1957), analysé les manifestations idéologiques les plus diverses, incarnées dans des « textes » de nature fort différente (du *Guide bleu* au roman-photo), prouvant ainsi que nombre de productions socialement répandues — dont le cinéma — véhiculaient un sens systématique, et relevaient de la sémiologie. D'une façon d'ailleurs plus programmatique que véritablement opératoire, Barthes avait même posé, en 1960, dans deux articles de la *Revue Internationale de Filmologie,* le principe d'une analyse structurale du film.

Dans le second de ces articles, il écrivait ainsi : « Quels sont, dans le film, les lieux, les formes et les effets de la signification ? Et plus exactement encore : tout, dans le film, signifie-t-il, ou bien au contraire, les éléments signifiants sont-ils discontinus ? Quelle est la nature du rapport qui unit les signifiants filmiques à leurs signifiés ? » C'est à ces questions que Christian Metz, dans *Langage et Cinéma* (1971), tenta d'apporter une réponse systématique, qui devait influencer énormément la théorie et la pratique de l'analyse des films. Nous avons exposé ailleurs les grandes lignes de cet ouvrage [1], et nous nous limiterons ici à rappeler l'importance de la notion de *code,* dans la mesure même où pratiquement aucun mot du vocabulaire analytique n'a été aussi abondamment employé, pour ne pas dire galvaudé.

Recouvrant tous les phénomènes de régularité et de systématicité de la signification filmique, le code est posé, dans *Langage et Cinéma,* comme ce qui, au cinéma, tient lieu de « langue ». Naturellement, cette équivalence n'est pas absolue, et si tenant-lieu de la langue il y a, il est constitué par une combinatoire de codes, dont chacun peut certes être théoriquement isolé « à l'état pur », mais qui fonctionnent toujours en symbiose. La notion de code, en somme, permet de décrire la multiplicité des niveaux de signification dans le « langage cinématographique » ; mais si certains codes sont plus « essentiels » que d'autres (comme le code du mouvement analogique), ils ne sauraient jouer le rôle d'organisation que joue la langue, encore moins véhiculer, comme elle, l'essentiel du sens dénoté. Telle qu'elle est définie dans *Langage et Cinéma,* la notion de code permet d'examiner, dans un film particulier, le rôle aussi bien de phénomènes généraux communs à la plupart des films (par exemple, l'analogie figurative), que de phénomènes cinématographiques plus localisés (comme le « montage transparent » du cinéma classique hollywoodien) et de déterminations culturelles externes au film et éminemment variables (les conventions de genres, les représentations sociales). Opérateur analytique puissant parce que général, la notion de code se présenta d'emblée, dans le domaine filmologique, comme le concept structuraliste par excellence.

---

1. Voir *Esthétique du film,* pp. 124-143.

2. LE FILM COMME TEXTE

2.1. Les avatars de la notion de texte.

Ici encore, nous résumerons rapidement l'exposé plus détaillé de ce problème que nous avons effectué[2]. De la sémiologie structurale du cinéma, les concepts que l'analyse filmologique emprunte sont essentiellement au nombre de trois :

1°) Le **texte filmique** est le film comme « unité de discours, en tant qu'actualisée, effective » (= mise en œuvre d'une combinatoire de codes du langage cinématographique).

2°) Le **système textuel** filmique, spécifique à chaque texte, désigne un « modèle » de la structure de cet énoncé filmique ; le système correspondant à un texte est un objet idéal, construit par l'analyste — une combinaison singulière, selon une logique et une cohérence propres au texte donné, de certains codes.

3°) Le **code** est lui aussi un système (de relations et de différences), mais non pas un système textuel : c'est un système plus général, qui peut, par définition, « resservir » dans plusieurs textes (dont chacun devient alors un « message » du code en question).

Mais, outre ce sens « structuraliste », le mot **texte,** vers la fin des années soixante, a aussi été utilisé, de façon plus programmatique, pour désigner le « texte » (littéraire) **moderne.**

Cette définition, forgée par la revue *Tel Quel* et notamment par Julia Kristeva, pose que le texte n'est pas une œuvre, une chose que l'on trouve en librairie, mais un « espace », celui de l'écriture elle-même. Le texte, en ce sens-limite, est conçu comme processus (infini) de production de sens — et potentiellement, comme espace d'une activité de lecture elle aussi infinie, interminable, qui participe de cette productivité essentielle du texte moderne. Il faut souligner que ce sens du mot « texte » ne s'applique qu'à une toute petite partie de l'activité littéraire (dans leurs articles des années 1967-1972, les membres de *Tel Quel* étudient essentiellement la même demi-douzaine d'écrivains, Mallarmé, Pound, Roussel, Joyce...).

Ce sens du mot « texte » ne se prête évidemment pas à une appropriation immédiate par la filmologie. D'abord parce que, par définition, il est un concept-limite, ne s'appliquant pas, a priori, au tout-venant des œuvres (littéraires ni filmiques) ; ensuite, et plus essentiellement, parce qu'il suppose que le lecteur joue un rôle aussi actif, aussi « productif » que l'écrivain (au point que Barthes a pu dire du modèle « textuel », en ce sens précis, qu'il est « un présent perpétuel, [...] *nous en train d'écrire* »). Or, quel que soit le film — si « expérimental » soit-il — il est soumis à un certain nombre de contraintes, et en premier lieu celle du défilement (cf. supra, 2.3.2.), qui interdisent au spectateur

---

2. Voir *Esthétique du film,* pp. 143-150.

une « participation », une « collaboration » aussi actives : malgré toutes les tentatives en sens contraire, — du film « ouvert » au film « dysnarratif » ou au film « structural » — ce qui est offert au spectateur de film, c'est toujours un **produit fini,** présenté dans un ordre et à une vitesse immuables.

Si néanmoins, cette notion de **textualité** s'est avérée importante pour l'analyse du film, c'est essentiellement par l'intermédiaire, encore une fois de Roland Barthes, notamment de *S/Z* (1970). Au seuil de ce livre célèbre, consacré à l'analyse d'une nouvelle de Balzac, *Sarrasine,* Barthes propose une sorte de compromis théorique. Posant, comme une valeur positive, le « texte », le « scriptible », en tant que négation de la clôture de l'œuvre, l'auteur lui substitue la notion plus limitée, mais plus opératoire, de « pluriel » d'une œuvre : la littérature, et particulièrement la littérature classique, n'est pas composée de textes **scriptibles,** mais d'œuvres **lisibles.** Sans jamais atteindre à l'idéal du texte absolument et infiniment pluriel, certaines œuvres manifestent un « pluriel limité », ce que Barthes appelle **polysémie**; la tâche de l'analyste, dès lors, consiste à mettre en évidence ce pluriel, cette polysémie, en « brisant », en « étoilant » le texte ; l'instrument majeur de cette lecture analytique, c'est la **connotation** : et ce qui permettra de distinguer la connotation légitime de la simple association d'idées, c'est la systématicité de la lecture. Ainsi — tout en affirmant que chaque connotation est, potentiellement, « le départ d'un code » — Barthes organise sa propre analyse de *Sarrasine* autour d'un nombre très réduit de codes (cinq seulement).

Les conséquences théoriques de ces prémisses sont importantes : dans *S/Z,* la lecture du texte classique est posée comme n'étant ni « objective » ni « subjective » (elle consiste à « déplacer des systèmes dont la perspective ne s'arrête ni au texte ni au Je ») ; elle n'est jamais **incomplète,** puisqu'elle ne relève que de sa propre logique, puisqu'elle ne vise pas à décrire la construction du texte (« il n'y a pas de "somme" du texte ») ; enfin, elle n'est jamais **achevée** (« tout signifie sans cesse et plusieurs fois »). Non moins importantes ont été les conséquences de la méthode pratique adoptée par Barthes : pour mieux refuser de clore le texte sur une interprétation ultime, il décide en effet de l'analyser pas à pas, en une sorte de « ralenti » visant à démontrer la « réversibilité » des structures du texte classique. La notion pratique essentielle est ici celle de **lexie** : un petit fragment de texte, de taille variable, défini « au juger », en fonction de ce que l'analyste en espère. L'analyse consistera dès lors à examiner successivement chacune de ces lexies, à y relever des unités significatives (des connotations), et à rattacher chacune de ces connotations à un des niveaux de codes généraux. Un des traits les plus remarquables de cette analyse est que, par principe, elle s'interdit de jamais synthétiser ses résultats, qu'elle laisse au contraire en l'état, de façon à, délibérément, **ouvrir** le texte sur la pluralité de ses significations, à produire une lecture « volumétrique », pour mieux briser la naturalité de l'œuvre.

Dans *S/Z,* comme dans d'autres analyses effectuées par Barthes à la même époque, la notion de **code,** tout en recoupant largement le sens qu'elle prend dans *Langage et Cinéma,* est nettement plus lâche. Pour l'essentiel, il s'agit bien de la même chose — un **principe** qui gouverne les relations entre le signifiant et le signifié —, mais les codes utilisés par Barthes sont beaucoup plus larges : le code « référentiel », le code « symbolique », sont en fait de vastes agrégats de connotations très diverses (le second est parfois dénommé; dans *S/Z,* « champ » symbolique, plutôt que « code »). Dans son analyse du *Mr. Valdemar,* de Poe (1973), Barthes définit les codes comme « des champs associatifs, une organisation supra-textuelle de notations qui impose une certaine idée de structure » — dont la liste, dès lors, ne saurait être ni close, ni fixe, mais reste toujours plus ou moins fonction du texte analysé.

2.2. L'analyse textuelle des films.

Le travail de Barthes dans *S/Z,* en réussissant l'impossible synthèse entre les deux acceptions de la notion de texte, fut une des clés de l'essor de l'analyse textuelle des films. Repérage des éléments signifiants, « dépli » de leurs connotations, appréciation de la pertinence des codes potentiels suggérés par ces éléments : telles sont les opérations pratiques qu'impliquait déjà la notion de texte au sens de Metz. La séduction du modèle barthésien vient essentiellement du fait que, à l'obligation de construire un système fixe, susceptible (au moins potentiellement) de rendre compte exhaustivement du texte étudié, il substitue l'attitude « ouverte » qui renonce à boucler l'analyse sur un signifié final. Aussi les principes de *S/Z,* tels que nous venons de les résumer, sont-ils peu ou prou ceux qui guidèrent les premières analyses textuelles de films.

Pour le confirmer, nous allons examiner l'exemple de l'analyse, par Thierry Kuntzel, du début de *M, le maudit,* de Fritz Lang (publiée en 1972). La première chose qui frappe, méthodologiquement parlant, c'est l'adaptation, par Kuntzel, de la plus voyante des procédures de Barthes : « suivi » du texte analysé dans son ordre chronologique de déroulement, découpage dudit texte en **lexies,** arbitraire des critères de ce découpage. Au mépris de toute césure « technique », syntagmatique ou diégétique, Kuntzel découpe le fragment de film qu'il analyse en trois lexies extrêmement disparates : 1o Le générique du film (et notamment son titre) ; 2o Le premier plan diégétique du film (les enfants chantant la comptine de l' « Homme noir », et la femme avec la corbeille de linge) ; 3o Tout le reste de la séquence. Non sans quelque coquetterie (car il est très facile de subdiviser rentablement la « troisième lexie » ainsi définie), l'analyste manifeste ainsi qu'un tel découpage n'a pas de valeur absolue, mais qu'il n'est que le support ad hoc d'une analyse donnée.

La deuxième caractéristique de cette analyse, c'est donc, logiquement, que chaque lexie y est définie essentiellement par un certain fonctionnement (par la présence d'un certain nombre et d'un certain type de **codes**). Ainsi, la première lexie « engrène »-t-elle sur un code narratif (la convention qui fait commencer le film à sa première image diégétique), un code herméneutique (l'énigme du « M »), un code symbolique (la thématique du « jambage » que Kuntzel associe à la lettre M). Dans la seconde lexie, en revanche, l'analyse met en évidence des codes visuels (mouvements d'appareil, composition de l'image), et des codes narratifs (e.g. le code « référentiel », repris de Barthes). Enfin, dans la troisième lexie, ce qui focalise l'attention, c'est essentiellement l'inscription, dans et par certains codes cinématographiques (notamment des codes du montage), d'une thématique de l'attente et du vide. Ici comme à propos du découpage en lexies, ce qui frappe c'est la grande liberté que s'octroie l'analyste dans la définition de ses codes ; certes, on retrouve, pratiquement tels quels, les cinq grands codes de *S/Z* — non parfois sans quelque difficulté : le code « sémantique » reste le fourre-tout qu'il était chez Barthes, quant au code « proaïrétique », il est singulièrement difficile à adapter au cinéma, où les actions ne sont pas à proprement parler décrites, mais montrées. On retrouve, aussi, des codes empruntés très directement à *Langage et Cinéma* : code « compositionnel », code « des mouvements de caméra », code des « angles de prise de vues ». Mais on y trouve aussi des catégories codiques un peu différentes, soit très générales, comme ce code « narratif » d'inspiration encore très barthésienne, soit plus particulières, comme le code « des regards » ou le code « du décor ». L'essentiel ici est la démonstration, faite en passant, qu'il n'existe pas, même à l'intérieur du modèle « textuel », de liste de codes toute faite, et qu'au contraire ce modèle oblige l'analyste à greffer, sur chacun des éléments qu'il relève comme signifiants, « le départ possible d'un code ».

Un dernier point (qui d'ailleurs va de soi) mérite encore d'être relevé dans cette analyse de *M* : bien qu'il conserve, dans sa lecture, l'ordre chronologique du déroulement du récit filmique, Kuntzel lit chaque lexie, et notamment les deux premières, à l'aide d'associations avec des éléments provenant du reste du film (pour ne prendre qu'un exemple : le thème du « jambage » lu dans la lettre M est rattaché a diverses autres manifestations ultérieures : un pantin articulé, surtout, dont les jambes encadrent le visage du meurtrier). Ainsi se vérifie l'idée de Barthes, qui veut que l'analyse soit toujours une relecture. Abstraction faite de ses derniers paragraphes (qui introduisent un autre point de vue, « génétique » sur le texte), cet article est un représentant quasi idéal des premières « applications » de la notion même d'analyse textuelle — fût-ce en démontrant, précisément, que ce n'est pas là un « modèle » que l'on peut simplement « appliquer ».

3. LES ANALYSES DE FILMS EXPLICITEMENT CODIQUES

3.1. Portée pratique de la notion de code.

L'intérêt **théorique** de la notion de code nous paraît, aujourd'hui encore, très grand ; postuler l'existence, dans un film, de niveaux relativement autonomes de signification, organisés en un système global, est une base solide dont peu d'analyses se dispensent (même si peu d'entre elles l'explicitent). En revanche, l'intérêt **pratique** de la notion de code est moins évident ; le principal intérêt de cette notion étant justement son universalité, elle est loin de représenter un instrument toujours immédiatement efficace.

Plus précisément, les problèmes concrets posés à l'analyse par la notion de code sont au moins trois :

— D'abord, il faut redire que tous les codes ne sont pas égaux en droit (et encore moins en fait) ; l'universalité même du concept devient ici hétérogénéité : aussi n'a-t-on encore rien dit lorsqu'on annonce que l'on va étudier un film en termes codiques (tout dépend des codes qu'on va choisir de suivre).

— Ensuite, un code ne se présente jamais à l'état « pur », et ce, pour une raison théorique essentielle : si le texte filmique est le lieu de mise en œuvre du code, il est aussi son lieu de constitution : un film contribue à créer un code, autant qu'il l'applique ou l'utilise. Il est donc souvent difficile d' « isoler » un code concrètement.

— Enfin, à mesure même de la valeur artistique intrinsèque du film analysé, la notion de code perd plus ou moins de sa pertinence, les « grands » films étant souvent réputés tels pour leurs effets d'originalité, de rupture ; ainsi, l'analyse « codique » serait surtout adéquate au film de série, au film « moyen » (une catégorie dont l'existence même n'est pas évidente).

C'est le reflet de cet intérêt et de ces difficultés que nous allons trouver, dans les analyses qui se réfèrent à la notion de code.

3.2. Analyse de film, analyse de codes.

Nous avons vu plus haut (chapitre 2, 5.2.2.) que l'opération de la segmentation — opération pratique et pratiquable s'il en est — avait été introduite essentiellement sous forme théorique, avec l'intention première de prouver qu'il y avait « du code » dans le film. Aussi donnerons-nous, pour premiers exemples d'analyses « codiques », des analyses de films centrées sur la question de la segmentation.

La première étude à appliquer le modèle de la « grande syntagmatique » est due à Christian Metz lui-même, et porte sur *Adieu Philippine,* de Jacques Rozier. Le gros du travail consiste en une segmentation complète, rattachant tous les segments du film à l'un des sept grands types définis dans le code, et notant les ponctuations et démarcations entre segments. Au cours même de cette segmentation, Metz relève, à l'occasion, telle difficulté de délimitation (il y en a plusieurs dès les tout premiers segments), ou de caractérisation (difficultés, par exemple, de la distinction entre scène et séquence, ou problèmes de l'alternance, etc.). Aussi peut-on dire que, outre les conclusions qu'on en peut tirer sur le film lui-même, cette analyse a pour visée — partielle mais importante — de « vérifier » la typologie des segments, de l'affiner, de la discuter, voire de la justifier. Il nous semble en particulier que c'est à partir de l'analyse d'*Adieu Philippine* que se fait jour clairement l'idée que la grande syntagmatique n'est pas un code « absolu » (comme peuvent l'être, par exemple, les codes de l'image analogique), mais qu'elle appartient, de droit et de fait, à un état historique de ce langage (= grosso modo, sa période « classique »). Corrélativement, la fréquence, dans un film donné, de tel ou tel type syntagmatique, dépend de la place du film dans l'histoire des formes — et réciproquement, elle

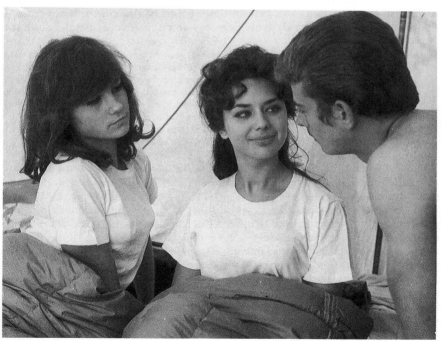

Adieu Philippine, de Jacques Rozier (1962) — photos de plateau.

Adieu Philippine, photo de plateau.

permet de caractériser stylistiquement le film. Ainsi le commentaire dont Metz assortit sa segmentation est-il surtout destiné à relever la concordance entre le relevé statistique des types de syntagmes, et l'appartenance stylistique du film :

« Il apparaît en résumé que les fréquences, les raretés et les absences repérables dans *Adieu Philippine* permettent de confirmer et de préciser ce que l'intuition critique nous indique sur le style de ce film, œuvre typique du « cinéma nouveau » (liberté d'allure, répugnance devant les procédés trop visiblement « rhétoriques », apparentes « simplicité » et « transparence » du récit), et — à l'intérieur même de ce cinéma nouveau — de la tendance que l'on pourrait appeler « Godard-cinéma-direct » (importance de l'élément verbal, donc des scènes ; « réalisme » de l'ensemble ; mais aussi, véritable renaissance du montage sous de nouvelles formes) ».

C'est également à un réexamen général de la notion qu'est conduit Raymond Bellour, dans son texte sur *Gigi,* de Vincente Minnelli (symptomatiquement intitulé : « Segmenter/Analyser »), évoqué plus haut en 2.4. Là encore, un découpage intégral du film est produit, et là encore, autant dans une visée théorique que proprement analytique. S'interrogeant sur les quelques difficultés rencontrées (malgré le degré élevé de « classicité » du film), Bellour constate que « le découpage segmental déterminé par l'inscription multiple du signifié de dénotation temporelle dans le signifiant filmique ne coïncide qu'à demi, parfois plus, parfois moins, avec le déroulement de l'intrigue, la succession des actions narratives ». Il propose donc de considérer, dans le film narratif classique, à la fois des unités « sur-segmentales », correspondant à des « unités de scénario » (une idée déjà pressentie par Metz à propos d'*Adieu Philippine*), et des unités « sous-segmentales », découpées dans le film par des

76

changements « mineurs » à l'intérieur même des segments (par exemple, l'apparition ou la disparition d'un personnage). Ces propositions ont une portée théorique très grande (elles valent, peu ou prou, pour tout film narratif) ; elles montrent clairement, entre autres, que la grande syntagmatique est en fait un aspect (*un* code) de la segmentation des films, bordé d'un côté (sur-segmental) par les codes narratifs, de l'autre côté (sous-segmental) par la multiplicité des codes qui entrent en jeu à mesure que, la segmentation s'affinant en unités de plus en plus petites, on s'approche de fragments textuels de petite taille, comportant un petit nombre de signifiants. (C'est évidemment cette même idée, d'un passage sans solution de continuité des grandes unités de scénario à des unités diégétiques de plus en plus petites, que nous avons suggérée ci-dessus dans l'exemple ébauché sur *Elisa, Vida mía* — cf. chapitre 2, § 2.2.).

En dehors de ces deux études fondatrices, il existe d'assez nombreuses applications, soit de la grande syntagmatique, soit du modèle utilisé par Raymond Bellour sur *Gigi* ; aucune, à notre connaissance, n'innove par rapport aux deux analyses que nous venons de citer, et la (sur-/sous-) segmentation d'un film est toujours utilisée (quand elle l'est) comme un moyen de catégorisation stylistique, au moins implicite. La plupart du temps, l'analyse s'accompagne en outre de considérations plus générales sur la validité du code : remarque qui vaut également pour pratiquement toutes les analyses « codiques » de films s'intéressant à d'autres codes.

Donnons pour exemple, fort net, le travail de Michel Marie sur *Muriel,* d'Alain Resnais. Situé à l'intérieur d'un travail d'ensemble sur le film qui analyse celui-ci sous plusieurs aspects, il s'agit d'un chapitre sur les « codes sonores » dans ce film. Deux remarques qui ouvrent cette analyse nous semblent avoir une portée générale :
— « particulariser l'analyse sur l'axe sonore ne présuppose pas l'autonomie — même relative — de cet axe » ; aussi bien une des conclusions de l'analyse est-elle que la musique n'a pas de fonction autonome dans le film, mais n'a de signification que par rapport à l'ensemble ;
— c'est au pluriel qu'il faut parler de « codes sonores » ; ceux-ci touchent à la fois à des problèmes aussi variés que l'analogie sonore, la composition sonore, le rapport son-image (la « composition audiovisuelle »), enfin les divers problèmes de la parole dans le film : cet axe codique est donc tout sauf unitaire. Le choix de cet angle d'étude n'est évidemment pas comparable à celui de la segmentation ; pris dans leur ensemble, dans leur multiplicité aussi, les codes sonores révèlent bien davantage sur le film que son découpage en segments. L'analyse des modes d'intervention musicale (sous-problème de la composition musicale), débouche ainsi sur une conception du film tout entier comme soumis à des structures abstraites extrêmement fortes. L'analyse de la prise de son est encore plus riche, dans son examen de la post-synchronisation (donc du rapport du film à un certain réalisme représentatif), ou des sons hors-champ.

Pourtant, une bonne partie du travail de l'auteur consiste à définir et à classer en quatre grands groupes lesdits « codes sonores » : travail d'essence théorique non dissimulée.

La liste, en fait, serait longue, des études de films présentées comme « codiques », et qui débordent très rapidement la perspective particulière d'abord présentée, pour prendre en écharpe, soit d'autres aspects du film liés au premier, soit, plus fréquemment, le code lui-même.

Dans « L'Evidence et le Code », texte consacré à l'analyse d'un bref segment (12 plans) de *The Big Sleep,* de Howard Hawks (1946), Raymond Bellour prend délibérément comme objet un fragment bref, à la structure simple (une *scène* au sens de la grande syntagmatique), au contenu visuel minimal (une série de champs/contrechamps). En se concentrant donc sur le dialogue et le jeu des regards, il montre comment le montage de ce segment, fondé sur l'échange de la voix et du regard entre les deux protagonistes, suit une certaine logique, celle du montage hollywoodien « classique ». Mais ce qui intéresse l'analyste ici, c'est moins le code particulier étudié que la façon dont le cinéma hollywoodien, aussi codé qu'un autre, déguise son codage sous les vêtements de l' « évidence ».

Nous n'insistons pas davantage : comme nous l'avons, en effet, déjà remarqué (chapitre 1, § 3), l'analyse filmographique est toujours plus ou moins vouée à frôler la théorie, et il n'est pas surprenant que le centrement plus ou moins strict autour d'un code donné accentue cette tendance.

4. ANALYSE TERMINÉE, ANALYSE INTERMINABLE

4.1. L'utopie de l'analyse exhaustive.

Au cœur de la définition même de l'analyse textuelle se trouve, nous l'avons vu, la question de la complétude de l'analyse, de son adéquation à une œuvre regorgeant de significations (et de systèmes de signification). Dans toutes les approches de l'analyse textuelle, l'analyse exhaustive d'un texte a toujours été considérée comme une utopie : quelque chose que l'on peut imaginer, mais qui n'a pas lieu dans le réel. Nous dirons plutôt, de façon un peu moins négative, qu'elle est l'**horizon** de l'analyse — et, comme l'horizon, se dérobant à mesure que l'on avance.

Ce point théorique, sur lequel tous les auteurs se rencontrent, est de grande portée pratique : il suggère en effet que l'on ne pourra jamais **terminer** une analyse (« saturer » le texte-tuteur). Si longue que soit parfois l'analyse (il en est de très volumineuses), et même si elle porte sur un texte bref (un fragment de film), elle n'épuise jamais son objet.

Un simple exemple. L'une des analyses les plus longues jamais publiées sur un seul film est celle de Stephen Heath sur *Touch of Evil,* d'Orson Welles. Très récemment, un autre chercheur, John Locke, a signalé que, dans le premier plan du film (ce célèbre et virtuose mouvement d'appareil qui pose à la fois la problématique du couple et celle de la frontière), on voyait, durant quelques photogrammes, une ombre qui pouvait être celle d'Orson Welles/Quinlan. Ce détail ne change pas « tout » ; il oblige néanmoins à d'importants ajustements en termes narratologiques (si Quinlan est présent, fût-ce hors-champ, dès cette première scène, il a un savoir supérieur à celui qu'on pouvait imaginer), et surtout en termes d'analyse de l'énonciation (puisque cette ombre est aussi celle d'un réalisateur, Welles, qui a souvent « signé » ses films par des marques de présence/absence). Ou : comment une analyse parfaitement bouclée, comme celle de Heath, peut toujours être « relancée ».

On pourrait citer bien d'autres exemples du même genre. Mais, plus fondamentalement, il n'est même pas besoin de découvrir un élément nouveau pour qu'une analyse puisse être reprise, prolongée — ou contestée.

Dans la pratique, ce caractère interminable de l'analyse a (et a eu, effectivement) des conséquences notamment sur le choix de l'objet analysé, sa taille, sa situation dans le film, etc. En effet, puisqu'il est pratiquement impossible d'analyser exhaustivement un film, ce désir d'exhaustivité qui malgré tout hante l'analyse a, entre autres, mené à développer les analyses de fragments de films, que nous allons évoquer maintenant.

4.2. Analyse de fragment, analyse de film.

Nous avons déjà cité (chapitre 1, § 2.1.) le travail d'Eisenstein, analysant, en 1934, un bref fragment (14 plans) du *Cuirassé « Potemkine »*. Dans une perspective (esthétique, politique) très différente de celle de l'analyse textuelle, il est frappant qu'Eisenstein y ait soulevé, déjà, un certain nombre des questions que nous venons de poser :

1º) La décision d'analyser un fragment est d'abord liée à un souci de précision dans le détail. Chez Eisenstein, analysant un de ses propres films, la connaissance précise du film ne posait pas de problème particulier, non plus que l'accès à des moyens de visionnement [3]. En revanche, ce souci du détail devait nécessairement revêtir une forme toute différente à l'époque (fin des années soixante) des débuts de l'analyse textuelle ; alors qu'il est aujourd'hui si simple de voir et revoir un film lorsqu'on dispose d'une copie en vidéo, on peut difficilement imaginer que, il y a à peine vingt ans, l'analyste en puissance n'avait d'autre moyen d'accéder au film qu'il désirait analyser, que d'aller le voir et le revoir dans une salle de cinéma, en prenant des notes en cours de projection. Le célèbre article de Raymond Bellour sur un fragment des *Oiseaux,* de Hitchcock, se fonde sur un découpage établi à partir du découpage technique final, fourni par la firme distributrice, et de notes prises en projection ; de même, *Le Fœtus astral,* le livre déjà cité sur *2001,* se fonde sur un commentaire parlé, enregistré durant une projection du film... On conçoit les difficultés inhérentes à une telle pratique (et aussi, les erreurs qu'elle ne peut manquer d'engendrer). Lorsqu'il devint, peu à peu, possible de travailler, sur table de montage ou avec un projecteur analytique, en disposant de copies des films étudiés, l'exigence de précision, longtemps brimée, se donna libre cours. Aux

---

3. Notons tout de même que, malgré cela, Eisenstein décrit un fragment qui n'existe dans aucune des copies actuellement connues du film — y compris la copie, conforme au montage original, qui a été restaurée dans les années soixante !

capacités (limitées) de mémorisation, à la nécessaire cursivité des notes prises durant le défilement du film, se substituait la possibilité de tout vérifier, de « ne rien oublier ». Le fragment de film devenait l'objet idéal, relativement maîtrisable.

2°) En outre, et à raison même de ce gain en précision, le fragment de film est très vite apparu comme un succédané rentable, du point de vue analytique, du film tout entier : une sorte d'échantillon, de prélèvement, à partir duquel (un peu comme en chimie), on pourrait analyser le tout sur lequel il est prélevé. L'idée est flagrante chez Eisenstein, obsédé par ce qu'il appelle l' « organicité » de l'œuvre. Mais la préoccupation est très voisine dans les premières analyses d'inspiration « textuelle » : l'analyse de fragment est toujours, au-delà de son objet immédiat, la métonymie d'une opération plus vaste (analyse du film entier, étude stylistique d'un auteur, réflexion sur l'analyse en général).

Ainsi Raymond Bellour a-t-il choisi pour son étude un fragment des *Oiseaux* qui, non seulement possède une homogénéité suffisante et une grande régularité de construction, mais encore lui permet de décrire, sous le nom de *rimes,* des effets de symétrie, de répétition et d'homologie qui sont constitutifs du cinéma d'Hitchcock en général (et au-delà, de tout le cinéma classique).
D'autres exemples seraient plus nets encore : l'analyse de séquences de *La Ligne générale* et d'*Ivan le Terrible,* d'Eisenstein, par Jacques Aumont servent expressément à apprécier, à l'échelle des films entiers dont elles sont extraites, la consistance du système théorique eisensteinien. De même, l'analyse d'un fragment de *Muriel* par Marie-Claire Ropars vise-t-elle à apprécier le « travail de l'écriture » dans le film tout entier. Etc.

A ce point, il nous semble inutile de souligner encore l'importance du modèle textuel : sans lui, c'est la justification même de ces analyses de fragments qu'il aurait fallu remettre en cause. Il n'est sans doute pas exagéré de dire que le fait d'avoir ainsi rendu possible, et légitimé, l'étude de fragments, est une des raisons importantes du succès de ce modèle textuel. Permettre à l'analyste d'avoir le sentiment qu'il travaillait avec rigueur et précision, sur un objet limité et maîtrisable, tout en rendant compte potentiellement de l'œuvre entière, n'était évidemment pas une mince qualité.

Le problème pratique essentiel posé par l'analyse de fragments de films est évidemment celui du choix même de ce fragment. Les critères et les motivations sont aussi divers que les analystes, mais il nous semble qu'on retrouve très souvent, à la base de ce choix, les critères implicites suivants :

1°) Le fragment choisi pour l'analyse doit être nettement délimité comme fragment (aussi coïncide-t-il, le plus souvent, avec un segment ou un sur-segment, au sens où nous avons défini ces termes ci-dessus).

2°) Corrélativement, il doit constituer un morceau de film consistant et cohérent, témoignant d'une organisation interne suffisamment patente.

3°) Enfin, il doit être suffisamment représentatif du film entier ; cette notion de « représentativité » n'est évidemment pas absolue, et elle reste toujours à évaluer dans chaque cas particulier, en fonction de l'axe spécifique de l'analyse, et aussi de ce que l'on veut faire ressortir dans le film en question.

Beaucoup dépend, ici, du film considéré. Les auteurs que nous avons cités précédemment, travaillant sur des films d'Hitchcock, Eisenstein ou Resnais, n'ont pas eu de mal à justifier de la représentativité des fragments qu'ils analysent, les films dont ils les extraient étant très unitaires stylistiquement. Cela est très souvent le cas dans le cinéma « classique », qui se prête donc singulièrement bien au prélèvement de fragments.

Le problème serait un peu plus compliqué pour des films au degré de classicité moins élevé. Sans aller chercher des exemples (évidents) dans le cinéma expérimental, ou même dans le cinéma « moderniste », on peut très facilement se rendre compte que, pour analyser *Citizen Kane* à travers l'un de ses fragments, il ne faudrait sans doute se limiter ni au fameux plan-séquence du suicide de Susan, ni au montage rapide sur sa carrière de cantatrice, mais choisir un fragment de film (vraisemblablement assez long) qui mette en évidence la diversité stylistique du film.

Très souvent, ces critères amènent à éviter délibérément, dans le choix d'un fragment à analyser, les « morceaux de bravoure » d'un film, et ce que nous venons de suggérer à propos de *Citizen Kane* pourrait sûrement s'étendre à la plupart des cas. C'est d'ailleurs une des constantes les plus remarquables des analyses de fragments de films publiées, dont peu échappent à cette règle. Ainsi, de *Psycho,* d'Hitchcock (1961), Raymond Bellour ne retient pas le meurtre sous la douche, mais la longue scène de conversation qui le précède[4], de *Stagecoach,* de John Ford (1939), Nick Browne retient une scène d'auberge en apparence assez anodine, etc. Dans tous les cas, la densité formelle semble devoir être préférée à la densité diégétique.

Ce critère formel est particulièrement sensible dans le cas (peu fréquent, il est vrai) d'analyses comparatives de fragments de films : ainsi, par exemple, Michel Marie « superpose »-t-il deux séquences, respectivement, d'*Hôtel du Nord,* de Marcel Carné (1938) et de *Souvenirs d'en France,* d'André Techiné (1975) afin de mettre en évidence certains caractères du découpage classique et de ses transformations dans le cinéma moderniste.

Dans certaines entreprises d'analyse où l'on ne s'intéresse pas (ou pas essentiellement) aux films, mais à des genres, ou à des époques, les critères formels de ce type deviennent encore plus déterminants dans le choix des fragments.

Dans leur travail sur le cinéma français des années trente, Michèle Lagny, Marie-Claire Ropars et Pierre Sorlin proposent de tenir compte de ce qu'ils appellent des « configurations structurelles », c'est-à-dire la simultanéité, dans certains passages de films, de marques formelles repérables : une fréquence importante de marques d'énonciation, un changement visible de régime d'implication séquentielle, une forme exceptionnelle de temporalité interne, etc. Ces critères les amènent par exemple à privilégier la séquence 9 d'*Abus de confiance,* de Henri Decoin, qui présente un

---

4. Le choix de la séquence de l'attaque de l'avion dans *North By Northwest,* d'Hitchcock (1959) sur lequel est centrée une bonne partie de l'analyse de ce film par le même Bellour, semble démentir notre propos ; il s'agit, en fait, d'un film à la structure particulière, presque entièrement constitué de tels « morceaux de bravoure ». Nous reviendrons longuement sur la logique de cette analyse (chapitre 6, § 3.1.).

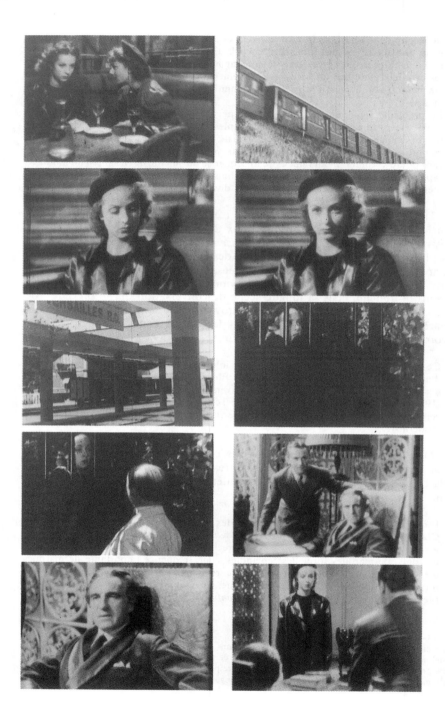

Séquence 9 d'*Abus de confiance*, d'Henri Decoin (1937).

modèle assez complexe d'organisation temporelle jusque-là inusité dans ce film, enchaînant un montage « duratif » (voyage en train), un passage continu (arrivée à l'hôtel particulier du « Père »), et deux montages alternés consécutifs. Ce choix fondé sur des critères formels n'est pas « formaliste », puisque « cette organisation complexe intervient au moment où le personnage féminin (...) accède à la maîtrise d'un regard que les séquences précédentes lui avaient refusé, la proposant au contraire comme objet à regarder ».

On aura compris qu'il est impossible de donner davantage d'indications concrètes sur la procédure pratique de choix d'un fragment aux fins d'analyse : comme presque tout en matière d'analyse, ce choix est largement déterminé par les résultats qu'on en espère...

Depuis quelques années, davantage d'analyses de films entiers ont été réalisées. Certaines (tel le *Nosferatu*, de Michel Bouvier et Jean-Louis Leutrat ou l'*Ivan le Terrible*, de Kristin Thompson) échappent assez complètement à l'approche « textuelle » au sens où la sémiologie l'a définie ; la plupart, en revanche, se situent dans le droit fil de nombreuses analyses de fragments des années soixante et soixante-dix, dont elles étendent les résultats. Aujourd'hui encore, le fragment reste un des artefacts privilégiés de l'analyste de films (surtout en situation pédagogique : voir chapitre 8, § 5.).

4.3. Analyse de débuts de films, début d'analyses.

Un type particulier de fragment de film, souvent retenu dans l'analyse, est le **début de film,** et l'on peut s'interroger sur cette fréquence. En effet, pour nous référer aux trois critères posés un peu plus haut, si le début est facilement « détachable », de par sa situation même ; si, le plus souvent, il constitue, dans le cinéma narratif classique du moins, un petit morceau assez cohérent ; en revanche, il est rare qu'il « représente » le film entier, auquel précisément il ne fait qu'introduire. Aussi les critères de choix sont-ils ici particuliers :

— nous passerons rapidement sur une raison matérielle, mineure en droit, mais qui a pu parfois jouer un rôle par commodité : à une époque, notamment, où les analyses étaient réalisées sur des copies 16 mm (par exemple louées à des fédérations de ciné-clubs), le manque de temps et de souplesse du matériel pouvait pousser à éviter de choisir des fragments situés en milieu de bobine ;

— plus sérieusement, il y a une raison narratologique, d'ailleurs bien connue, nombre d'analystes du récit ayant insisté sur la richesse sémantique particulière des débuts de récits. C'est évidemment la raison essentielle, et elle a été exploitée dans plusieurs directions.

Nous commencerons par évacuer rapidement une idée qui a joui d'une certaine fortune, à savoir qu'on pourrait systématiquement analyser tout film en confrontant la séquence initiale à la séquence finale. Certes, on voit bien qu'une telle « méthode » s'appuie sur une constatation empirique : de nombreux films sont construits sur une structure narrative « fermée », voire « en boucle » (c'est le cas, entre cent autres, d'*Hôtel du Nord,* qui commence et se termine par un plan d'ensemble de la passerelle qui enjambe le canal Saint-Martin ; un couple en descend les marches ; au début du film, au comble du désespoir, il va se suicider ; à la fin, il a retrouvé le bonheur et son insertion sociale). Mais ces confrontations systématiques ne mènent pas très loin ; tout au plus peuvent-elles permettre de vérifier une grande caractéristique du récit classique, sa tendance à toujours rétablir l'équilibre, ce qu'on a pu appeler son côté « homéostatique[5] ».

Infiniment plus productive est l'analyse du début comme « matrice » du film. L'idée a été proposée par plusieurs auteurs, à propos de plusieurs films très divers ; ainsi Marie-Claire Ropars analyse les 69 premiers plans d'*Octobre,* d'Eisenstein comme « une matrice, exposant le modèle théorique d'un processus révolutionnaire que le film réalisera en l'historicisant » :

> « Par l'obligation qu'elle impose de déchiffrer son codage spécifique avant de pouvoir procéder à une interprétation, la séquence jouerait le rôle de matrice à l'égard de la totalité du film : incitant à chercher le sens qu'il se donne dans la manière dont il produit la signification. Mais l'action de cette matrice ne suppose pas l'enfermement préalable du texte dans un système figé qui en déterminerait l'avenir ; elle intervient au contraire comme puissance génératrice, dont les possibilités de développement et de retournement sont d'autant plus fortes qu'elle fonde elle-même son déroulement sur un principe de contradiction : qu'elle contient donc en elle les germes de sa négation. »

Le cas d'*Octobre,* il est vrai, est particulier, puisqu'il s'agit d'un film moins narratif, plus « formaliste » que la moyenne, où un travail particulier semble en effet requis du spectateur[6]. Mais cette même idée, d'un début qui poserait en quelque sorte les règles du jeu (les questions **et** les réponses), a été émise, dans le contexte apparemment plus limpide du cinéma classique américain, qui plus est à propos d'un film de série, par Thierry Kuntzel, dans son important texte sur le début de *The Most Dangerous Game* (1975) : non seulement le début, mais le **générique** du film, se voit décrit, à travers une analyse de la figure du heurtoir du château du comte Zaroff, comme matrice du film :

---

5. Voir *Esthétique du film,* pp. 86-90.
6. Nous reviendrons plus en détail sur cet exemple au chapitre 5, § 2.2.1.

« (...) Le film n'est qu'apparemment successif. Le film est soumis à une dynamique interne, à un engendrement, à des compressions et des relâchements de forces. Le générique, anodin dans l'ordre du phéno-texte (le récit n'est **même pas** commencé), est la matrice de toutes les représentations et séquences narratives. (...) Fascination, pour l'analyste, des débuts : ramassé sur lui-même, le film expose ses chaînes signifiantes — l'ordre successif — dans la simultanéité. Bien plus que le " sens ", c'est le flottement du sens, l'hésitation de la lecture qui me retient. (...) Le début reste le lieu le plus " moderne " — pluriel — du texte. »

Dans cette dernière citation, on trouve incidemment une idée connexe à celle de matrice, et qui a elle aussi été parfois exploitée : l'idée d'un **engendrement** du film en son début. Aussi bien, les contraintes de l'économie spectatorielle au cinéma confèrent-elles une importance décisive au rapport du spectateur aux premières images d'un film ; ce sont elles, entre autres, qui déterminent le régime de fiction et de croyance propre à chaque film et à chaque genre. Il s'agit toujours d'opérer un transfert radical d'une instance de réalité, celle de la salle, à une instance imaginaire, celle de la diégèse filmique.

Un des exemples les plus nets est l'analyse, par Roger Odin, de l' « entrée du spectateur dans la fiction », dans le film *Partie de campagne,* de Jean Renoir. Analysant le régime fictionnel comme « un mixte subtilement dosé de **savoir** et de **croyance** », Odin montre que ces deux pôles, également nécessaires à la « prise » de l'effet-fiction, sont également présents dans le début du film (= le générique + les deux premiers plans diégétiques). Ici, à vrai dire, c'est moins le film particulier qui est visé par l'analyse qu'un phénomène général (la transformation « du spectateur de cinéma en spectateur de fiction »).

Dans une perspective plus psychanalytique, on peut aussi citer l'analyse, par Marc Vernet, de six débuts de « films noirs », où il découvre une structure assez constante : après la mise en place d'une « croyance confortante », d'un « temps heureux de la fiction où le héros était fort et dominait la situation », intervient systématiquement un épisode (le « pot-au-noir ») qui « dénonce comme leurrante la mise en place, bat en brèche la première croyance » — le film consistant dès lors à « travailler à restituer/le héros/ dans sa stature ».

4.4. Taille de l'objet, taille de l'analyse.

Dans ce tour d'horizon de quelques-uns des problèmes les plus courants de l'analyse textuelle des films, il nous reste à dire quelques mots d'une question jusqu'ici un peu escamotée : celle de la réalisation effective de l'analyse, de son écriture, et notamment de sa **dimension**.

Il peut sembler a priori que l'analyse doive automatiquement être d'autant plus longue que le texte analysé l'est davantage. Or, dans le domaine de l'analyse filmologique, rien n'est moins évident. Il est clair que, par définition, une analyse est toujours relativement longue (c'est même un des traits qui la distinguent de la critique par exemple), mais sa longueur, déterminée par l'**objet** analysé, n'est pas simplement proportionnelle à celle du **texte**. Cette simple constatation n'est au fond qu'une autre façon de dire, d'ailleurs, qu'il ne faut pas confondre l'objet d'une analyse avec le film dont elle part : ce dernier est le support empirique de l'analyse, dont l'objet est toujours plus abstrait (système textuel, étude codique, etc.).

Il est facile de vérifier sur des exemples qu'il n'y a pas de corrélation directe entre la taille du fragment de film analysé et la longueur de l'analyse. Des fragments très courts ont pu, assez souvent même, donner lieu à des analyses fort longues : Marie-Claire Ropars consacre 40 pages aux 69 premiers plans d'*Octobre* (environ 2 minutes de film), Jean Douchet, 32 pages à 17 plans de *Fury*, de Fritz Lang, Thierry Kuntzel, 52 pages aux 62 premiers plans de *The Most Dangerous Game*, d'Ernest B. Schoedsack (1932), etc. De même, toute étude qui s'efforce de couvrir la totalité de la « surface textuelle » d'un film donné (par exemple, pour une étude de codes) sera nécessairement longue.

Ce problème de la longueur de l'analyse n'en est un, à vrai dire, que pour les analyses **écrites** (nous reviendrons sur la souplesse potentielle de l'analyse orale au chapitre 8, § 5). Si l'analyse d'un fragment de film prend déjà plusieurs dizaines de pages, on conçoit qu'il devienne compliqué de consigner par écrit l'analyse d'un film entier ; il y faut en général l'équivalent d'un livre, sans qu'on puisse dire d'ailleurs qu'il existe une stratégie universellement applicable.

Des ouvrages collectifs comme ceux publiés sur *Octobre* ou *Muriel* mêlent en général divers types d'approches analytiques : analyses de fragments, études codiques, recherches sur le contexte ou la réception du film, etc. Dans leur livre sur *Nosferatu*, Michel Bouvier et Jean-Louis Leutrat intègrent leur suivi analytique de l'ensemble du film dans une série d'approches axées sur certains traits saillants du film, pris dans leur contexte culturel (rapport du film au thème et à l'iconographie du vampire, lien entre regard et terreur, rôle des éclairages et de la composition, présence de la notion romantique de Stimmung dans le traitement des paysages, etc.). Inversement, le livre d'Alfred Guzzetti sur *Deux ou trois choses que je sais d'elle,* de Jean-Luc Godard se présente comme un suivi pas à pas du texte dans son ordre de déroulement chronologique, les pages de gauche étant consacrées à une description méticuleuse, les pages de droite, au commentaire (sans que celui-ci soit jamais organisé par « codes »). Suivant également le fil du texte, Daniel Dayan, dans son analyse de *La Chevauchée fantastique,* de John Ford, choisit au contraire une tactique directement inspirée de *S/Z,* avec découpage en lexies nettes et « étiquetage » des codes repérés, au fur et à mesure. Tactique mixte, encore, pour l'analyse de *Violence et Passion,* de Luchino Visconti par Odile Larère : découpage commenté en grandes « séquences » (grosso modo, des sur-segments), puis étude de différents aspects de la mise en scène. Enfin, l'analyse d'*Ivan le Terrible,* d'Eisenstein, par Kristin Thompson, sous-titrée « A Neoformalist Analysis », est presque un manifeste méthodologique ; elle est centrée sur les *excès* du texte eisensteinien, par où il « déborde » la norme stylistique implicite qui en définit le contexte.

Une dernière remarque : si les stratégies d'exposition sont si variables, c'est qu'elles dépendent, non seulement de la nature de l'analyse (donc de celle du film analysé), mais aussi du lecteur visé (donc du support de la publication). Un exemple très éclairant est fourni par Stephen Heath, dans son analyse de *Touch of Evil* : celle-ci, en effet, donna lieu à deux publications très différentes, bien que strictement contemporaines. Dans la revue anglaise *Screen,* il publia une analyse de plus de cent pages, avec analyse détaillée de fragments, analyse narratologique d'ensemble, et « traversée » du film à de multiples niveaux symboliques (notamment, l'analyse fait ressortir, dans tout le début, les éléments qui signifient la thématique de l'échange et de la frontière, mise par Heath au centre de sa lecture). Dans *Ça cinéma,* ce fut une version beaucoup plus courte (moins de 10 pages), conservant l'essentiel des hypothèses de lecture — mais sans plus en donner la démonstration. Il est clair que, même si les conclusions (sur le film en particulier, et sur l'analyse de film en général) sont les mêmes, le premier texte fait de son lecteur une sorte de partenaire, de co-analyste en puissance (c'est d'ailleurs un texte proprement illisible si on ne « refait » pas l'analyse **avec lui**), alors que le second se présente déjà comme la synthèse de résultats exploitables.

5. FORTUNE CRITIQUE DE L'ANALYSE TEXTUELLE

En 1977, Roger Odin dressait un premier bilan de « Dix années d'analyses textuelles de films ». Il y caractérisait l'analyse textuelle par trois traits : elle n'est pas évaluative ni normative, elle porte une attention particulière au fonctionnement signifiant du film, elle accorde autant d'attention à la méthode qu'elle utilise qu'à l'objet de son étude. Cette caractérisation nous paraît remarquable : en effet, si les deux premiers traits sont bel et bien caractéristiques de l'analyse textuelle telle que nous l'avons définie, le troisième représente une exigence supplémentaire (l'exigence qu'une analyse textuelle ait toujours une visée théorique) ; d'autre part, et inversement, on ne trouve dans ces trois traits aucune allusion précise à la notion de texte, encore moins à celle de code ou de système textuel. Qu'en conclure ? Tout simplement que Odin a ainsi défini, non l'analyse textuelle en général, mais les analyses effectivement réalisées entre 1967 et 1977 et qu'il a recensées.

C'est dire que le modèle textuel, tel que nous venons de l'exposer n'a sans doute jamais été littéralement appliqué. On pourrait presque dire, en exagérant un peu, que l'analyse textuelle n'a jamais existé — mais que son **mythe** a eu la vie dure, et exercé une influence considérable. Il est important de reconnaître que ce mythe, pour beaucoup de chercheurs, s'est construit sur une image négative (souvent à partir d'une idée trop rigide du modèle textuel). En schématisant beaucoup, on peut dégager quatre grandes critiques qui ont été portées à l'analyse textuelle :

1°) Sa pertinence serait limitée au cinéma narratif, voire au cinéma narratif le plus classique, et pas du tout, par exemple, au cinéma expérimental. Dominique Noguez :

> « (...) les films expérimentaux sont moins aisément réductibles que les autres à un texte (on pourrait effectivement observer ici que plus on s'éloigne du référentiel et moins la problématique de type textuel a de pertinence) (...) » Et pour ces films, toujours selon Noguez, « l'analyse filmique aura intérêt à s'inspirer de ce que les plasticiens appellent " analyse formelle ", ou des travaux descriptifs de certains musicologues ou mélomanes » (*Fonction de l'analyse, analyse de la fonction,* p. 196).

Quelque réel que soit le problème soulevé par Noguez (= spécificité de l'analyse de certains films — mais pourquoi se limiter à l' « expérimental » ?), il nous semble qu'il y a là un malentendu sur « textuel », implicitement rapporté à la notion de « texte littéraire », et que le « texte » au sens de l'analyse textuelle peut fort bien être composé de codes essentiellement visuels, avec une très faible incidence des codes narratifs.

2°) Elle favoriserait l'amour de la dissection pour la dissection. Dominique Noguez, qui a été l'un des critiques les plus constants des excès de la sémiologie, a fustigé avec humour cette *libido decorticandi* qui nuit, selon lui, à l'exercice, plus noble, de la *libido creandi* et de la *libido fruendi*. Ici, nous ne pouvons que suivre Noguez, et constater avec lui les effets désastreux, non pas du découpage des films (parfois très utile, nous l'avons dit), mais de son inappropriation. Trop souvent, faute de savoir ce que l'on cherche, le plan-à-plan, le « saucissonnage » (l'expression est de Christian Metz), tiennent lieu d'analyse, et, pis encore, veulent passer pour garantie « scientifique ». Raymond Bellour :

> « (...) le beau, qui a toujours passé pour défier l'analyse et renvoyer, en dernier lieu, l'œuvre à l'indéfinition romantique de son dépassement, est précisément ce que l'analyse rencontre, dans sa possibilité même, quand elle met à jour l'équilibre toujours défait, toujours recomposé, d'un ensemble de formes et de structures qui définissent l'œuvre, cet objet du plaisir esthétique, comme lieu de beauté, en même temps qu'elles le déterminent, dans une entière réversibilité logique, comme lieu du désir » (*L'Analyse du film*, p. 82).

3°) Elle serait excessivement oublieuse du **contexte** (production **et** réception) dans lequel est pris le film étudié. Il nous semble (nous y reviendrons au chapitre 7) que toutes les analyses textuelles de quelque valeur ont, au terme d'un travail analytique qui parfois a délibérément « tout oublié des **circonstances** d'un film » (selon l'expression de Marie-Claire Ropars et Pierre Sorlin à propos d'*Octobre*), provoqué un effet d'**ouverture.** L'analyse « interne » de structures immanentes au film n'est répréhensible que si elle considérée comme l'alpha et l'oméga de l'analyse : danger réel, mais rarement attesté dans les meilleures analyses.

4°) Enfin, et plus essentiellement peut-être, elle court le risque de **réduire** le film à son système textuel — de le momifier, de le « tuer ». Raymond Bellour lui-même a longuement insisté sur la nécessité de toujours envisager ce système textuel comme une **virtualité,** et sur le fait que l'analyse « vraie » « rend toujours compte d'une relation entre le spectateur et le film, plus que d'une réduction à quoi que ce soit » (*Théorie du film,* p. 27).

Aucune de ces critiques ne nous paraît décisive. Si l'analyse textuelle prête à mésusage, c'est moins par une excessive formalisation que par une fausse simplicité de ses principes. Mais elle n'a pas de caractéristiques qui ne puissent être avantageusement retournées et « positivées », si l'on s'en donne la peine. Si la métaphore de la dissection est déplaisante, on doit reconnaître à l'analyse textuelle une vertu scrutatrice, une myopie productive, parfois une véritable illumination de l'intérieur.

Plus fondamentalement, c'est bien la sémiologie, et l'analyse textuelle, qui nous ont rendu sensibles à l'idée qu'un texte se compose de chaînes, de réseaux de signification qui peuvent être internes ou externes au cinéma — bref, que l'analyse n'a pas affaire à un **filmique** ou à un **cinématographique** « pur », mais **aussi** au **symbolique**. Il suffit, pour s'en convaincre, de relever le nombre de voies qui, depuis dix ans, se sont ouvertes **à partir** de l'analyse textuelle : analyse d'inspiration psychanalytique (voir chapitre 6), analyse « déconstructiviste » (à partir d'une conception du texte et de l'écriture inspirées des travaux de Jacques Derrida), analyse d' « ensembles extensibles », etc. Il n'est pas certain que l'expression « analyse textuelle » soit encore très utilisée ; elle restera, dans ce livre, comme l'arrière-plan méthodologique d'une bonne partie des considérations plus précises que nous allons introduire.

BIBLIOGRAPHIE

1. ANALYSE TEXTUELLE ET STRUCTURALISME

Claude LÉVI-STRAUSS, *La Pensée sauvage,* Paris, Plon, 1962.
Claude LÉVI-STRAUSS, *Anthropologie structurale,* Paris, Plon, 1958. — *Anthropologie structurale, II,* Paris, Plon, 1973.
Roman JAKOBSON, *Essais de linguistique générale,* Paris, éd. de Minuit, 1963. — *Essais de linguistique générale, II,* Paris, éd. de Minuit, 1973.
Jean-Paul DUMONT et Jean MONOD, *Le Fœtus astral,* Paris, Christian Bourgois, 1970.
Roland BARTHES, *Mythologies,* Paris, Le Seuil, 1957. — *S/Z,* Paris, Le Seuil, 1970.
Christian METZ, *Langage et Cinéma,* Paris, Larousse, 1971, rééd. Albatros, 1977.
Jacques AUMONT et al., *Esthétique du film,* Paris, Nathan-Université, 1983, chap. 4.

2. LE FILM COMME TEXTE

Julia KRISTEVA, *Séméiòtiké, Recherches pour une sémanalyse,* Paris, Le Seuil, 1969.
Roland BARTHES, « Analyse textuelle d'un conte d'Edgar Poe », in *Semiotique narrative et textuelle* (sous la direction de François Rastier et Claude Chabrol), Paris, Larousse, 1973.
Thierry KUNTZEL, « Le travail du film » (sur le prologue de *M le Maudit*), in *Communications,* n° 19, 1972.
Marie-Claire ROPARS, *Le Texte divisé,* Paris, PUF, 1981.

3. LES ANALYSES FILMIQUES EXPLICITEMENT CODIQUES

Christian METZ, « La grande syntagmatique de la bande-images », in *Essais 1, op. cit.*

Raymond BELLOUR, « Segmenter/analyser », in *L'Analyse du film, op. cit.*

Michel MARIE, « Un film sonore, un film musical, un film parlant », in *Muriel, histoire d'une recherche, op. cit.*

Raymond BELLOUR, « L'évidence et le code », in *L'Analyse du film, op. cit.*

4. ANALYSE TERMINÉE, ANALYSE INTERMINABLE

Stephen HEATH, in *Screen*, 16, 1 et 2, 1975, *op. cit.*, et « Système-récit », in *Ça/Cinéma* n° 7/8, 1975.

Raymond BELLOUR, « *Les Oiseaux*; analyse d'une séquence », *Cahiers du Cinéma*, n° 216, repris dans l'*Analyse du film, op. cit.*

Jacques AUMONT, *Montage Eisenstein*, Paris, Albatros, 1979.

Marie-Claire ROPARS, « Autour d'une analyse séquentielle : le travail de l'écriture », in *Muriel, histoire d'une recherche, op. cit.*

Raymond BELLOUR, « Psychose, névrose, perversion », in *L'Analyse du film, op. cit.*

Michel MARIE, « De la première communion au mariage », in *Théorie du film, op. cit.*

Michèle LAGNY et al., *Générique des années 30, op. cit.*

Michèle LAGNY et al., « Analyse d'un corpus filmique extensible : les films français des années 30 » in *Théorie du film, op. cit.*

Kristin THOMPSON, *Eisenstein's « Ivan the Terrible » : A Neoformalist Analysis*, Princeton Univ-Press, 1981.

Marie-Claire ROPARS, « L'ouverture d'*Octobre*, ou les conditions théoriques de la Révolution », in *Octobre, écriture et idéologie*, Paris, Albatros, 1976.

Thierry KUNTZEL, « Le travail du film, 2 », in *Communications*, n° 23.

Roger ODIN, « L'entrée du spectateur dans la fiction », in *Théorie du film, op. cit.*

Jean DOUCHET, « Dix-sept plans » in *Le Cinéma américain, analyses de films, op. cit.*

Odile LARÈRE, *De l'imaginaire au cinéma*, Paris, Albatros, 1980.

Roger ODIN, « Dix années d'analyses textuelles du film », *Linguistique et sémiologie*, n° 3, 1977.

Dominique NOGUEZ, « Fonction de l'analyse, analyse de la fonction », in *Théorie du film, op. cit.*

CHAPITRE 4

L'ANALYSE DU FILM COMME RÉCIT

Comme nous l'avons déjà fait remarquer, le récit filmique est un aspect des films qui relève de codes particuliers ; ces codes, toutefois, méritent d'être traités à part, pour deux types de raisons d'ailleurs liées :

— L'immense majorité des films projetés en public sont des films narratifs, à un degré plus ou moins élevé. Des polémiques, souvent acerbes, ont opposé tenants et adversaires du cinéma narratif[1] ; il n'en reste pas moins vrai que, en l'état de l'industrie de production des films, le cinéma narratif — ou semi-narratif (les documentaires, par exemple) — reste hégémonique. Ajoutons que le modèle narratif envahit, sur le mode de l' « émiettement » (Roger Odin), jusqu'au film de famille par exemple.

— Les codes du récit ont été étudiés de façon beaucoup plus approfondie que d'autres, et l'analyse filmologique peut bénéficier sur ce point de l'héritage de la critique et de la théorie littéraires. La narrativité est une des grandes formes symboliques de toute notre civilisation, et certains modèles, élaborés à propos du roman, ont une portée suffisamment large pour s'appliquer même à des films faiblement narratifs.

1. ANALYSE THÉMATIQUE, ANALYSE DE CONTENUS

1.1. « Thèmes » et « contenus ».

Sous sa forme triviale, l'analyse thématique est la plus répandue des approches du film. Le « sujet » d'un film est prétexte à des conversations quo-

---

1. Voir *Esthétique du film*, pp. 63-72.

tidiennes, mais aussi à bien des critiques journalistiques qui ne sont guère que la paraphrase des principaux « thèmes » d'un film. C'est la même approche qui, à son point le plus exsangue, sous-tend l'utilisation télévisuelle de films comme supports de débats (pour les célèbres « Dossiers de l'écran », par exemple). C'est encore elle qui est à la base de maint débat traditionnel de ciné-club. Sous forme à peine plus théorisée (sur la base de la « théorie du reflet » chère à l'esthétique marxiste), elle est à l'œuvre dans des programmations du type « le cinéma et la condition ouvrière », « cinéma et oppression de la femme », etc. La notion de **thème** jouit d'ailleurs d'une forte existence institutionnelle, et il ne manque pas d'opuscules scolaires sur le « thème » de la ville, de l'absurde, du mal, de l'argent ou de la révolte... C'est donc tout naturellement que cette approche thématique est retenue, chaque fois que l'institution éducative tente de prendre en compte les messages filmiques ; il n'est guère de manuel d'Histoire, aujourd'hui, qui ne convoque, comme si ces films ne parlaient que de cela, *Les Raisins de la colère,* de John Ford, à propos de la crise des années 30, ou *La Grande Illusion,* de Jean Renoir, à propos de la guerre de 14-18.

Une idée aussi répandue, aussi « spontanée », ne pouvait manquer de se retrouver dans le champ de l'analyse de films. Lorsqu'un collectif d'universitaires décida, en 1961-1962, d'aborder l'étude détaillée d'un film contemporain qui les avait marqués par son ambition esthétique et morale, ils consacrèrent plus de la moitié de leur travail à une approche « contenutiste ». Le livre qui en résulta (sur *Hiroshima mon amour* d'Alain Resnais) est divisé en trois parties : 1. La production et la distribution du film, les réactions du public. — 2. « *Hiroshima,* film à thèmes », et 3. « *Hiroshima* et le langage cinématographique ».

Parmi les thèmes étudiés : « L'amour et la mort », par Edgar Morin ; « Le temps, dialectique de la mémoire et de l'oubli », par Bernard Pingaud ; « La femme, un nouveau type féminin », par Edgar Morin ; « L'image de la femme à travers le cinéma », par Jacqueline Mayer ; « L'héroïne d'*Hiroshima* : une femme moderne », par Francine Vos ; « Vraisemblance, cohérence et richesse psychologique », par Francine Robaye.

On ne peut qu'être frappé par l'évacuation de toute problématique proprement filmologique dans tout cela. Aujourd'hui encore, la force d'évidence de la notion de thème est responsable de l'abondance de travaux universitaires (maîtrises, mémoires de doctorat) du type « Le thème de l'errance chez Wim Wenders », « La mémoire et l'oubli chez Resnais », ou « La femme dans le cinéma du tiers monde ».

Il n'est évidemment pas dans nos intentions de suggérer qu'un film n'a pas de contenu. Il existe d'ailleurs des définitions plus rigoureuses de cette notion, par exemple à partir des travaux de B. Berelson et H. Lasswell sur la théorie de la communication[2]. Fondée sur une délimitation rigoureuse des éléments à observer, la construction d'une grille d'observation et une analyse statistique des données recueillies, cette méthode a surtout été appliquée à la presse écrite, au dépouillement de questionnaires d'enquêtes — mais très peu au cinéma.

---

2. B.R. Berelson, *Content Analysis in Communication Research,* Glencoe (Ill.), 1952.

A notre connaissance, le seul travail actuellement en cours à relever de cette démarche est celui de François Steudler et son équipe, dans le cadre de l'UNESCO et du Centre de Recherches en sociologie de la santé, sur l'observation statistique de la représentation de l'alcoolisme dans le cinéma français.

Mais en dehors de ces méthodes sociologico-statistiques, la notion de **contenu** doit toujours être soigneusement précisée. Et surtout, il faut réaffirmer ici nettement que, au cinéma comme dans toutes les productions signifiantes, il n'est pas de contenu qui soit indépendant de la forme dans laquelle il est exprimé. L'idée d'une interaction entre la forme et le contenu est loin d'être nouvelle ; pour en rester aux discours sur le cinéma, on la trouve aussi bien chez Eisenstein que chez Bazin, ou encore, plus récemment, chez Metz, précisant que l'étude véritable d'un contenu d'un film suppose nécessairement l'étude de la forme de son contenu, « sinon, ce n'est plus du film que l'on parle, mais des divers problèmes plus généraux auxquels le film doit son matériau de départ, sans que son contenu propre se confonde en aucune façon avec eux, puisqu'il résiderait bien plutôt dans le coefficient de transformation qu'il fait subir à ces contenus [3] ».

La critique de cinéma a d'ailleurs donné quelques bons exemples de ce souci de la forme dans l'appréciation du contenu. Citons seulement les études de Michel Delahaye sur Jacques Demy et Marcel Pagnol, se présentant comme des « aide-mémoire » pour la traversée de l'œuvre d'un auteur : « Un plan, c'est-à-dire un recensement directionnel, un panorama orienté. Une thématique, évidemment, le premier stade de la critique devant être de dire les éléments signifiants de l'œuvre, en recenser les fils, pistes et filons, indiquer le tissage des figures et des configurations. » *(La Saga Pagnol.)* A côté de « recensements » purement thématiques (la ville et la campagne, la Loi du Père, etc.), d'autres (sur la « dureté des lieux », la « diagonale du temps », la « parole déviée ») accordent une grande attention au matériau filmique, figuratif et sonore.

Sur cette question, une utile clarification a été proposée (à propos des textes de théâtre) par Richard Monod, distinguant, à propos d'une œuvre donnée, trois types de questions : 1) « De quoi ça parle ? » (les thèmes) ; 2) « Qu'est-ce que ça raconte ? » (la fable) ; 3) « Qu'est-ce que ça dit ? » (le discours, ou les « thèses »). Cette formulation a surtout la vertu d'être provocante ; on pourra naturellement se reporter, avec autant sinon davantage de profit, aux distinctions établies voici 60 ans par les Formalistes russes entre « thématique », « thème », « fable », « sujet », et « motifs ». L'essentiel, pour l'analyste de film, est de se convaincre que le contenu d'un film n'est jamais une donnée immédiate, mais doit, dans tous les cas, **se construire.**

---

3. Christian Metz, « Propositions méthodologiques pour l'analyse des films », *Essais sur la signification au cinéma,* tome II, Paris, Klincksieck, 1972.

1.2. L'analyse thématique.

L'analyse thématique ressortit surtout au domaine de la critique littéraire, avec nombre de travaux des années 60, comme ceux de Georges Poulet, de Jean-Pierre Richard, de Jean Starobinski, de Jean Rousset — d'ailleurs très différents dans leurs visées respectives : Georges Poulet, par exemple, tente de situer la manière dont la conscience de l'écrivain se situe, dans l'exercice de la création littéraire, par rapport à des catégories philosophiques comme le temps ou l'espace ; Jean-Pierre Richard, lui, scrute l'univers imaginaire de l'auteur à partir de son expérience sensorielle, telle qu'en témoigne son œuvre.

Cette approche n'a jamais été vraiment transposée systématiquement dans le domaine filmologique. La tentative la plus nette en ce sens, celle d'Henri Agel dans *L'Espace cinématographique* (1978), dresse une typologie fort générale de différents espaces qui caractériseraient l'esthétique des « grands cinéastes » (l'espace « contracté », celui de l'Expressionnisme, l'espace « dilaté », lié à l'archétype aérien, celui du réalisme, de Renoir, de certains westerns...). Mais c'est dans le droit fil de la « politique des auteurs » des années 50, que l'on trouve de véritables tentatives d'analyse de films particuliers en termes « thématiques ». Nous avons évoqué plus haut l'essai de Claude Chabrol et Eric Rohmer sur Hitchcock (chapitre 1, § 2, 3) dont la visée polémique (pour la notion d' « auteur ») et promotionnelle (pour Hitchcock) obérait sans doute la capacité analytique propre. Un exemple plus abouti — et d'ailleurs assez unique en son genre — est constitué par le travail de Jean Douchet sur le même cinéaste.

Dans son livre de 1967, celui-ci adopte une approche assez semblable à celle des critiques littéraires que nous venons de citer. Se référant, pour sa définition des thèmes, aux archétypes de C. G. Jung et aux catégories de Gaston Bachelard, il part de l'hypothèse qu'un principe thématique central informe l'œuvre tout entière d'un cinéaste (lorsque celui-ci, du moins, est un « auteur »). Ce principe thématique, en l'occurrence, est fourni par la notion de suspense, que Douchet lit à la lumière de la doctrine ésotérique.

Prenons un des premiers exemples du livre, l'analyse du début de *Vertigo*, de Hitchcock : l'ombre d'un malfaiteur est pourchassée par des policiers, l'un en uniforme, l'autre en civil (Scottie, le héros — James Stewart). La poursuite a lieu sur des toits d'immeubles ; Scottie glisse, le policier, en venant à son secours, perd lui-même l'équilibre et tombe.
Douchet analyse cette séquence :
— selon un ordre logique : découverte de la cause originelle de l'intrigue (fonction classique d'exposition) ;
— selon l'ordre occulte : Scottie commet le crime luciférien d'orgueil, il désobéit au Plan Divin dont il est le principal exécutant ;
— selon l'ordre esthétique/créatoriel : la vision d'un poursuivi insaisissable, pris en chasse par deux poursuivants, inscrit sur l'écran la construction ternaire propre à tous les suspenses hitchcockiens ; elle expose également un conflit esthétique vécu par l'auteur vis-à-vis de la conception et de la réalisation de son œuvre. Tout exige le maximum de perfection dans le talent de l'artiste, « d'où la crainte avouée, en cette séquence d'ouverture, de ne pouvoir saisir le fantôme fuyant de la beauté idéale » ;

— selon l'ordre psychanalytique : Scottie sur les toits de San Francisco court en vain après la volupté de la seule sensation ; l'ombre qu'il pourchasse est son double, réminiscence de l'état fœtal ; « inconsciemment, mais ardemment, il aspire aux délices des impressions premières ».

Naturellement, sur un exemple aussi fragmentaire, l'interprétation apparaît singulièrement arbitraire. La démonstration de Douchet est plus convaincante si on la suit en son long ; Scottie est Lucifer, de même que le regard (objet par ailleurs de nombreuses analyses en termes de narration, d'énonciation, de représentation) ne l'intéresse que comme enjeu d'une lutte entre la Lumière et les Ténèbres : « Pour parvenir à leur fin qui est de prendre totalement possession du regard des personnages, les Ténèbres visent avant tout à s'emparer d'un seul regard pour le rendre porteur de l'**esprit** du mal. »

Cette « grande rêverie hitchcockienne » reste absolument exceptionnelle, et ce n'est évidemment pas par hasard si c'est l'œuvre de Hitchcock qui a, plus que toute autre, suscité cette critique interprétative. Quoi qu'il en soit, et pour rester dans le cadre du présent ouvrage, il est évidemment difficile de dégager la moindre méthode générale sur les traces de Douchet. L'analyse thématique, ainsi conçue comme une herméneutique, reste de l'ordre des idiosyncrasies.

2. ANALYSE STRUCTURALE DU RÉCIT ET ANALYSE DE FILMS

Comme nous l'avons observé à propos de l'analyse structurale en général, c'est en grande partie pour obvier à ces difficultés de l'analyse thématique, et pour remédier à l'excès d'arbitraire sur lequel elle repose parfois, que des modèles généraux d'analyse des récits ont été élaborés. Les modèles dont nous allons parler maintenant ont, sans exception, été proposés pour l'analyse d'œuvres littéraires ; leur portée est cependant suffisamment générale pour en permettre une certaine transposition dans le domaine de la filmologie.

2.1. Propp et l'analyse du conte merveilleux.

On fait en général remonter l'origine de l'analyse structurale des récits à l'ouvrage de Vladimir Propp, *Morphologie du conte populaire russe* (1928), qui « est à l'analyse structurale du récit ce que Saussure est à la linguistique » (Roland Barthes). Le premier, en effet, Propp a posé, dans l'étude de son corpus (les contes merveilleux du folklore russe), un double principe **analytique** et **structural,** consistant à décomposer chaque conte en unités abstraites, à définir les combinaisons possibles de ces unités, enfin à classer ces combinaisons.

L'unité de base est ce que Propp appelle une **fonction,** c'est-à-dire un moment élémentaire du récit, correspondant à une seule action simple, et surtout se retrouvant dans un grand nombre de contes (exemples : l'éloignement du héros de son milieu, au début du conte, ou la punition du traître, puis le mariage du héros, à la fin du conte). Ces fonctions, définies par Propp avec une grande précision (exemple : fonction n° 4 : « l'agresseur essaie d'obtenir des renseignements, ou c'est la victime qui l'interroge »), sont au nombre de 31, complétées par un nombre, indéfini celui-là, de fonctions **auxiliaires,** servant à relier dans le récit les fonctions principales. Certaines de ces fonctions sont alors regroupées par Propp en **sphères d'action,** dont chacune correspond à ce qu'on considère couramment comme les personnages du conte ; il aboutit ainsi à une liste de 7 « rôles » ou sphères d'action (l'agresseur, le donateur ou pourvoyeur, l'auxiliaire, la princesse ou personnage recherché, le mandateur, le héros, le faux héros) : par exemple, la sphère d'action de l'auxiliaire comprend : 1) Le déplacement du héros dans l'espace (fonction n° 15) ; 2) La réparation du méfait ou du manque (n° 19) ; 3) Le secours pendant la poursuite (n° 22) ; 4) L'accomplissement de tâches difficiles (n° 26) ; 5) La révélation du héros (n° 29) ; soit 5 fonctions.

Sur ces bases, Propp pose alors que le conte merveilleux est une succession de **séquences** de fonctions, partant d'un méfait ou d'un manque, et obéissant ensuite à un certain nombre de contraintes qui limitent le nombre de récits possibles. Il aboutit ainsi à un schéma très général d'enchaînements possibles des 31 fonctions, avec toutes les variantes imaginables, et qui recouvre tous les contes merveilleux de son corpus. A quoi sert ce schéma ? D'abord, à **définir** rigoureusement le conte merveilleux (par opposition à d'autres genres voisins, le conte non merveilleux par exemple) ; ensuite, à **classer** les contes (un peu sur le modèle des sciences naturelles) ; enfin à **séparer** théoriquement étude morphologique (ce que réalise le modèle) et étude stylistique (non traitée par Propp). Propp, d'ailleurs, se pensait moins lui-même comme narratologue que comme ethnologue, et son livre n'était pour lui qu'un moment assez mineur dans l'étude du folklore.

C'est donc au prix d'un malentendu assez flagrant qu'il a été considéré comme un auteur structuraliste. Sans doute l'histoire de la publication (et surtout de la traduction) du livre a-t-elle joué un grand rôle : publiée en 1958, la première traduction (en anglais) arrivait en même temps que les prémices de la vague structuraliste, et ce n'est pas hasard si, dès 1960, Claude Lévi-Strauss faisait état de sa « stupéfaction », en reconnaissant chez Propp des formules proposées dans les années 50 dans le contexte de l'analyse structurale de la littérature orale (comme la notion de « situation initiale », la comparaison de la matrice mythique à une composition musicale, la nécessité d'une double lecture, « horizontale » et « verticale », etc.).

Le malentendu, pourtant, devint vite évident. Lévi-Strauss critiqua Propp pour être trop formaliste et se préoccuper trop peu des contenus. Propp répliqua dans un article acerbe et assez méprisant, faisant mine de prendre Lévi-Strauss pour un philosophe qui ne connaissait rien à l'ethnologie... Le dialogue tourna court.

Il est capital, notamment, de ne pas oublier que tout le travail « structural » de Propp a été réalisé à propos d'un type bien particulier de produit : le conte folklorique merveilleux russe, et que, malgré l'abstraction séduisante et l'apparente généralité du modèle obtenu, celui-ci n'en reste pas moins un modèle *ad hoc*.

Aussi est-il, malgré les apparences, et en dépit, encore une fois, du degré de formalisation atteint, à peu près impossible de l'utiliser tel quel dans un autre champ — et notamment au cinéma. Cette remarque qui ressemble à un truisme est malheureusement rendue nécessaire par l'usage extensif, bien au-delà des limites raisonnables, qui en a parfois été fait (par des chercheurs anglophones). Ainsi, dans un article de 1977, « Propp in Hollywood », John Fell découvre-t-il des « séquences » proppiennes dans divers films « de genre » américains, comme *Kiss Me Deadly*, de Robert Aldrich, *Rio Bravo* ou *To Have and Have Not*, de Howard Hawks, *Underworld*, de Josef von Sternberg, etc. — mais découvre, après avoir essayé d'y retrouver également les sphères d'action de Propp, que celles-ci sont définies avec beaucoup trop de rigidité pour s'appliquer vraiment à des personnages de fictions filmiques, même relativement stéréotypées.

Moins précautionneux, Peter Wollen, dans une étude de *North By Northwest* (1959), d'Hitchcock (1976), tente de décrire les actions dans le film de façon qu'elles suivent le schéma de Propp. Malheureusement, cette adaptation ne peut se faire qu'en prenant énormément de libertés et avec le récit, et avec les fonctions proppiennes. Par exemple, Wollen lit la venue de Roger Thornhill à l'Oak Bar, au début du film, comme transgression d'une interdiction (fonction n° 3), sous prétexte que « la mère de Thornhill lui a défendu de trop boire » (ce qui n'est pas dit dans le film : on y apprend seulement qu'elle n'aime pas que son fils boive). De plus, Thornhill est enlevé avant d'avoir eu le temps de boire quoi que ce soit, de sorte qu'il ne transgresse rien du tout... De même, lorsque les deux acolytes de Van Damm tentent de faire dégringoler la falaise à Thornhill (ce qui ressortirait à la rigueur au « méfait » proppien), Wollen y voit un exemple de la fonction n° 15, le « transfert du héros d'un royaume à un autre ». On pourrait multiplier les exemples (ainsi, pratiquement chaque fois que le héros part quelque part — au Oak Bar, à Chicago, aux Nations unies, au Mont Rushmore — Wollen note un « départ du héros de sa maison », fonction n° 11...). On n'est pas surpris de voir Wollen avouer, au terme de son analyse, qu'il a trouvé « extraordinairement facile » l'adaptation des fonctions de Propp à *North By Northwest*. En effet, une interprétation aussi laxiste de ces fonctions doit pouvoir couvrir à peu près n'importe quelle fiction — pour un profit analytique assez faible.

En fait (comme le note d'ailleurs Wollen lui-même), les catégories de Propp, non utilisables telles quelles dans l'immense majorité des cas (elles le seraient peut-être, à la rigueur, pour un film « merveilleux » ?), ont surtout servi à suggérer des approches « structurales » du récit filmique, tout spécialement dans le cas du film de genre — mais plus les analyses deviennent précises, plus elles s'éloignent de Propp. Citons, notamment, l'intéressante tentative de William Wright dans *Sixguns and Society* (1975), lequel, empruntant à Lévi-Strauss une conception du western comme récit mythique, et à Propp la notion de fonctions (dans une version, de son propre aveu, « libéralisée »), écrit le scénario des films qu'il étudie comme une suite de fonctions (et d'**attributs** des personnages), dans un ordre qui n'est plus forcément fixe, et avec possibilité de répéter une même fonction. Il aboutit ainsi à distinguer quatre types de westerns : le scénario classique (un étranger arrive dans une ville perturbée, et y rétablit l'ordre) ; le scénario de la vengeance (e.g. *Stagecoach*) ; un scénario « de transition » (où le héros est hors de la société au début et à la fin, et combat contre elle, e.g. *High Noon*) ; le scénario « professionnel » (le héros est un tueur professionnel, ayant peu de liens avec une société faible). Cette typologie — qui recouvre, pour Wright, une véritable histoire du genre — est intéressante, mais nous entraîne loin de Propp, qui ne reste plus qu'une inspiration générale.

2.2. Perfectionnements de l'analyse structurale des récits.

C'est cette inspiration qu'on retrouve — toujours à propos du récit littéraire — dans plusieurs études, datées de la fin des années 60, et tentant précisément de dépasser les limitations inhérentes à l'entreprise de Propp, en élaborant des modèles et des schémas plus largement valables.

Nous nous limiterons à citer, comme étape majeure dans le développement des études structuralistes du récit, les textes proposés en 1966 par le numéro de la revue *Communications* précisément intitulé « L'Analyse structurale du récit » — et notamment ceux de Roland Barthes et Claude Bremond. L'article de Barthes, peut-être le plus frontalement structuraliste de son auteur, souligne la nécessité d'abandonner les méthodes inductives, et de fonder une narratologie qui, à l'exemple de la linguistique, devienne déductive : la théorie du récit devra « concevoir d'abord un modèle hypothétique de description (...) et descendre ensuite peu à peu, à partir de ce modèle, vers les espèces qui, à la fois, y participent et s'en écartent : c'est seulement au niveau de ces conformités et de ces écarts qu'elle retrouvera, munie alors d'un instrument unique de description, la pluralité des récits, leur diversité historique, géographique, culturelle ». L'exemple linguistique est d'ailleurs poussé assez loin : un récit devient une « grande phrase », et la typologie des rôles fait retrouver dans les personnages du récit l'équivalent des fonctions grammaticales. C'est sans doute là l'aspect le plus daté de ce texte, dont nous retiendrons plutôt sa tentative de décrire la logique inhérente à tous les modèles structuralistes du récit ; pour cette description, Barthes considère successivement trois niveaux — les fonctions, les actions, la narration — que nous allons brièvement exposer dans cet ordre.

2.2.1. Les fonctions selon Barthes.

Barthes distingue deux catégories d'unité de contenu : les unités **distributionnelles** (baptisées, comme chez Propp, *fonctions*), qui se définissent par les rapports qu'elles ont avec d'autres fonctions, et les unités **intégratives** ou **indices,** qui assurent la corrélation avec les autres niveaux (actions et narration) ; ces dernières unités peuvent être, par exemple, des indices concernant les personnages, des données sur leur identité, des notations d' « atmosphère », etc. La répartition entre ces deux types de fonctions est une première caractérisation stylistique des récits, certains étant plus « fonctionnels », d'autres plus « indiciels ». En outre, les fonctions sont subdivisées en fonctions cardinales (ou noyaux) — celles qui « ouvrent une alternative conséquente pour la suite de l'histoire » — et catalyses, qui ne sont « que des unités consécutives, et non des unités conséquentes ». De même, les indices se voient subdivisés en indices proprement dits, « renvoyant à un caractère, à un sentiment, à une atmosphère, à une philosophie », et informations, « qui servent à identifier, à situer dans le temps et l'espace ».

Le problème est alors de définir la « syntaxe fonctionnelle », c'est-à-dire la façon dont ces différentes unités s'enchaînent les unes aux autres dans le récit. Très généralement, les indices peuvent se combiner plus ou moins librement entre eux et avec les fonctions ; entre fonctions cardinales et catalyses, il y a toujours une relation d'implication simple (une catalyse implique toujours une fonction cardinale à quoi se rattacher). Le problème essentiel reste (toujours comme chez Propp) celui des « rapports de solidarité » entre fonctions cardinales.

Sur ce point, Barthes ne fait qu'exposer certaines hypothèses de travail émises par quelques chercheurs. Ainsi, dans sa « Logique des possibles narratifs », Claude Bremond tente-t-il de donner une sorte de grammaire narrative, fondée sur des séquences élémentaires de trois fonctions (ouverture d'un processus, actualisation, clôture), pouvant ensuite se combiner en séquences complexes par juxtaposition, encastrement, superposition. Dans une autre optique, plus proche de Lévi-Strauss, A.-J. Greimas cherche à « retrouver dans les fonctions des oppositions paradigmatiques » qui sont ensuite « étendues le long de la trame du récit » (voir ci-dessous, 2.3.).

2.2.2. L'action selon Barthes.

Comme chez Propp encore, la notion d'**action** vise à décrire les personnages de façon objective, en tant qu'agent plutôt qu'en tant qu'individu (c'est-à-dire à ne plus fonder l'analyse du personnage sur la psychologie).

Les tentatives dont Barthes rend compte en ce sens sont assez diverses. « Pour Claude Bremond, chaque personnage peut être l'agent de séquences d'actions qui lui sont propres *(Fraude, Séduction)* ; lorsqu'une même séquence implique deux personnages (...) la séquence comporte deux perspectives, ou, si l'on préfère, deux noms (ce qui est *Fraude* pour l'un est *Duperie* pour l'autre). » Une autre approche consiste à considérer, comme Tsvetan Todorov, non les personnes, mais « les trois grands rapports dans lesquels ils peuvent s'engager et qu'il appelle prédicats de base (amour, communication, aide) ; ces rapports sont soumis par l'analyste à deux sortes de règles : de *dérivation* lorsqu'il s'agit de rendre compte d'autres rapports, et d'*action* lorsqu'il s'agit de décrire la transformation de ces rapports au cours de l'histoire ».

Sur ce point, c'est probablement Greimas qui a donné la description la plus **praticable** des personnages du récit (nous y reviendrons dans un instant, en 2.3.

2.2.3. La narration selon Barthes.

Enfin, la problématique de la **narration,** partant de la constatation qu'un récit présuppose un donateur (le narrateur) et un destinataire (le lecteur), soulève les questions de l'énonciation et du mode de récit, qui devaient être ensuite développées par nombre d'autres analystes (cf. § 3 ci-dessous).

Les différents travaux que nous venons de citer sont surtout des travaux théoriques fondateurs, témoignant du vif désir de systématicité, de scientificité même, qui marque la période structuraliste de la narratologie. C'est en cela que réside, croyons-nous, leur importance : une notion comme celle de fonction, ou celle d'actant que nous allons exposer dans un instant, restent encore aujourd'hui utiles, sinon directement pour analyser des récits, du moins indirectement, pour interdire d'en revenir à certaines approches excessivement impressionnistes.

Le texte de Barthes comporte cependant, dans son détail, un certain nombre d'idées plus particulières, que nous n'avons pas exposées, mais qui ont à l'occasion inspiré tel ou tel analyste de films. Thierry Kuntzel, ainsi, utilise la notion d'une structure de **duel** dans son analyse de *The Most Dangerous Game,* ou certaines remarques de Barthes sur l' « escamotage du signe » dans certains récits qui veulent faire oublier leur nature de récit (dans son analyse de *M. le Maudit* de Fritz Lang).
Certaines des idées majeures de ce texte sont parfois citées, mais presque toujours en passant. Dans son analyse de *M,* Kuntzel se réfère à la notion d'**indice,** mais sans l'interroger véritablement (or, elle n'est pas évidente au cinéma, où l'image comporte une infinité potentielle d'éléments, donc le récit, une infinité potentielle d'indices...).
Plus récemment, Michèle Lagny, Marie-Claire Ropars et Pierre Sorlin reprennent une des conclusions de Barthes : « Déjà Barthes signalait (...) la difficulté de distinguer consécution et conséquence, temps et logique, dans la syntaxe du récit. Nous avons tenté de démêler ces deux modes, en séparant les cas où l'intervention d'une nouvelle séquence répond à un déclencheur manifesté dans la séquence précédente, et ceux où la liaison de deux séquences s'opère sur des bases exclusivement chronologiques. » (« Le récit saisi par le film », p. 101)

2.3. Greimas et l'analyse sémantique des récits.

A la différence des auteurs cités jusqu'ici, Algirdas-Julien Greimas est un sémanticien : c'est-à-dire qu'il s'intéresse au problème de la signification, plus qu'à celui de la syntaxe. Dans son premier livre, *Sémantique structurale* (1966), il pose la structure élémentaire de la sémantique comme reposant sur un couple « conjonction + disjonction ». Par exemple, dans le cas de l'opposition entre **blanc** et **noir,** on a une disjonction (= opposition des significations) et une conjonction (= le fait qu'il s'agit de deux qualités comparables) ; l'existence de cette conjonction définit un **axe sémantique** (ici, celui de la couleur) ; plus précisément, cet axe sémantique joint les éléments de signification (ce que Greimas appelle des **sèmes** : ici, la **blancheur** et la **noirceur**) contenus dans· les termes envisagés.

Pour Greimas, la sémantique obéit à des lois déterminées en dernière instance par la structure du langage — c'est-à-dire par la structure de l'esprit humain (une idée foncièrement lévi-straussienne). Dans le cas des récits, il reprend ainsi l'idée d'un nombre limité de rôles (les sphères d'action de Propp, qu'il appelle des **actants**), le nombre des actants n'étant pas fortuit, mais déterminé par les conditions essentielles de la signification. Concrètement, il part, comme ses contemporains, des trente et une fonctions de Propp, qu'il ramène, par couplage, à vingt fonctions seulement, puis à quatre concepts principaux :

Contrat, Epreuve, Déplacement, Communication. Parallèlement, le nombre des actants est fixé à six ; qui plus est, entre ces divers actants, les relations possibles ne sont pas quelconques, mais au contraire obéissent à un schéma fixe (qui marque l'extension des « possibles narratifs ») :

La liste des actants dérive, jusqu'à un certain point, de celle de Propp (le destinateur regroupe, par exemple, le donateur et le mandataire ; l'opposant, le méchant et le faux héros, etc.) ; mais elle s'en différencie profondément en ce qu'elle s'applique, non à un corpus donné de récits, mais à tout « micro-univers » cohérent : par exemple, aux mythes et récits mythiques, mais aussi à tout texte narratif, en tant qu'il est un micro-univers. Quant à la signification exacte des six termes du tableau, nous ne l'expliciterons pas longuement ; l'axe qui joint le Sujet à l'Objet est celui du **désir** (de la quête), celui du Destinateur au Destinataire, l'axe de la **communication** ; au reste, deux exemples, dus à Greimas lui-même, expliqueront suffisamment le sens des termes :

— Le premier exemple est celui du « philosophe classique », dont le désir est un désir de savoir, et qui se représente par la structure suivante :

(Le philosophe désire connaître le monde, destiné par Dieu à l'Humanité ; il est aidé dans sa tâche par l'esprit, et empêché par la matière.)
— L'autre exemple, tout aussi connu, est celui de « l'idéologie marxiste » : .

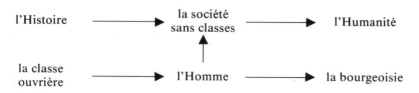

En principe, tout récit est descriptible dans ces termes **actantiels.** Dans la pratique, il est exceptionnel qu'un seul et même schéma actantiel représente l'intégralité d'un récit ; dès que ce dernier est un peu long et complexe, il ne peut être décrit que par **plusieurs** schémas, chacun correspondant à une définition particulière de l'axe du désir (et de l'axe de la communication).

Dans un article de 1974, Alan Williams a tenté d'appliquer ce modèle à une analyse de *Metropolis,* de Fritz Lang. Il se heurte très vite à l'obligation de considérer plusieurs « héros » (plusieurs Sujets) au fur et à mesure que sa description progresse. Ainsi, le premier segment du film pose les ouvriers comme Sujet, l'axe du désir, défini dans le film par leur condition aliénée, les amenant à désirer comme Objet la maîtrise de leur condition (= le pouvoir politique). Le second segment institue Freder comme Sujet, et, lui révélant l'existence d'un monde du travail ignoré de lui, situe comme Objet la connaissance de ce monde ouvrier. Plus tard, lorsque Freder retourne dans le bureau de son père, Joh Fredersen, ce dernier est à la fois Opposant du Sujet Freder dans sa quête de savoir, et Sujet lui-même par rapport à un autre désir : la maîtrise, plus tard l'élimination, des ouvriers. Plus tard encore, c'est Maria qui sera l'Objet d'un désir amoureux de la part de Freder. Etc. (Naturellement, à chacun de ces couples Sujet/Objet correspondent les quatre autres actants prévus par le schéma.)

Dans un livre ultérieur, *Du Sens* (1970), Greimas s'attaque plus directement encore au problème de la signification ; il postule qu'il existe un modèle susceptible de décrire l'articulation du sens de façon universelle à l'intérieur de tout micro-univers sémantique. C'est le fameux « carré sémiotique » :

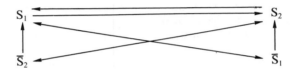

Dans ce schéma, les termes de base S_1 et S_2 sont liés par une relation de **contrariété** (ce sont des contraires sémantiques, e.g. Bien et Mal) ; les termes $\overline{S}_1$ et $\overline{S}_2$ sont respectivement les **opposés** des deux premiers ; les flèches marquent des relations de **présupposition.** Ce schéma représente une taxinomie de termes de base, qui joue le rôle de morphologie et de syntaxe fondamentale du récit : un récit peut toujours être décrit comme une suite d'opérations « syntaxiques » sur ce modèle (par exemple $S_1 \rightarrow \overline{S}_1 \rightarrow S_2$) — chacun des termes étant évidemment investi d'une valeur « locale » en termes de contenu ; le modèle comportant des opérations orientées (par les flèches) ne permet que certaines opérations, et en interdit d'autres.

Dans l'analyse déjà citée, Alan Williams relève, dans *Metropolis,* un certain nombre de mouvements qui suivent ce schéma. Par exemple, le robot circule de S_2 (= machine) à $\overline{S}_2$ (= non-machine : humain — au moins en apparence), puis à S_1 (= la société) ; à la fin du film, les ouvriers s'en emparent et le transfèrent en $\overline{S}_1$ (= non-société, rebut), où ils le brûlent, le robot redevenant alors une machine (S_2)... La circulation de Maria peut, selon Williams, se décrire de façon absolument symétrique, entre les mêmes pôles. On voit que le couple de « contraires » posé ici est Espace de la société/Espace des machines : cette relation de contrariété ne vaut évidemment que dans le récit considéré. L'opposé de l'espace des machines est posé comme « espace humain », et on peut vérifier que l'existence de la société présuppose bien celle de cet espace humain. L'opposé de l'espace social est moins bien défini par Williams (on ne voit pas très clairement l'implication entre l'espace non social et celui des machines).

Ce carré sémiotique a très souvent été utilisé dans des analyses de textes littéraires divers ; il l'a moins été en filmologie, du moins dans les analyses publiées. Nous allons essayer d'en exposer l'intérêt et les limites sur un exemple, en l'occurrence *Les 39 Marches,* d'Alfred Hitchcock. Pour décrire ce récit à l'aide du carré greimasien, la première décision à prendre est celle de l'axe sémantique choisi comme pertinent. Le film ne s'épuise évidemment pas sur un seul axe, mais nous limiterons notre exemple à un axe qui matérialise le thème, hitchcockien s'il en est, du « faux coupable ». Le terme positif S_1 pourra ainsi être étiqueté « Innocence » (c'est le terme positivé par le texte) ; il en découle immédiatement que $\overline{S}_1$ (= non-S_1) sera la « Culpabilité ». Quant au « contraire » de l'innocence, nous proposons de le définir, **dans le texte en question,** comme le « Savoir » ; notons bien que c'est là une autre décision, certes non gratuite (Innocence et Savoir sont effectivement des contraires **possibles**), mais non évidente (c'est le texte qui la suggère). Enfin, le dernier terme, $\overline{S}_2$, est alors défini comme « non-S_2 », « non-Savoir » : nous dirons « Ignorance », et nous obtenons le carré suivant :

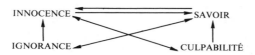

On voit que la construction de ce schéma (dont nous avons fort résumé les étapes) est à la fois contrainte par une logique forte, celle du carré lui-même, et comporte une certaine marge d'**interprétation** (pour ne donner qu'un exemple, si nous choisissons « Aveuglement » au lieu d' « Ignorance », nous restons dans l'aire sémantique de l'opposé du « Savoir », mais avec une différence qui est plus qu'une nuance). Ce schéma nous permet alors de décrire les mouvements **liés à cet axe sémantique.** Ainsi le héros du film, l'innocent Hannay, accédera à un certain savoir à travers son passage par l'état de (faux) coupable. Ainsi encore, Annabella, la jeune espionne rencontrée par Hannay dans le music-hall, part-elle d'un certain état de Savoir (qui présuppose, même vague, une culpabilité certaine, liée à son statut d'espionne assez louche, à la nationalité et aux intérêts indéfinissables), pour basculer dans l'ignorance — fatale — des plans immédiats de ses ennemis (elle en meurt). Mr. Memory, l'homme prodige, part évidemment d'une situation de Savoir, mais la dernière scène démontre qu'il ignorait en fait la portée de son acte de trahison, et, dans une large mesure, l'innocente au moins moralement. Etc. Notons pour finir que les deux axes Innocence-Culpabilité (= axe de la Vérité) et Savoir-Ignorance (= axe du Savoir) se conjoignent à la fin du film, au moment où Hannay, ayant accédé au Savoir, redevient, aux yeux de la police, un innocent : et de fait, le récit ne peut plus, dès lors, se continuer, du moins sur cet axe-là.

Remarquons que, même sur un carré aussi schématique, on peut apercevoir comment se grefferaient d'autres pistes de lecture : il y a par exemple une tripartition entre des personnages (Hannay, Pamela, Margaret) qui circulent essentiellement entre ignorance et innocence, ceux qui, au contraire, sont du côté de la culpabilité et du savoir (Memory, Pr. Jordan), enfin ceux qui, cherchant la vérité par des moyens rationnels (entre savoir et ignorance exclusivement), la manquent (c'est le cas d'Annabella et surtout de la police). Cette tripartition pourrait très aisément se lire, disons, en termes symboliques, « à la » Douchet : les personnages du héros, et des adjuvants (Pamela et Margaret) cherchent la vérité en se fiant à la Providence, face à des « méchants » qui emploient des moyens « magiques » (cf. le doigt manquant de Jordan, l'immatérialité de la formule volée, plus cabalistique que nature, et bien sûr le chiffre 39 = 3 × 13...) : bref, le Ciel vs. l'Enfer — et au milieu, les personnages « terrestres », trop humains.

Nous ne voulons nullement dire que tel serait obligatoirement le sens « caché » du film. Nous avons suggéré cette lecture pour montrer que, s'il peut rester extrêmement près du texte, au point de sembler parfois n'être qu'une technique de description, et non de lecture, le carré sémiotique peut aussi jouer un rôle heuristique non négligeable ; le simple fait d'avoir organisé la matière narrative sous forme clairement visualisée, outre qu'il permet de vérifier la cohérence et la systématicité d'une analyse narrative, peut aussi s'avérer (ce n'est pas obligatoire) révélateur, suggérer des rapprochements jusque-là inaperçus, ou montrer que le film se prête à plusieurs lectures « parallèles », comme dans notre exemple des *39 Marches* (sans doute un exemple un peu facile, Hitchcock se prêtant exceptionnellement bien à ce genre de démonstration).

Un film narratif classique peut en général se lire de plusieurs façons, souvent aussi convaincantes les unes que les autres, et différant seulement par le choix d'un axe privilégié, et le plus ou moins grand degré de littéralité ou de métaphoricité ; à lui seul, le carré sémiotique n'aide pas à opérer ce choix (qu'il suppose, au contraire, déjà opéré), mais il le met en évidence et oblige à le rendre conscient.

C'est de cette valeur heuristique que témoigne l'un des rares exemples d'utilisation systématique du carré sémiotique pour l'analyse d'un film, *Partie de campagne*, de Jean Renoir. Pour l'analyser, Roger Odin choisit comme axe sémantique les relations (de désir) des personnages entre eux et avec les objets ; il aboutit au carré suivant :

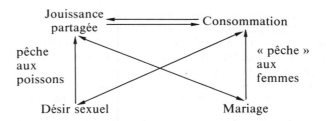

— carré qui permet assez facilement de situer les différents personnages, et qui devient, dans la lecture d'Odin, particulièrement intéressant quand l'analyste associe, à chacun des termes du carré, des **lieux** du film :

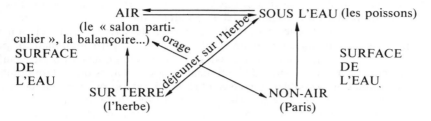

Les coïncidences entre les deux carrés sont assez frappantes : la surface de l'eau comme lieu de la pêche et de la séduction (expressément mises sur le même pied dans les dialogues du film), l'herbe comme lieu du désir sexuel inassouvi, l'espace étouffant de Paris comme lieu du mariage (des parents, puis de la jeune héroïne), etc. Dans cette lecture, le film crée une symbolique propre, liée au rôle de l'eau comme signifiant du désir (un « thème » aussi cher à Renoir qu'à Maupassant), mais aussi à la localisation précise des scènes de repas et de sexe.

Nous n'avons évidemment pas épuisé les voies d'approche du récit, même dans une perspective structurale, auquel on pourrait consacrer un livre entier[4]. Nous voudrions simplement, en terminant cette partie, insister sur le fait que cette approche du récit filmique est de celles qui donnent aisément lieu à des exercices didactiques. Parmi les plus évidents, citons toutes les possibilités de comparaison : entre un film et l'œuvre littéraire qu'il adapte, entre deux films adaptant la même œuvre, entre un film et sa transcription. (On trouvera des exemples nourris dans le livre de Francis Vanoye cité en note.) Une analyse actantielle ou « fonctionnelle » de séquence (ou d'une partie de film plus longue) peut également s'avérer très démonstrative.

3. L'ANALYSE DU RÉCIT COMME PRODUCTION : LA PROBLÉMATIQUE DE L'ÉNONCIATION

3.1. La problématique de l'énonciation.

Les modèles dont nous avons parlé au § 2 sont tous antérieurs à 1970 (même s'ils ont, pour certains, été repris depuis) ; c'est que, depuis une quinzaine d'années, on assiste à un déplacement important des études narratologiques. Nous aborderons plus loin (au chapitre 6) l'apport de la psychanalyse dans ce déplacement ; pour l'instant, il nous faut envisager un ensemble de problèmes, et, corrélativement, de nouvelles approches du film narratif, sous la bannière de ce qu'on appelle l'**énonciation**.

---

4. Un tel livre existe d'ailleurs avec *Récit écrit, récit filmique,* de Francis Vanoye.

Il s'agit là d'un terme linguistique, visant à distinguer entre ce qu'on dit, l'énoncé, et les moyens utilisés pour le dire, l'énonciation. Dans les discours verbaux, un article célèbre d'Emile Benveniste, « L'Appareil formel de l'énonciation » (1970), a montré, d'abord qu'il existait certaines marques formelles de l'énonciation (des mots comme « ici », « maintenant », « je », etc.), surtout, et plus essentiellement, que le sujet de l'énoncé et le sujet de l'énonciation ne coïncident pas ; le sujet de l'énoncé, le « je », est un sujet grammatical, pris dans des règles syntaxiques et textuelles ; le sujet de l'énonciation est le sujet qui émet cet énoncé. Ce sujet de l'énonciation est pris dans un certain nombre de déterminations (sociales, inconscientes, entre autres) qui rendent sa manifestation dans l'énoncé très complexe. L'analyse des discours à partir de cette notion met en évidence l'existence de rapports entre l'énoncé (le texte) et son **énonciateur** d'une part, son destinataire d'autre part (le lecteur).

Il n'est pas facile de transposer directement, dans le domaine du cinéma, cette problématique. Il n'y a pas, dans un film, d'instance narratrice identifiable simplement à un sujet (quoi que dise la théorie des « auteurs » — qui n'a jamais été jusqu'à prétendre qu'un film était l'œuvre d'une seule personne). Il est à peu près impossible de retrouver dans les films l'équivalent strict des « marques d'énonciation » définies par la linguistique. Enfin, le film narratif, surtout dans sa période classique, a précisément toujours essayé d'occulter son énonciation, en se donnant pour un énoncé transparent, ouvrant sur un monde réel. A l'heure actuelle, les problèmes liés à l'énonciation filmique sont néanmoins fort discutés, non seulement sous la pression de la linguistique et de la théorie de la littérature, mais aussi parce que les films eux-mêmes ont évolué (et que notamment, une bonne partie du cinéma récent se présente autant comme « discours » que comme « histoire » [5]).

3.2. Gérard Genette : récit et narration : la focalisation.

Si nous faisons, pour commencer, une place à part aux travaux de Gérard Genette — bien qu'ils n'abordent pas seulement, et pas toujours frontalement, la question de l'énonciation — c'est en raison de leur caractère relativement formalisé, et des prolongements évidents qu'ils ont déjà eus en matière de théorie du film.

Genette s'intéresse essentiellement aux rapports entre un récit et les événements qu'il raconte, l'acte de **narration** qui le produit. Parmi les divers types de relations entre le récit et l'histoire, le plus important pour l'étude des films est sans conteste ce que Genette appelle le **mode** de récit : un récit peut donner plus ou moins d'information sur l'histoire qu'il raconte, il peut la donner sous un certain point de vue, la filtrer à travers le savoir d'un personnage par exemple. C'est une idée qui n'est pas neuve (on la trouve dans la théorie littéraire, sous forme explicite, au moins depuis la fin du XIXᵉ siècle), mais que Genette a

---

5. Sur tous ces points, que nous traitons assez cursivement, on aura avantage à se référer, par exemple, à *Esthétique du film* (pp. 70-105), et à l'ouvrage de Francis Vanoye cité ci-dessus, *Récit écrit, récit filmique* (pp. 147-195).

contribué à formaliser de façon claire, notamment avec la notion de **focalisation**.

> « A la question " qui voit ? ", trois réponses possibles :
> 1. Un narrateur omniscient qui en dit *plus* que n'en savent les personnages ;
> 2. Un narrateur qui ne dit *que* ce que voit tel personnage (récit " à point de vue ", " vision avec ") ;
> 3. Un narrateur qui en dit *moins* que n'en sait le personnage (...).
> Les récits de type 1 sont *non focalisés* (...).
> Les récits de type 2 sont à *focalisation interne*, fixe (on ne quitte pas le point de vue d'un personnage [...]), variable (on passe d'un personnage à l'autre) ou multiple (les mêmes événements sont racontés plusieurs fois selon les points de vue de personnages différents).
> Les récits de type 3 sont à focalisation *externe*. »
> Francis Vanoye, Récit écrit, récit filmique, p. 147.

Malgré les apparences, c'est là une façon de poser le problème qui n'est pas immédiatement, ni même aisément, transposable à propos des récits filmiques. La notion de focalisation implique, en fait, deux éléments distincts :

1) que **sait** un personnage ? et 2) que **voit** un personnage ? Cette seconde question, qui dans le récit littéraire n'est en général qu'un corollaire de la première (puisque l'auteur nous renseigne à la fois sur le « voir » et sur le « savoir », et peut nous renseigner sur le savoir sans nous renseigner sur le voir), devient en revanche essentielle au cinéma. C'est là l'origine de toutes les difficultés d'application, à l'analyse des films, du travail de Genette. Afin de mieux les souligner, nous allons utiliser un exemple dû à un analyste américain, Brian Henderson, qui esquisse une application systématique de toutes les catégories genettiennes au récit filmique (en la déclarant « très facile » !). Voici comment Henderson aborde la question du mode de récit, sur l'exemple de *How Green Was My Valley,* de John Ford :

> « C'est Huw âgé qui est le narrateur de *How Green Was My Valley* — c'est littéralement sa voix que nous entendons ; mais ceci ne résout pas la question du mode. Nous ne voyons presque jamais les choses, visuellement, selon la perspective du jeune Huw. *How Green* est non focalisé en ce qu'aucune séquence, encore moins le film entier, n'est filmé du point de vue d'aucun personnage. Il est focalisé variablement en ce qu'il emprunte fréquemment le point de vue d'un personnage pour un ou plusieurs plans — parfois pour des raisons dramatiques, parfois, de façon opportuniste, parce que cela donne une image étonnante ou une vue efficace de l'action. L'arrivée de Huw à l'école est tournée de façon non focalisée ; il est petit et timide, mais aucun personnage ne le regarde de cette façon. Lorsque Huw ouvre la porte, Ford coupe pour passer à son point de vue sur les petites filles de la classe, qui ont l'air hostile, puis sur les petits garçons, plus loin, qui ont l'air encore plus hostile. (Ces deux plans ne peuvent, à strictement parler, être pris depuis le point de vue de Huw.) Ford coupe alors pour passer à un plan du professeur, du point de vue de Huw, mais lorsqu'il est appelé au tableau, son point de vue est abandonné en faveur de ce qui est peu ou prou le point de vue de la classe. Plus tard, quelques plans de la bagarre dans la cour de l'école sont pris depuis le point de vue d'une petite fille qui est en faveur de Huw, mais n'est pas par ailleurs un personnage important. Ford nous donne quelques plans du point de vue de Huw pour enregistrer la première

impression de l'école, puis il procède de façon non focalisée, ou variablement focalisée pour présenter les événements qui s'y produisent. »

Henderson, « Tense, Mood and Voice in Film », pp. 13-14.

Cette assez longue citation nous a paru utile, d'abord pour montrer une fois de plus la complication de la moindre description d'un fragment de film — mais surtout, parce qu'elle démontre nettement le flottement que ne manque jamais de produire une application littérale du concept de focalisation à un récit filmique : si nous nous référons aux définitions de Vanoye, le film de Ford, dans lequel le narrateur ne dit que ce que sait un personnage (Huw), doit être déclaré en focalisation interne ; or, comme le montre la description d'une séquence particulière par Henderson, le rapport du récit filmique à ce que voit ledit personnage ne cesse de varier (sans compter qu'il est parfois pratiquement impossible de trancher : cf. ce qui est dit du moment où Huw ouvre la porte). On est au cœur du problème : faut-il, dans l'analyse d'un récit filmique, poser comme critère le savoir du personnage, ou ce qu'il voit ? L'un comme l'autre, bien entendu, présentent des difficultés : le savoir d'un personnage est, de façon générale, moins nettement défini dans un film que dans un roman (le film est toujours davantage « behaviouriste » : il montre plus aisément des comportements qu'une intériorité) ; quant au **voir**, il est éminemment variable à l'intérieur même de chaque séquence, et en faire le critère de la focalisation du récit amènerait, dans la plupart des cas, à conclure à un régime de focalisation éminemment variable (presque à chaque plan...). Nous ne sommes pas vraiment d'accord, en particulier, avec l'optimiste remarque de Francis Vanoye, selon laquelle le « film narratif courant » serait le plus souvent en focalisation zéro ou en focalisation externe (car il est bien rare que, dans une séquence, surtout si elle comporte des dialogues, il n'y ait pas au moins un plan qui puisse se rapporter au point de vue d'un personnage).

Quelques chercheurs ont essayé d'apporter une solution générale à ce problème. Mentionnons seulement (malgré ses difficultés) l'idée, due à François Jost, d'une distinction entre focalisation et ce qu'il appelle « ocularisation » — laquelle nous semble au moins avoir l'intérêt de définir la focalisation uniquement en termes de **savoir** respectif du narrateur, des personnages et du spectateur. C'est d'ailleurs le même problème que soulève Francis Vanoye lorsqu'il constate, à propos d'une brève analyse de *The Barefoot Contessa*, de Joseph Mankiewicz, qu' « il n'y a pas superposition, convergence des deux foyers (l'image et le son) », et qu'on peut très bien avoir une focalisation externe à l'image, sur un personnage en focalisation interne au son. Aussi la plupart des analyses se sont-elles concentrées sur l'un ou l'autre de ces deux aspects (généralement, le point de vue, lié au regard des personnages et au cadrage, donc au « regard » du narrateur) ; nous allons en dire quelques mots, avant de revenir à la problématique de l'énonciation.

3.3. Point de vue des personnages, point de vue du narrateur.

Par définition, le point de vue, c'est l'endroit depuis lequel on regarde. Plus largement, c'est aussi la façon dont on regarde. Dans le film narratif, ce point de vue est la plupart du temps assigné à quelqu'un : soit un des personnages du récit, soit, expressément, celui de l'instance narratrice. Analyser un film narratif en termes de points de vue (ou, ce qui revient au même, de regards), c'est donc centrer l'analyse essentiellement sur ce qu'on a pu appeler la « monstration » (André Gaudreault), par opposition à la narration au sens strict. L'essentiel, dans la plupart de ces analyses, est de mettre en évidence le rapport complexe entre le point de vue de l'instance narratrice et ceux des divers personnages.

Un exemple déjà classique, malgré sa brièveté et celle du fragment analysé, est l'analyse par Nick Browne d'un fragment de 12 plans de *La Chevauchée fantastique,* de John Ford. Il s'agit d'un sous-segment situé environ au quart du film, et où l'action n'est pas très spectaculaire : arrivant au premier relais de diligence, les passagers apprennent que la route est coupée par les Indiens, et que le détachement de cavalerie qui les a accompagnés jusque-là doit rebrousser chemin. Après une brève délibération, les voyageurs décident de continuer malgré tout leur route, et s'installent pour déjeuner en attendant de repartir. C'est ce moment où les personnages passent à table qu'analyse Nick Browne. L'essentiel de l'analyse consiste en un relevé systématique des **regards** à l'œuvre dans ce fragment :

1) Regards des personnages, représentés à l'image : ceux-ci se subdivisent à leur tour, en fonction de la personne regardée, en regards internes à un plan donné (aux plans 2 et 4, Ringo regarde Dallas ; au plan 11, tous les personnages présents dans le plan regardent Lucy Mallory), et regards vers le hors-champs (aux plans 3 et 7, les personnages regardent tous vers le même point du

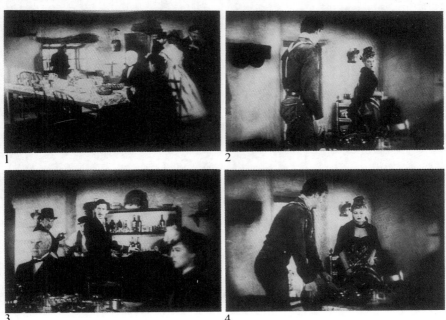

1 2

3 4

Douze plans de *La Chevauchée fantastique*, de John Ford (1939).

hors-champ, l'endroit où se trouvent Ringo et Dallas ; en 5 et 6, un champ-contrechamp joue sur le hors-champ associé au regard de chacune des deux femmes).

2) « Regard » de la caméra, matérialisé par le cadrage (qui lui-même traduit une certaine distance et un certain axe de prise de vue) ; Browne s'intéresse essentiellement au plus ou moins grand degré de coïncidence entre ce regard de la caméra et le regard d'un personnage : autrement dit, il cherche à savoir si le cadrage « représente » le regard d'un personnage, ou seulement celui « de la caméra » (= de l'énonciateur du film). Ainsi, les plans 1 et 12 (vue générale de la tablée), mais aussi la série 3/7/9/11, sont des plans « anonymes » (« nobody's shots »), qui ne représentent que le point de vue du narrateur ; en revanche, les plans de la série 2/4/8/10, filmés du point de vue de Lucy, représentent le regard qu'elle porte sur le couple Ringo-Dallas : ils sont ce que Browne appelle un « regard décrit » (« depicted glance »).

La conclusion que l'auteur tire de ces remarques est nette : il y a dans le fragment analysé une dissymétrie entre deux groupes de personnages, Ringo-Dallas d'une part, tous les autres, d'autre part. Durant tout le fragment, ces deux groupes ne sont jamais coprésents dans le cadre (sauf au plan 12, où un changement radical d'axe de filmage souligne la nouvelle répartition des places autour de la table). En outre, alors que les personnages du groupe de Lucy ont le pouvoir : 1) de regarder hors champ ; 2) d'avoir un regard qui soit « décrit » ; en termes de cadrage, la réciproque n'est pas vraie : Dallas garde les yeux baissés, Ringo regarde presque exclusivement à l'intérieur du cadre (sauf, tardivement, au plan 10), et surtout, les plans sur le groupe de Lucy ne « décrivent » pas leur regard, mais restent « anonymes » (= attribués à l'instance énonciatrice et elle seule). Ainsi, tout le fragment est-il centré autour de la figure de Lucy, soit qu'on la voie en train de regarder, soit que l'on regarde à travers ses yeux ; c'est ainsi que le film inscrit, **dans la forme même de sa mise en scène,** l'idée centrale de ce fragment : la hiérarchie sociale qui met Lucy Mallory, femme d'un capitaine de cavalerie, et accessoirement le banquier et le gentleman sudiste, plus haut que la prostituée Dallas et le hors-la-loi Ringo. Autrement dit, le discours du film est, en quelque sorte, double : au récit proprement dit de l'affrontement entre les deux groupes se superpose, **au niveau de l'énonciation,** un discours des regards et des cadrages — qui d'ailleurs confirme très exactement le premier. (Emporté par sa démonstration, Browne va même jusqu'à affirmer que le champ-contrechamp, qui marque l'affrontement direct des deux femmes, est lui aussi dissymétrique, le plan 6 étant filmé du point de vue de Lucy, alors que le plan 5 n'est pas filmé du point de vue de Dallas : cela nous semble moins net, et plus difficile à vérifier avec une absolue certitude.)

Concluant plus largement sur la question de l'énonciation, Browne élargit l'analyse de ce fragment à l'assertion d'une relation générale entre le **dit** et le **dire** (la fiction et l'énonciation) : pour lui, chaque emplacement de caméra, chaque point de vue, constitue une marque de l'énonciation ; corrélativement, le travail du spectateur consiste à établir, en permanence, ce lien entre fiction et énonciation, en passant d'une situation de pur spectateur « tenu à distance » (dans le cas des « plans anonymes », des moments rapportés à l'instance narratrice) à un statut actif, l'amenant à s'identifier à l'acte d'énonciation (par exemple, dans le cas du travelling avant du plan 4, associé au « regard décrit » de Lucy). Nous ne suivrons pas Nick Browne dans cette affirmation ; si la notion de « marques de l'énonciation » doit garder quelque consistance, il vaut mieux la réserver aux cas où il y a effectivement **marquage** : or, si chaque cadrage est une marque d'énonciation, plus rien n'est marqué, puisque tout l'est également.

Ces considérations sur le point de vue sont évidemment d'autant plus nettes qu'on les applique à un cinéma fortement narratif (où la notion de regard peut valablement être rapportée à des personnages, par exemple).

Sur un film assez proche, par la date, de celui de Ford, citons l'intéressante analyse d'une scène de *His Girl Friday,* de Howard Hawks, par Vance Kepley. Partant d'un survol des définitions « spontanées » du montage classique, « transparent », Kepley constate que ces définitions tournent toutes autour de la position d'un espace tridimensionnel, qui serait exploré à loisir par un observateur imaginaire, et créerait chez le spectateur le sentiment d'un espace réel. Son analyse porte sur une scène d'un film classique — la scène du restaurant — qui pourrait sembler à première vue respecter cette intégrité spatiale de type « théâtral » ; le but de l'analyse est de montrer que, en fait, l'espace est manipulé et « truqué » de telle sorte que la scène ne pourrait pas exister dans le réel. Kepley analyse essentiellement les raccords, notamment la direction des regards, et la position des personnages dans le cadre et par rapport au décor, de part et d'autre de chaque collure. Grâce à un examen minutieux des 34 raccords que comporte la scène (dont la bande-son est ininterrompue, et l'unité syntagmatique assurée), Kepley montre que, d'un plan à l'autre, les personnages se déplacent légèrement par rapport au décor (ce qui, on le sait depuis toujours, fait partie des conditions de tournage traditionnelles) — mais surtout, que ces déplacements ne sont pas fortuits, mais au contraire commandés par le désir de situer le personnage de Walter (Cary Grant) au centre de la scène et, autant que possible, au centre de l'image. Ici, donc, le niveau de l'énonciation, se centrant sur la figure de Walter, entre en conflit (léger) avec celui de la fiction (où en principe les trois personnages sont sur un pied d'égalité) — au prix d'une « tricherie » sur le réalisme représentatif.

3.4. La question de la « voix » narrative.

Nous avons insisté un peu sur ces analyses en termes de points de vue parce qu'elles ont l'énorme avantage d'être très concrètes dans leur objet, et souvent très parlantes dans leurs conclusions. Mais il ne s'agit là, comme nous l'avons dit, que d'un aspect de la problématique de l'énonciation. Un autre aspect important de ce problème — plus difficile à appliquer à l'étude des films — est celui de la **voix narrative** (pour reprendre le terme de Gérard Genette), c'est-à-dire des rapports entre le narrateur et l'histoire racontée. Comment la narration se situe-t-elle temporellement par rapport à l'histoire (est-elle antérieure, postérieure, simultanée — ou encore « intercalée » ?) ; l'instance narratrice est-elle interne à la diégèse ou non ? Enfin, quel est le degré de **présence** du narrateur dans le récit ?

Pour désigner toutes ces possibilités, dont il a donné une première typologie, Genette a forgé tout un vocabulaire spécialisé (homodiégétique/hétérodiégétique, par exemple) ; mais on est très loin de disposer d'une méthode générale pour l'analyse des films en termes de voix narratives. Nous nous limiterons à donner deux exemples :

3.4.1. Parue en 1972, l'analyse du prologue de *Citizen Kane* par Marie-Claire Ropars est l'une des premières à aborder l'étude d'un film explicitement de ce point de vue :

> « Ne pouvant procéder à une analyse exhaustive des catégories constituantes de la narrativité, on a choisi de s'interroger sur la narration, et singulièrement sur la perspective narrative en tant qu'elle préside à la hiérarchisation des voix produites par le film. Qui « parle » *Citizen Kane ?* Comment se manifeste le narrateur donateur du récit, et quels sont ses rapports avec les divers points de vue manifestés ? Bref, qui est l'auteur implicite, à distinguer soigneusement de tout auteur réel ? » (« Narration et signification », p. 12.)

Le film, évidemment, se prête exemplairement bien à ce type d'interrogation : il s'agit en effet d'un film-enquête, dans lequel la vie d'un personnage nous est racontée d'une part par divers témoins « intra-diégétiques », d'autre part via le trajet d'un autre personnage, le journaliste, qui « recoud » ces divers témoignages, enfin par un narrateur omniscient qui organise l'ensemble (comme c'est le cas dans tout récit). Outre la définition de ces divers niveaux d'énonciation, l'analyse de Ropars consiste à en analyser les relations, à partir des traces de chacun d'eux dans le texte filmique.

De façon délibérément paradoxale, elle choisit pour cela de se concentrer sur les deux moments du film qui « ignorent la représentation des narrateurs comme la présence de l'enquêteur », à savoir, le prologue et l'épilogue, l'un et l'autre situés à Xanadu, la fabuleuse résidence de Kane, respectivement au moment de sa mort et lors de la dispersion de ses collections. L'analyse du prologue est l'occasion pour Ropars d'y repérer « l'existence d'un **parleur** souverain » — expression par laquelle est désignée « l'origine de cette voix non phonétique, perceptible seulement dans l'organisation du montage, et qui remplit une fonction analogue à celle du **je** implicite accompagnant tout objet de récit » (ce qu'on appelle en général le **narrateur abstrait**), voix qu'il convient de distinguer du **locuteur** (= émetteur de paroles entendues effectivement sur la bande sonore). Le travail d'analyse des vingt-deux plans du prologue consiste alors à y repérer les signes de cette « parole ». Ainsi, par exemple, Ropars relève-t-elle des éléments de répétition entre plans, qui affirment implicitement le pouvoir du montage de « travailler dans la discontinuité spatio-temporelle », et d' « établir (...) une continuité qui ne relève que de la parole, et non plus de l'imitation du réel ». De même examine-t-elle en détail les plans « documentaires » sur le parc de Xanadu, pour conclure qu'ils sont « soumis à un système d'écriture qui les raconte au lieu de les décrire ».

Naturellement, l'épilogue est, dans son ensemble, plus riche encore du point de vue de l'analyse de l'énonciation, puisque c'est là que se « confirme dans sa souveraineté le rôle du narrateur, qui se réserve de dévoiler l'énigme après l'avoir posée ». Mais ce que révèle alors l'analyse (ici particulièrement inspirée et productive), c'est que ce bouclage apparent, sous les auspices de la soumission à la voix-du-narrateur, est un leurre. Le parcours à travers lequel le film donne à déchiffrer ce sens (du « Rosebud » prononcé à l'inscription « Rosebud » sur le traîneau qui brûle) établit des correspondances et des transformations qui « dénoncent » « l'absence même de sens de ce retour au sens » (c'est la conclusion, notamment, de l'analyse des rimes prologue/épilogue, avec le monogramme « X » et le « No Trespassing »). A partir de ces prémisses, l'auteur termine en lisant dès lors tout le film, du point de vue des **voix** narratives, comme un ensemble de récits, « dont la clôture n'intervient que pour signaler la vanité », et qui eux-mêmes ne sont là que « pour pallier l'insuffisance d'un précédent récit » — celui des actualités.

Avec l'article de Jean-Paul Simon, « Enonciation et narration » (1983), nous passons à une approche beaucoup plus directe et explicite (et plus explicitement théorique) des phénomènes énonciatifs. Les deux films étudiés, *Lady in the Lake* de Robert Montgomery, et *Film,* de Samuel Beckett, le sont, le premier, comme « un cas de narcissisme énonciatif », le second, comme un exemple quasi tératologique d'utilisation du regard et du point de vue.

Le premier de ces deux films est célèbre dans l'histoire du cinéma pour avoir poussé, pratiquement aussi loin qu'il est possible, l'identification du regard de la caméra au regard d'un personnage : le héros (joué par le réalisateur lui-même) est aussi le narrateur, et tout le récit se déroule à travers sa vision des événements (le film est entièrement tourné en « caméra subjective », à très peu d'exceptions près). On conçoit qu'il présente un cas fascinant pour l'analyse de l'énonciation filmique — et, de fait, il est très souvent cité par les narratologues. Simon fait porter son analyse, moins sur le parti pris d'ensemble (coïncidence narrateur/personnage principal/point de vue) que sur les moments qui échappent à ce parti pris. Ainsi, le début du film, où le narrateur se présente au public, en annonçant son rôle de personnage principal d'une affaire qui a eu lieu dans le passé, et le fait qu'il va raconter cette affaire, qu'il connaît de l'intérieur (« I'm the guy who knows ») : moment particulièrement complexe, où le personnage héros se présente comme un auteur, mais est un auteur fictif (un auteur de fiction), alors que l'acteur qui incarne ce personnage est, lui, le réalisateur (l' « auteur », si l'on veut, réel) du film...

L'analyse de Jean-Paul Simon ne revêt pas la forme d'une analyse microtextuelle, mais se présente comme une lecture du récit dans ses grandes articulations, privilégiant tous les signifiants de la relation entre le narrateur et le destinataire du récit — ici souvent inscrit dans le film. Il examine également les redoublements de la situation narrative (entre le narrateur qui s'est présenté dans la première séquence et le héros tel qu'on le voit dans le reste du film).

De même, l'analyse de *Film* s'intéresse surtout à montrer en quoi ce film « tranche largement sur la pratique courante qui consiste à relier le foyer narratif visuel soit à la bande-son (par l'entremise d'une narration à la « première personne »), soit par divers procédés, parmi lesquels l'apparition du narrateur ». Le film raconte un cas de dédoublement « impossible » : un personnage est poursuivi, sans qu'on sache d'abord par qui : on s'apercevra à la fin du film qu'il est aussi le poursuivant. La poursuite est filmée du point de vue d'un Œil (qui s'est ouvert au générique) — mais cette focalisation « interne » n'est jamais évidente dans le film, où l'on suit le personnage sans que rien vienne dire par qui il est vu, et on ne comprend que rétrospectivement, à partir de la fin du film, qu'il était regardé... L'analyste s'intéresse donc à cette « anomalie » d'une relation narrateur/personnage qui est « soulignée sans pour autant prendre la forme d'une adresse ou d'un retournement de regard » (retournement évidemment impensable puisque l'Œil qui regarde est celui même du personnage : d'où la « monstruosité » dont parle Simon).

L'analyse de la position du narrateur en est encore à son début (et chaque analyse réalisée reste encore souvent une tentative de théorisation générale). L'étude de la temporalité narrative est sans doute l'aspect le plus simple de cette question (du moins, dans la mesure où les relations temporelles sont marquées sur la bande-son) ; celle de la position du narrateur (et des narrateurs internes à l'histoire) est restée, jusqu'à présent, l'étude d'autant de cas particuliers que de films analysés.

Encore plus embryonnaire est l'analyse de l'autre versant du problème de l'énonciation : celui des rapports entre le film et son destinataire, le spectateur. Développée depuis quelques années dans les études littéraires, l'étude des stratégies de lecture (« reader's response theory ») n'a eu que peu d'applications filmologiques, et le rapport du film à son spectateur a jusqu'ici été étudié presque exclusivement en termes psychanalytiques (cf. 6.3.).

La seule exception notable est l'article de Roger Odin déjà cité, « L'entrée du spectateur dans la fiction » (sur le début de *Partie de campagne*). L'analyse suit, pas à pas, le déroulement du début du film (générique, avec ses inscriptions sur fond d'eau qui coule, les deux cartons d'avertissement des producteurs, enfin les deux premiers plans diégétiques du film). Elle fait ressortir les différents éléments qui, dans ce début de film, s'adressent plus ou moins explicitement au spectateur, et les différentes positions spectatorielles correspondantes : ainsi, pendant le générique, les inscriptions graphiques sur fond d'eau qui coule instituent deux « positionnements » du spectateur face au film (*lire* vs *voir*) ; ce conflit oppose le générique à son film, qui est, lui, fondé sur un autre positionnement du spectateur, celui supposé par l'effet-fiction ; plus loin, les deux cartons placent le spectateur dans une position intermédiaire entre celle d'un lecteur de générique et celle d'un lecteur de fiction ; etc. Notons toutefois que, dans cette analyse, c'est toujours d'un « archispectateur » qu'il s'agit, dont la position est décrite comme variable en fonction des éléments inscrits dans le texte, mais **unique** en ce qu'un seul trajet de lecture est décrit (bien qu'Odin suggère, semble-t-il, qu'en certains points du texte, les conflits entre différents positionnements induits par le texte puissent entraîner différentes attitudes effectives de la part d'un spectateur réel).

1. ANALYSE THÉMATIQUE, ANALYSE DE CONTENUS

Roger ODIN, « Rhétorique du film de famille », in « Rhétoriques, sémiotiques », *Revue d'esthétique,* 1979, 1-2, coll. « 10/18 », Paris, UGE.

Marc VERNET, « Cinéma et narration », in *Esthétique du film, op. cit.* (chap. 3).

Raymond RAVAR (sous la direction de) *« Tu n'as rien vu à Hiroshima »,* op. cit.

Michel DELAHAYE, « Jacques Demy ou les racines du rêve », *Cahiers du Cinéma,* no 189, avril 1967 et « La Saga Pagnol », *Cahiers du Cinéma,* no 213, juin 1969. François Steudler et Myriam Tsikounas, « Images de l'alcool au cinéma », *Cahiers de l'IREB,* no 7, septembre 1984.

François STEUDLER, Françoise STEUDLER, Myriam TSIKOUNAS, *Représentations de l'alcool et de l'alcoolisme dans le cinéma français, 1930-1980,* rapport établi pour le haut comité d'Études et d'Informations sur l'alcoolisme, décembre 1985.

François STEUDLER, « Cinéma, manière de boire et alcoolisme », Actes de la rencontre internationale de Bretagne, Rennes, janvier 1984. — « Mythologie de l'alcool au cinéma », *Informations sociales,* 1er trimestre 1986.

Richard MONOD, *Les Textes de théâtre,* Paris, Cedic-Nathan, 1977.

Jean-Pierre RICHARD, *Littérature et sensation,* Paris, Le Seuil, 1954.

Henri AGEL, *L'Espace cinématographique,* Paris, éd. Universitaires, Jean-Pierre Delarge, 1978.

Jean DOUCHET, *Alfred Hitchcock,* Paris, L'Herne-Cinéma, no 1, 1967, rééd. Paris, 1986.

2. ANALYSE STRUCTURALE DU RÉCIT ET ANALYSE DE FILMS

Vladimir PROPP, *Morphologie du conte,* coll. « Poétique », Paris, Le Seuil, 1965 et 1970, rééd.

John FELL, « Propp in Hollywood », *Film Quaterly,* XXX, 3 (Spring 1977), 19-28.

Peter WOLLEN, *Readings and writings,* London, Verso Editions, 1982.

William WRIGHT, *Sixguns and Society, A Structural Study of the Western,* University of California Press, 1975.

Roland BARTHES, « Introduction à l'analyse structurale des récits », *Communications,* no 8, 1966, Paris, Le Seuil.

Claude BREMOND, « La logique des possibles narratifs », *Communications,* no 8.

A.J. GREIMAS, *Sémantique structurale,* Paris, Larousse, 1966. — *Du Sens,* essais sémiotiques, Paris, Le Seuil, 1970.

Alan WILLIAMS, « Structures of narrativity in Fritz Lang's " Metropolis " » in *Film Quarterly.* Vol. XXVII, no 4, 17-23, été 1974.

Roger ODIN, *L'Analyse sémiologique des films, vers une sémio-pragmatique,* Doctorat d'État, Paris, École Pratique des Hautes Études, 1982.

3. L'ANALYSE DU RÉCIT COMME PRODUCTION : LA PROBLÉMATIQUE DE L'ÉNONCIATION

Émile BENVENISTE, « L'appareil formel de l'énonciation », in *Problèmes de Linguistique générale*, t. 2, Paris, Gallimard, 1976.

Francis VANOYE, *Récit écrit, récit filmique*, Paris, Nathan Université, 1989.

Gérard GENETTE, « Discours du récit », in *Figures III*, Paris, Seuil 1972.

Brian HENDERSON, « Tense, Mood and Voice in Film ». *Film Quaterly* XXXVI, 4, été 1983, 4-17.

François JOST, « Le regard romanesque. Ocularisation et focalisation » in *Hors Cadre*, 2, « Cinénarrable », Presses Universitaires de Paris-VIII, 1984.

François JOST, *L'œil-caméra*, Presses Universitaires de Lyon, 1987.

André GAUDREAULT, « Narrator et narrateur », in *Iris*, n° 7, Paris, 1986.

Nick BROWNE, « Rhérotique du texte spéculaire », in *Communications*, n° 23, Paris, Seuil, 1975.

Vance KEPLEY, « Spatial Articulation in the classical cinema », *Wide Angle*, vol. 5, n° 3, 1983, pp. 50-58.

Alain MASSON, *Le Récit au cinéma*, Paris, Cahiers du cinéma, coll. « Essais », 1994.

The Restoration, La Grande Illusion, L'Enfer est à lui (White Heat), Les Amants crucifiés, Le Salon de musique, Vivre sa vie, Au fil du temps.

Marie-Claire ROPARS, « Narration et signification », in *Poétique*, n° 12, 1972, repris dans *Le Cinéma américain*, t. 2, *op. cit.*

Jean-Paul SIMON, « Énonciation et narration », in *Communications*, n° 38, Paris, Seuil, 1983.

Christian METZ, « L'Énonciation impersonnelle ou le site du film », *Vertigo*, n° 1, pp. 13-34.

André GAUDREAULT, *Du littéraire au filmique*, Paris, Méridiens-Klincksieck, 1988.

CHAPITRE 5

L'ANALYSE DE L'IMAGE ET DU SON

En séparant ainsi nettement, par deux chapitres, l'analyse du récit et celle de la bande-image et de la bande-son, nous semblons suggérer qu'il s'agit de deux approches différentes du film. Il convient donc d'emblée de souligner que ce partage n'est ici effectué que pour la commodité de l'exposition. Notons d'abord, en effet, qu'il est à peu près impossible d'analyser correctement un récit filmique sans faire intervenir des considérations liées à l'aspect visuel de ce récit. Cela est absolument évident en qui concerne les derniers points dont nous venons de parler (focalisation, ocularisation, point de vue), dont les noms mêmes indiquent suffisamment le rapport à la vue. Mais, même la plus purement « structurale » des analyses peut difficilement se passer d'une prise en compte des manifestations visibles des structures narratives ; on peut (et sans doute doit-on) « faire de l'actantiel » avec les visages, les costumes, les postures des acteurs, mais aussi avec les éclairages, les angles de prises de vues, voire avec les décors et, bien sûr, la mise en scène.

Réciproquement, la bande-image peut difficilement s'analyser **seule**. Naturellement, nous retrouvons une fois de plus ici la question, massive, de la narrativité au cinéma. Au cours de l'histoire du cinéma, un grand nombre de films se sont attaqués à cette question, dans l'intention d'échapper, en tout ou en partie, à cette « obligation » de la narrativité (nous prendrons bientôt, à propos du travail sur le cadre, l'exemple de *L'Homme à la caméra* qui est un film résolument antinarratif). Il est probable que dans quelques cas de films exceptionnellement peu narratifs, des procédures d'analyse de la bande-image seule devraient être envisagées (c'est entre autres ce que suggère Dominique Noguez tout au long de son essai consacré au « cinéma " underground " américain »), il nous semble pourtant que, pratiquement toujours, l'analyse de l'image devra être référée à quelque **catégorie** plus large, comparable à la catégorie de la narrativité. Dans le cas — largement majoritaire, voire hégémonique, dans les analyses publiées — de films (même faiblement) narratifs, il est clair que l'image est toujours définie aussi par la narration.

Nous répéterons ici ce que nous avons déjà affirmé à propos de l'analyse textuelle et de l'analyse du film comme récit : il n'existe pas plus, à propos de l'image et du son, de méthode universelle d'analyse de l'une que de l'autre. L'attitude générale de l'analyste, sur ce terrain, implique :

1) Qu'il sache avec précision jusqu'à quel point il veut autonomiser la bande image dans son analyse (notamment, mais pas uniquement, par rapport au récit).

2) Qu'il connaisse les fonctions générales des paramètres visuels dans un film, et leurs variations au cours de l'histoire, et sache, à partir de là, choisir un axe d'analyse approprié au film étudié.

3) Enfin, **éventuellement,** qu'il soit à même de convoquer, et de transposer, telle méthode extrafilmique d'analyse, en restant conscient des limites d'une telle transposition. C'est dire que, dans ce qui suit, nous ne pouvons livrer aucun « tour de main », aucune recette, mais plutôt citer des exemples — réussis — de mise en œuvre de cette attitude.

Mais avant d'exposer ces différents exemples d'analyses de l'image arbitrairement répartis, toujours pour des raisons de commodité didactique, entre analyse du cadre, de l'espace narratif, analyse de la plastique et de la rhétorique de l'image, il nous semble utile, comme à propos du texte et du récit, d'explorer en quelques pages le territoire de l'analyse des arts visuels et sonores, principalement de la peinture et de la musique.

1. LE CINÉMA ET LA PEINTURE

La comparaison entre le cinéma, la peinture et la musique est aussi ancienne que les premiers discours sur le film ; nous ne prolongerons pas ici cet exercice rhétorique mais esquisserons quelques points de jonction possibles entre analyse de films et analyse d'œuvres picturales et musicales. Celles-ci ont une longue tradition, presque aussi riche que l'analyse du récit littéraire, elles peuvent par conséquent, de manière tout aussi légitime, servir de disciplines de référence à l'analyse des films. Il est évident que l'analyse plastique et rythmique jouera un rôle de premier plan dans l'étude d'un film expérimental. Par ailleurs, le modèle pictural traverse toute l'histoire du cinéma, des premières Passions, à l'esthétique saint-sulpicienne, au « nouveau réalisme » contemporain.

Rappelons brièvement, à titre de témoins, les citations de David par Abel Gance dans son *Napoléon* (1927), les références à la peinture flamande dans *La Kermesse héroïque,* de Jacques Feyder (1934), la fascination qu'éprouvait Eisenstein pour Le Gréco, celle d'Eric Rohmer pour la peinture romantique du XIXe siècle, sans parler de Godard dont l'œuvre entière est hantée par certains peintres et certaines questions liées à la représentation picturale : les citations de Renoir, Klee, Picasso dès *A Bout de Souffle, Le Petit Soldat, Pierrot le Fou,* plus récemment Goya et Rembrandt *(Passion).*

Il est évidemment impossible de rendre compte de tous les modes de l'analyse picturale au cours des derniers siècles. Comme en beaucoup d'autres domaines, le XXᵉ siècle a eu tendance à considérer dans son intégralité un corpus de plus en plus énorme, débordant rapidement les limites de notre propre culture pour inclure les arts du monde entier ; si les approches formelles comme celle d'Arnheim que nous abordons plus loin sont restées relativement rares, on a en revanche assisté à une floraison de méthodes critiques, historiques et analytiques, dans la lignée de l'« iconologie » d'Erwin Panofsky, qui combine précisément la prise en considération du contexte historique des œuvres (et notamment de sources extérieures, écrites par exemple, susceptibles de les éclairer) et l'analyse formelle et compositionnelle. Encore une fois, le cinéma n'est que très indirectement un héritier de la peinture, et c'est donc par leur inspiration générale que toutes ces approches analytiques peuvent nous être utiles. (Il y aurait d'ailleurs un intéressant parallélisme à observer entre l'analyse de films et celle de tableaux dans les deux dernières décennies, avec entre autres des tentatives de « sémiologisation » de l'analyse picturale qui ne sont pas sans recouper certains des problèmes de la signification au cinéma.)

1.1. L'analyse picturale ; quelques exemples.

L'analyse des œuvres picturales jouit donc d'une ancienneté beaucoup plus considérable, bien évidemment, que celle du cinéma. Elle est marquée par de multiples traditions dont certaines remontent aux réflexions de Platon sur l'imitation artistique, qui n'ont pas manqué de soulever par ailleurs l'intérêt de la théorie du film. Il ne s'agit pas ici, pour nous, de développer un historique des traditions analytiques des tableaux, mais d'en montrer l'intérêt pour l'analyse des films. Nous nous en tiendrons à deux ou trois exemples.

1.1.1. Les salons de Diderot.

Les célèbres « salons » de Diderot, par exemple, qui sont en fait un des premiers exemples achevés de critique picturale, sont ainsi très révélateurs ; frappe, d'entrée de jeu, la longueur des descriptions, et surtout leur caractère « fictionnalisé » : un tableau donne à voir un monde imaginaire (ce que nous appellerions un univers diégétique), dans lequel le spectateur-critique pénètre, se promène, qu'il éprouve, en quelque sorte, de l'intérieur. Pour nous qu'un siècle au moins d'incessantes révolutions formelles en peinture ont accoutumés à l'idée que le tableau était avant tout « des taches de couleur en un certain ordre assemblées », cette adhésion insistante à un supposé contenu du tableau est un peu surprenante ; mais c'est précisément par là que la leçon est intéressante pour le cinéma (pour lequel la question de l'abstraction, importante, n'est pas dominante) : dans ses analyses, Diderot en fait s'intéresse avant tout au rapport du tableau à son spectateur, à la « croyance » que le tableau suscite, à la nature de la mise en scène représentative, aux moyens de l'effet de réel, c'est-à-dire à la tactique par laquelle le tableau saura le mieux « attirer, arrêter, attacher » son spectateur. Malgré le caractère obsolète de tout un aspect de sa pensée (sur la hiérarchie des divers genres, par exemple), c'est là, dans le fond, une attitude relativement « moderne », posant des problèmes non dénués de pertinence pour le cinéma.

1.1.2. La perception visuelle selon Rudolph Arnheim.

Mais d'un autre côté, un travail récent, d'apparence bien plus formaliste, comme celui de Rudolph Arnheim sur le cadre et la composition picturale, ressortirait également au domaine de l'analyse picturale — bien qu'il n'ait à peu près rien à voir avec celui de Diderot. Désireux de prouver (ou au moins d'éprouver) une thèse générale (le caractère essentiellement « centré » de la peinture occidentale), Arnheim examine, en les groupant non plus par sujets mais par modes de composition, des œuvres picturales d'époques très diverses. Dans un chapitre qui traite de l'accentuation plus ou moins forte du **milieu** (géométrique) du tableau, il convoque, en l'espace de peu de pages, des descriptions et des reproductions de tableaux dus à des peintres aussi différents que Franz Kline, Ingres, Bruegel, le Caravage, Fra Angelico, Picasso, Manet, Rembrandt, etc. — et traite à égalité, par exemple, tableaux représentatifs et abstraits.

« Quand l'œil voit pour la première fois un tableau donné, il doit faire face à une situation inédite : il doit s'orienter, trouver une structure qui amènera l'esprit à comprendre la signification de ce tableau. Si le tableau est représentatif, la première tâche consiste à comprendre son sujet. Mais le sujet est sous la dépendance de la forme, de l'arrangement des formes et des couleurs — lequel apparaît à l'état pur dans des œuvres " abstraites ", non mimétiques. »

Cette citation trop brève ne vise pas, évidemment, à épuiser la substance du livre d'Arnheim, mais à signaler quel genre de leçons on peut espérer en tirer pour l'analyse filmique. La première leçon — à condition de transposer ce qui doit l'être — sera dans cette insistance sur le niveau formel « pur ». Il n'est sans doute pas possible de reprendre telles quelles les notions de centre, de milieu, de composition, d'équilibre plastique, définies à propos de la peinture ; il est très rare, en outre, que la compréhension du « sujet » d'un film pose des problèmes du type de ceux qu'évoque Arnheim (qui deviennent pertinents, en revanche, pour traiter, disons, d'un tableau allégorique comme ceux qu'on peignait au siècle passé pour le Prix de Rome).

En revanche, il est important, d'abord de se souvenir qu'un film est **aussi** une œuvre plastique, visant, au moins partiellement, un certain type de plaisir de l'œil, ensuite de généraliser, à la forme filmique, l'idée d'une dépendance du sujet par rapport à la forme. Enfin, on peut remarquer ici, et malgré l'apparente incompatibilité des problématiques, qu'Arnheim, comme Diderot, pense toujours, dans ses analyses, au spectateur, au rapport « structural » dirionsnous, entre l'œil du spectateur et la composition de l'œuvre.

1.1.3. *Pêche de nuit à Antibes* (Picasso, 1939) analysée par Rudolph Arnheim.

Toujours pour illustrer l'intérêt de l'analyse picturale, nous prendrons un exemple concret du même auteur : une brève analyse de ce tableau.

Arnheim part de l'hypothèse que, dans un bon tableau, la signification principale s'exprime directement dans les « propriétés de la forme visuelle ». Il se propose de suivre d'aussi près que possible ce qui est directement présent à

Picasso, *Pêche de nuit à Antibes*, 1939. New York. Musée d'Art moderne, Coll. Simon Guggenheim.

nos yeux, et se livre à un inventaire descriptif détaillé. Il distingue dans le tableau de Picasso trois zones principales : le panneau vertical de gauche qui représente la ville et le château médiéval d'Antibes, le médaillon central des deux pêcheurs dans leur bateau, entouré de lumière et de poissons, et sur le panneau de droite, deux jeunes filles sur une jetée de pierre. Cette jetée, qui se trouve au premier plan, est directement reliée à nous par les fondations solides des murs à la base du cadre : « Après nous être ainsi transportés de gauche à droite dans le tableau, nous sommes accrochés et retenus par les deux jeunes filles qui, avec leur bicyclette et leur cône de crème glacée, leurs cheveux dans le vent et leur poitrine proéminente, semblent là pour représenter les spectateurs insouciants et esthétiquement divertis. » Ce point d'observation sert également de repoussoir : il prive les pêcheurs d'une partie de la communication directe qu'ils auraient avec l'observateur. « Picasso présente la scène centrale comme quelque chose que l'on regarde, plutôt que quelque chose qui est. »

Arnheim consacre la partie centrale de son étude à l'analyse de la représentation des deux pêcheurs, situés dans la scène centrale qui a « la frontalité et la platitude d'une façade ». Il oppose les deux personnages. Celui de gauche qui se penche par-dessus bord fixe l'eau ; bien que son regard soit intense, il est passif, contemplatif. Pourtant, il est animé par un tourbillon de formes actives. « Il est sur le ventre, tête plongeante, les pieds dans l'air, suivant un axe oblique. Il est à la fois dans le plan de front et dans l'espace tridimensionnel. » Par contre, le harponneur en pleine action à droite est campé dans les orientations les plus statiques : « les horizontales du corps et de la tête, doublées par la parallèle du bras gauche, ainsi que les verticales de la jambe, du bras droit et du harpon, constituent ensemble une construction stable en portique ». Arnheim remarque que « ce genre de contradiction paradoxale entre la nature de l'action représentée et la dynamique des formes qui la représentent n'est pas rare dans les arts. Ainsi, dans *La Résurrection*, de Piero della Francesca, le corps du Christ qui s'élève est cadré de face, dans une structure sereine d'horizontales et de verticales, alors que les dormeurs immobiles sont éparpillés alentour suivant des diagonales on ne peut plus animées, qui se chevauchent de manière irrationnelle ».

Arnheim pose ensuite la question du sens de ce procédé formel : « Dans quel but est-il appliqué dans *Pêche de nuit à Antibes*? » : « Il paraît à propos de rappeler ici que le tableau date du mois d'août 1939, où l'imminence de la guerre mondiale assombrissait l'horizon. Dans cet éclairage de mauvais augure, le meurtre des poissons, dépeint dans le tableau, acquiert une signification particulière. Vue avec la curiosité indifférente des deux jeunes filles, qui apparaissent comme des créatures de plaisir et de luxe, la perspective du massacre paraît irréelle, paralysée dans son impact par son éloignement, par l'incompatibilité entre la violence et le décor joyeux du port méditerranéen. »

Bien entendu, une transposition immédiate de la méthode suivie par Rudolph Arnheim se heurte immédiatement à une difficulté évidente : la mobilité de l'image cinématographique, qui interdit pratiquement toute analyse compositionnelle du cadre filmique (puisque les structures mises en évidence à l'arrêt ne « tiennent » plus, en général, dès que le film défile dans le projecteur). C'est pourquoi nous citerons comme premier exemple ici un texte qui a réussi à surmonter, au moins dans le principe, cette difficulté : il s'agit de l'analyse de *Faust,* de F. W. Murnau, par Eric Rohmer.

1.2. *Faust,* de Murnau analysé par Eric Rohmer.

Cette analyse n'est d'ailleurs pas exclusivement dévolue à une considération des cadrages née de la composition, mais tente de donner un « cadre » théorique plus général pour l'analyse de la mise en scène et, plus particulièrement, de l'« organisation de l'espace » dans le film.

Rohmer définit ainsi, d'entrée de jeu, trois types d'espace qui co-existent dans le film, et qu'il appelle respectivement espace *pictural* (= l'image cinématographique comme représentation d'un monde), espace *architectural* (= parties du monde, naturelles ou fabriquées, pourvues d'une existence objective), espace *filmique* enfin (= « un espace virtuel reconstitué dans son esprit, à l'aide des éléments fragmentaires que le film lui fournit »).
Cette tripartition, d'ailleurs pas toujours évidente (elle pose, notamment, le problème de la reconstitution de l'« architectural » au sens de Rohmer, c'est-à-dire de ce qu'on appelle le *profilmique*), a l'avantage de bien délimiter et désigner comme partiel le caractère pictural de l'image filmique.

Dans son analyse de l'image de *Faust* comme picturale, Rohmer s'est fort intelligemment abstenu de toute utilisation de « grilles » (du genre de la section d'or ou autres calculs de proportions, qu'affectionnent certains, et qui livrent bien rarement quoi que ce soit). Il commence même par remarquer que la picturalité du film de Murnau vient avant tout « de ce qu'il a choisi de subordonner la forme à la lumière » (p. 17) ; l'éclairage de *Faust* serait plus pictural que spécifiquement cinématographique : aussi Rohmer cherche-t-il (ce n'est pas toujours le plus convaincant de son travail) des rapprochements avec des peintres « éclairagistes », tels Rembrandt, Le Caravage. Quant au dessin, il joue, nous dit l'analyste, sur la prévalence de la *courbe,* et plus largement sur une dynamique interne marquée (« c'est le mouvement, chez lui, qui fait le dessin »). C'est sur ce point que l'analyse nous semble le plus remarquable : Rohmer, en effet, grâce à une utilisation habile de schémas des lignes de force de composition (obtenus par décalque à partir des images du film, sur le dépoli de la visionneuse), étaie de façon intéressante son hypothèse, en montrant comment, par exemple, telles scènes du film sont fondées, plastiquement, sur un mouvement de convergence repérable **à la fois** dans la composition des images et dans le mouvement (des personnages notamment) qui s'y déroule [1].

Le livre est en outre exemplaire quant au statut qui est conféré à cette analyse plastique de l'image dans la perspective d'une analyse plus globale. Revenant, vers la fin de son travail, sur une définition et un marquage de « directions privilégiées », Rohmer rassemble les résultats de son analyse sous deux rubriques : celle de l'**expansion/contraction,** celle de l'**attraction/répulsion.** Ces deux couples de concepts représentent, selon lui, non seulement la caractéristique formelle du travail plastique sur le cadre dans *Faust,* mais en outre, ils sont liés directement à une mise en scène fondée sur des apparitions et disparitions incessantes, et métaphoriquement à une symbolique du film structurée à l'évidence par un grand partage Bien/Mal. Même si parfois ses conclusions apparaissent un peu forcées dans son désir de trouver « la » formule qui traverserait à la fois les niveaux plastique, fictionnel et philosophique, la démarche de Rohmer est exemplaire en ce sens qu'elle ne limite jamais l'analyse formelle (ici, plastique) à un plat relevé de schémas ni à une froide statistique, mais qu'il prend au contraire le risque de pousser, y compris sur ce terrain a priori peu favorable, une pointe interprétative pleinement assumée comme telle.

Peu de films s'offrent, aussi évidemment que le *Faust,* de Murnau, à une analyse compositionnelle et plastique ; aussi trouve-t-on peu d'analyses atteignant ce degré de centrage sur de tels problèmes.

Nous avons déjà rencontré cette préoccupation chez un analyste un peu particulier : Eisenstein. Chez lui, l'analyse filmique (à propos le plus souvent de ses propres films) est prise dans une réflexion beaucoup plus large, qui touche également à la mise en scène (dans ses cours au V.G.I.K. notamment) et surtout à la peinture (il faudrait citer ici ses très nombreuses descriptions ou analyses de tableaux) — et finalement, dans la construction d'un système esthétique d'ensemble englobant tous les arts plastiques.

---

1. Voir ci-dessus, p. 61.

2. L'ANALYSE DE L'IMAGE FILMIQUE

Nous ne reprendrons pas ici les descriptions, classiques en théorie du cinéma, du lien entre cadrage, montage, point de vue et espace narratif. Les problèmes du point de vue ont été partiellement évoqués sous l'angle narratif dans le chapitre précédent. Nous allons plutôt insister maintenant sur des analyses plus directement centrées sur les paramètres visuels, relativement autonomisés de leur fonction narrative (nous n'insisterons pas une fois de plus sur la **relativité** de cette autonomie). Il s'agira dans l'ordre, 1) de l'analyse du cadre et du point de vue, 2) plus brièvement du montage, 3) de l'espace narratif, 4) de la « figurativité » de l'image filmique.

2.1. Le cadre et le point de vue : *L'Homme à la caméra*

Commençons par souligner une évidence : **avant** d'être un signifiant du point de vue des personnages, que nous avons étudié au chapitre 4. § 3.3, un cadrage donné est aussi un signifiant du point de vue de l'instance narratrice et de l'énonciation. Par exemple, les « vues » des frères Lumière, quoique très brèves (50 secondes) et composées d'un seul plan, supposent un emplacement de caméra et corrélativement, le point de vue d'un observateur.

> Une étude de Marshall Deutelbaum aborde ces brèves bandes de Lumière selon deux directions différentes : l'une consiste à mettre en évidence une certaine structuration de l'action ininterrompue qui est présentée ; l'autre, à examiner l'inscription spatiale de cette action.
> C'est dans cette seconde perspective que l'auteur examine très précisément les choix de cadrage de Lumière (et de ses opérateurs), en tant que choix d'un point de vue sur un événement mis en scène, et d'une distance par rapport à cet événement.

Dans son analyse du film de Dziga Vertov, Jacques Aumont démontre que l'usage du cadre dans le film comme manifestation d'un point de vue suppose que celui-ci n'est attribuable à aucun personnage, sinon, celui, relativement abstrait, de l'« homme à la caméra » lui-même[2]. Il rappelle la méfiance maintes fois affirmée dans ses écrits théoriques par Dziga Vertov vis-à-vis de la vision spontanée (pour Vertov, on ne voit jamais que ce qu'on a déjà vu), méfiance qui va de pair avec une insistance véritablement obsessionnelle sur la vision comme moyen fondamental d'appréhension et de connaissance du monde. Étudier l'image des films de Vertov peut cependant sembler paradoxal dans la mesure où celui-ci insiste lui-même sur la fonction essentielle du principe de montage, puisqu'il est avant tout monteur, et qu'il a rarement abordé dans ses textes la question du cadrage. Il n'empêche que l'*Homme à la caméra* se caractérise par un traitement très particulier du cadre, par des compositions subtiles et délibérées. Les images du film apparaissent sciemment composées et

---

2. Les références sont données en fin de chapitre.

cette caractéristique est à relier au statut même du film, défendu par son auteur comme film-manifeste, film « théorique ».

Aumont spécifie ensuite les images vertoviennes par une série de traits spécifiques : cette image est d'abord une **vue** au sens premier du mot, supposant un point de vue, c'est-à-dire un point où l'on dispose la caméra : « Dans une cinématographie sans scénographie ni mise en scène, tout le travail du tournage se concentre dans ce mouvement où se détermine le point de vue sur l'événement. » Ce point de vue est alors pensé comme radicalement hétérogène à la représentation et à la fonction narrative.

La recherche par Vertov d'un autre rapport représentatif (= non théâtral) s'exprime par un surcroît de centrement des images.

Afin de démontrer cette hypothèse, Aumont confronte la célèbre *Arrivée d'un train en gare de La Ciotat* au plan non moins célèbre de Vertov qui cadre un opérateur couché sur les rails d'un train. Chez Lumière, la caméra est très exactement placée pour **saisir** l'événement dans sa totalité : « Solidement installé à l'abri, la caméra laisse venir le train, en même temps qu'elle occupe une position privilégiée par rapport aux mouvements sur le quai ; quant aux figurants, ils s'ordonnent, plus ou moins spontanément, par rapport à ce pôle de la caméra, qu'ils investissent manifestement d'un pouvoir, d'un plus-de-voir, sur eux. (...) Quand l'homme à la caméra filme un train, il se place tout autrement : entre les rails, position du risque maximum, et aussi position d'un rapport plus " direct " avec l'objet filmé : l'homme à la caméra ne **biaise** pas. »

Aumont lie ensuite cette façon de traiter la profondeur avec deux autres traits : la frontalité du cadrage, et la distance de la caméra par rapport à l'action filmée.

Il relève ainsi les innombrables portraits de face que l'on trouve dans le film ; la frontalité du filmage des objets (machine à écrire, mannequins, automobiles, automates ou verre de bière), l'utilisation en grand nombre de surfaces et d'à-plats qui redoublent carrément la surface du cadre : les affiches, les façades de café, de magasin, le goût des raccourcis visuels violents (la cheminée d'usine en contre-plongée très forte produisant un effet de perspective qui échappe largement à la tradition picturale).

La distance la plus fréquente est celle du plan rapproché lorsqu'il s'agit de montrer les travailleurs : « ni trop loin, ni trop près, la distance exacte qui permet d'assurer, et de traduire en images, la co-participation du travailleur et du " Kinok ", cet autre travailleur, à la même cause socialiste ». Inversement, les bourgeois en calèche sont filmés de manière à visualiser la radicale séparation entre l'opérateur et les sujets filmés ; dans ce cas l'ostentatoire mise en scène du tournage affiche celui-ci comme **capture,** prise au piège.

Cette analyse des images de *L'Homme à la caméra* dont nous n'avons résumé que la première partie est pleinement une analyse de film, et une analyse des paramètres constitutifs de *l'image* de ce film. Pour ce faire, l'auteur a prélevé dans le corps du film, indépendamment de la logique du déroulement filmique, une série de plans qui tentent de rendre compte de la totalité du sys-

L'Homme à la caméra, de Dziga Vertov (1929).

L'Homme à la caméra, de Dziga Vertov (1929).

L'Homme à la caméra, de Dziga Vertov (1929).

tème visuel du film. Les traits caractéristiques du cadrage et du point de vue dans le film renvoient à une réflexion sur la perception visuelle : les relations sémantiques entre les plans n'existent que par leur coïncidence avec des relations visuelles :

> « Le plan de tramway coupé en deux, si on l'accole seulement au filmage du divorce, ne " raccorde " qu'au niveau sémantique ; rapproché des autres plans de tramways qu'il transforme et travaille visuellement, il ouvre sur tout le reste du film, en termes de sens très probablement, mais aussi en termes **visuels** et même **plastiques.** »

Toujours est-il que cette analyse reste une analyse de l'image, qu'elle n'a rien d'une analyse textuelle, ni d'une analyse du récit.

De même, dans mainte analyse de détail de son livre sur Dreyer, David Bordwell insiste énormément, nous l'avons déjà signalé, sur des cas de « travail » autonome de la caméra par rapport au récit — c'est-à-dire des cas dans lesquels le point de vue adopté par la caméra, et ses variations (notamment dans les dits « mouvements de caméra »), sont plus ou moins indépendants de la position des personnages.

> Dans une analyse très serrée de *Vampyr* et de *la Passion de Jeanne d'Arc* en particulier, Bordwell relève de nombreux cas, décrits minutieusement (avec de très beaux photogrammes à l'appui, on peut le signaler), où la caméra occupe une position, éventuellement mobile, qui est déterminée avant tout par une logique spatiale et non par une logique narrative, ici ouvrant une perspective, là au contraire choisissant de ne montrer tel espace que derrière toute une série de chicanes optiques, portes, rideaux, etc. Bordwell montre d'ailleurs très bien que ce traitement du point de vue est lié à celui de l'espace hors-champ, et à la menace potentielle qu'il représente constamment dans ce film de terreur. Ainsi, « le temps et l'espace narratifs ne sont plus collés au temps et à l'espace de la caméra. De la logique causale du récit, la caméra se limite à enregistrer certains effets — panique, ombres ou mort. (...) Et de l'espace de l'histoire, le cadre découpe son propre " scénario ", parfois très éloigné de la dominante dramatique » (p. 105).

2.2. L'analyse de l'image et le montage, le rapport champ/hors-champ.

Outre le cadre, la proximité de la caméra, l'analyse de l'image filmique peut prendre pour objet la relation de plan à plan, c'est-à-dire le montage. Là encore nous renverrons le lecteur au chapitre d'*Esthétique du film* consacré à la question du montage (chapitre 2) et nous nous en tiendrons à l'exemple d'une analyse filmique principalement centrée sur la fonction du montage dans la production du sens. Pour un tel problème, il est difficile d'échapper à Eisenstein, une fois de plus.

2.2.1. Le montage dans *Octobre,* d'Eisenstein.

L'exemple le plus révélateur nous paraît être l'analyse du prologue d'*Octobre,* par Marie-Claire Ropars (suivi d'un second texte de Pierre Sorlin sur la même séquence)[3]. Dans « L'ouverture d'*Octobre* ou les conditions théoriques de la révolution », Marie-Claire Ropars analyse les 69 premiers plans du film, qui constituent une sorte de prologue consacré à la chute d'une statue du tzar Alexandre III. Certes, l'analyse n'échappe pas tout à fait au commentaire de l'action représentée, donc à l'aspect partiellement narratif de ce prologue (des manifestants mettent à bas la statue d'un tzar), mais elle privilégie radicalement une série de traits formels des plans : grosseur, axe, lumière, arrière-champ, longueur, fixité ou mobilité, « type » de représentation (« réaliste » ou franchement allégorique). Ces traits formels sont analysés systématiquement dans le travail de transformation opéré d'un plan à l'autre, transformation, évolution, continuité et discontinuité, faux raccords, retour en arrière. Ces opérations constituent à proprement parler le travail du montage dans la séquence puisque l'ensemble de ces 69 plans ne dure pas plus de 2 minutes 9 secondes, et que le plus long d'entre eux s'étire jusqu'à 7 secondes et 83 centièmes ! (Certains plans n'ont que quelques images — 0,16 seconde pour le plan 66 — et sont donc quasi imperceptibles, d'où la nécessité de les envisager dans la continuité du montage.)

Marie-Claire Ropars, en fonction de la logique des actions représentées et surtout des continuités formelles, distingue sept sous-parties, de la « construction » de la statue (par le montage) aux 9 premiers plans, jusqu'à sa destruction, très brève, en 3 plans. Elle souligne les contradictions qui marquent les transitions de segment à segment : passage d'un éclairage nocturne artificiel à un éclairage diurne lorsque les manifestants apparaissent sur les escaliers, discontinuité des lieux (la statue, les escaliers, la place aux coupoles, le front, l'espace des faux). Elle s'attache particulièrement à l'évolution de la représentation de l'action de la foule sur la statue : ascension des pieds à la tête, puis disparition des personnages lors de la traction des cordes, arbitraire et violence de l'apparition des plans de fusils, crosses levées en l'air, et de la forêt de faux, disparition des figurants après l'intertitre central et contraste entre un éclairage nocturne semblable aux premiers plans et un éclairage diurne qui permet d'inscrire la statue dans un environnement partiellement diégétique, faux raccords dans la chute des parties du corps de la statue, etc.

Cette minutieuse analyse du montage (aussi systématique que longue) très cavalièrement résumée ci-dessus permet à l'auteur d'étayer une argumentation théorique qui intègre et motive toutes ces observations : celle-ci oppose deux types de représentation (liés à deux fonctions du montage), l'une appelée « discursive » fondée sur l'éclairage artificiel, la discontinuité, l'absence d'ancrage référentiel ; l'autre « diégétique », fondée sur une certaine continuité des actions et des gestes, un éclairage diurne, une certaine profondeur de champ, la présence de personnages... Au départ, c'est la statue qui triomphe dans l'espace allégorique nocturne, à la fin du segment, elle tombe en faux raccord dans un environnement tout différent, diurne, encerclée par les silhouettes de coupoles

---

3. Les références sont données en fin de chapitre.

131

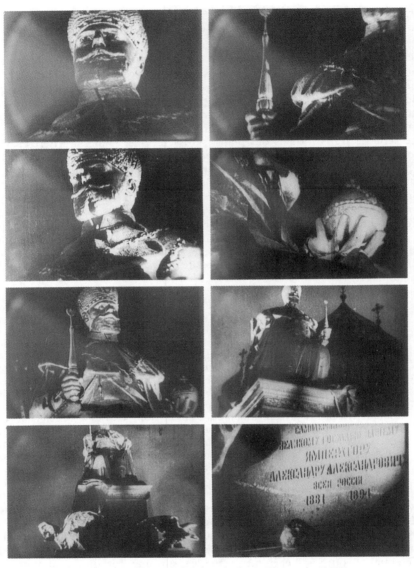

Huit plans du début d'*Octobre*, de S.M. Eisenstein (1927).

en profondeur de champ. Selon Marie-Claire Ropars, c'est l'action du montage alterné et des plans de faux et de fusils qui provoque cette chute par inversion du mode représentatif des deux camps en présence, la foule restant inefficace tant qu'elle restait enfermée dans l'espace diégétique diurne.

Le second exemple que nous prendrons est centré sur l'analyse du rapport champ/hors-champ dans une séquence, rapport évidemment produit par le montage. Il s'agit de l'étude d'un fragment de *La Chinoise* par Jacques Aumont[4].

2.2.2. Le montage et le hors-champ dans *La Chinoise,* de Jean-Luc Godard.

Ces notes sur un fragment de *La Chinoise* (1967) (72 plans, 8 min 14 s) entendent étudier le travail de récriture du cinéma classique auquel se livre Jean-Luc Godard sur le mode d'une série de procédures de blocage du système représentatif de la transparence filmique. Il s'agit d'un passage du film qui montre en alternance des plans de Guillaume (Jean-Pierre Léaud) développant une conférence politique et une série très hétérogène d'autres plans : autres personnages de la même scène, les mêmes et d'autres (par exemple Serge) n'appartenant pas à la même scène, et de nombreux plans au banc titre (dessins et photographies).

Il n'y a aucun plan d'ensemble cadrant tous les personnages, ce qui n'empêche toutefois pas le spectateur de repérer empiriquement des relations spatiales partiellement logiques (un référent textuel global). Cependant, cet espace référentiel est utilisé comme support diégétique à plusieurs fictions relativement autonomes (le personnage du tigre en papier, Serge écrivant un slogan à la craie...). Aumont caractérise le montage godardien par une stratégie de duplicité : « reprise et renforcement de la construction d'un espace de type scénique d'un côté, et de l'autre, production d'une équivoque, d'une incertitude quant au statut de certains plans par rapport à cet espace ». Cette duplicité est confortée par un type de représentation systématique qui consiste à placer une figure devant un fond par étagement de deux « plans » discrets et marqués comme tels, marquage renforcé par le parti pris plastique (grandes surfaces planes, parallèles à la surface de l'image, aux formes géométriques simples, couleurs saturées) et fréquence fort peu classique des prises de vues frontales. D'où un très fort effet d'homogénéité iconique, de mono-tonie représentative. Ce système fait perdre aux plans de « personnages » un peu plus de leur valeur scénique et renforce la similitude entre eux et les divers inserts de graphismes ou de photos qui parsèment le fragment. Un facteur d'unification vient rassembler tous les plans du fragment sous la bannière de l'à-plat et de la frontalité, bloquant ainsi le processus de dénotation spatiale, constitutif de la « scène » du cinéma classique.

L'analyse développe ces observations globales par une étude détaillée des rapports entre hors-champ, contrechamp, et « autre-champ » (celui du spectateur) dans une série d'enchaînements de plans. Elle s'appuie sur la première série qui représente

---

4. Les références sont données en fin de chapitre.

Hors-champ, contrechamp, et « autre-champ » dans *La Chinoise,* de Jean-Luc Godard (1967).

Guillaume debout derrière son bureau et d'autres personnages : Serge (Lex de Bruijn), Véronique (Anne Wiazemsky), Yvonne (Juliette Berto), pour revenir à Guillaume, assis cette fois. De plan à plan, les directions de regard y forment une série régulièrement alternante ; chaque changement de plan implique un « croisement », *dans l'image,* de ces directions. Cette configuration reprend partiellement la figure classique des raccords « voyant/vu ». Or, comme le souligne Aumont, cet enchaînement en fait, s'il produit bien un sens « normal » (la mise en relation mutuelle des personnages) ne s'effectue pas sans une certaine « gêne ». Celle-ci tient à plusieurs traits :
— cet enchaînement sur une suite de raccords de regards ne possède pas la même valeur assertive qu'un champ/contrechamp classique. La caméra d'un plan à l'autre ne pivote pas mais semble glisser : son point de vue reste toujours extérieur au cercle des personnages ;
— la caméra semble se déplacer parallèlement à une ligne imaginaire qui relierait les personnages, impression renforcée par la frontalité très nette du filmage : « Les personnages marquent successivement, et de façon appuyée, chacun des deux bords latéraux du cadre, c'est-à-dire en termes scéniques, chacun des deux hors-champs latéraux. Ceux-ci élargissent l'espace scénique et insistent donc sur la frontalité de chaque plan pris isolément ».

Nous ne prolongerons pas au-delà cette analyse de *La Chinoise* qui étaie ces premières observations par d'autres portant sur des séries ultérieures de plans et les inscrit dans une réflexion plus théorique sur le rapport entre diégèse et « cinécriture » au sens eisensteinien du terme. Elle avait pour mérite de s'attacher à l'étude d'une alternance non classique qui dénature la fonction habituelle du hors-champ : la première série sur Guillaume (Léaud) fonctionnant selon le modèle canonique du mode d'institution d'une réalité, la seconde n'ayant, par contre, aucune réalité scénique : elle joue sur la répétition d'un même processus de métaphorisation de la scène politique, repérable dans l'ensemble du film.

Ici encore, l'analyse avait pour objet la construction d'un espace scénique indépendamment de toute référence narrative.

2.3. L'espace narratif : *La Règle du jeu,* de Jean Renoir.

Dans un texte publié peu après, le même auteur a tenté de cerner le système de représentation propre à Renoir dans les premières minutes de *La Règle du Jeu* (1939). Le titre même de l'étude : « L'espace et la matière » affiche un parti pris d'analyse non narratologique et un intérêt particulier pour les valeurs plastiques et iconiques à l'œuvre dans l'exemple choisi.

Il y a longtemps que non seulement la théorie du cinéma, mais cette théorie appliquée qu'est l'analyse, ont reconnu la consubstantialité du montage et de l'espace filmique. Dans son premier livre qui a beaucoup fait pour la popularisation de la théorie du cinéma, Noël Burch commençait d'entrée par examiner « comment s'articule l'espace-temps ». Plus près de nous, et de façon plus nettement reliée à l'analyse de film, il faut surtout citer l'important article de Stephen Heath intitulé, démonstrativement, « Narrative Space » : « L'Espace narratif. » Partant d'une remarque du cinéaste Michael Snow, « les événements **ont lieu** » (en anglais, events *take place* — insistant davantage encore sur l'appropriation du lieu par l'événement, la narration),

Heath montre que l'espace se construit, dans le cinéma narratif classique, par une série d'implications du spectateur (par le jeu des points de vue et des regards), et que c'est **dans** cette implication que se construit la narration filmique. L'article s'ouvre et se clôt sur deux exemples analytiques : l'un, une séquence de *Soupçons* (Hitchcock, 1941), où une fois de plus se trouve mise en évidence l'importance de la stratégie des regards dans le film classique (mais aussi les incessants écarts par rapport à une supposée norme dans tout le film) ; l'autre, un extrait de *La Pendaison* (Nagisa Oshima, 1968), où Heath pointe, cette fois, la distance systématique par rapport à ces conventions classiques, et l'absence du héros et de son regard là où, logiquement, on les attendrait.

Ce que finalement l'article de Heath suggère, c'est que le cinéma narratif travaille à transformer **l'espace** (plus ou moins indifférencié, simple résultat des propriétés mimétiques de base de l'appareil filmique) en **lieu,** c'est-à-dire en espace vectorisé, structuré, organisé en vue de la fiction qui s'y déroule, et affectivement investi par le spectateur de façon différenciée, indéfiniment changeante à chaque instant. Ce constant entrelacs des regards de la caméra, des personnages, du narrateur définirait en somme, selon lui, la véritable formule de base du cinéma narratif.

Aumont se propose de cerner le système de représentation du film de Renoir en prenant en écharpe le niveau de la figuration, des effets de réalité et celui de la représentation proprement dite, enfin la place assignée au spectateur par un dispositif filmique de communication lié aux deux premiers niveaux (figuration/représentation).

Le couple « figuration/représentation » est repris par Aumont dans le sens que lui ont donné Jean-Louis Schefer, Louis Marin puis à propos du cinéma, Jean-Pierre Oudart ; dans cette perspective, la figuration est considérée comme le produit de codes picturaux spécifiques (en particulier ceux de l'analogie figurative) induisant un effet de réalité, la représentation étant ce qui, de cette figuration, fait une fiction, et le passage figuration-représentation s'opère grâce à l'inscription de la place du sujet-spectateur dans le tableau, ayant pour conséquence subjective la production d'un « effet de réel » (jugement d'existence sur des figures censées avoir dans le réel leur référent). (Voir *Esthétique du film,* p. 107).

Le début de *La Règle du jeu,* classiquement enchâssé entre deux fondus, comprend quatre fragments successifs : l'aéroport, l'appartement La Cheyniest, la soirée chez Mme de Marrast, l'explication Robert-Geneviève le lendemain dans le même appartement (34 plans au total).

Passé donc l'accueil fiévreux d'André Jurieu à l'aéroport du Bourget et « l'invraisemblable pano-travelling qui ouvre le premier plan et tout le film et qui d'entrée trimbale le spectateur, le suspend à un fil, celui du microphone et celui du récit », le film nous introduit, assez brutalement, dans l'appartement des La Cheyniest.

Le premier plan d'intérieur du film découvre rapidement un espace en profondeur, où la perspective s'appuie, comme dans la peinture classique, sur tout un réseau de chicanes pour l'œil (voir la reproduction du plan 7) : surtout le pied de la lampe à gauche et le rideau à droite, dont il n'est pas indifférent aussi qu'ils produisent de somptueux effets de réalité. La fenêtre du cadre ne sera jamais davantage assimilable à la « fenêtre ouverte sur le monde » alber-

Début de *La Règle du jeu*, de Jean Renoir (1939).

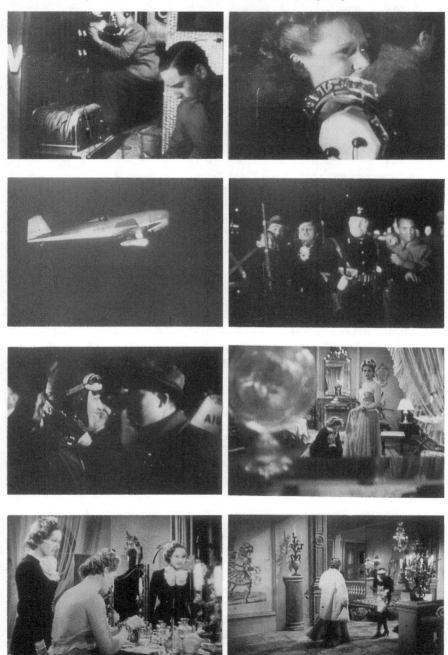

tienne qu'ici ; tout se passe comme si la caméra, au cours de ces plans de découverte de l'appartement, était derrière un des murs de la pièce qui serait tout à coup devenu invisible ou transparent ; nous observons à travers une glace sans tain, et Christine, puis Lisette, prennent garde de rencontrer notre regard. L'espace nous est donné ici comme unitaire, pénétrable, extensible.

L'espace est **unitaire,** puisque sa construction déploie, sans les ostenter, toutes les « coutures » de la réalité. La transparence, discrètement niée par une sorte d'« exhibitionnisme » du cadre est cependant assurée pour l'essentiel par un jeu d'incessants recadrages à l'intérieur des mêmes plans, par l'abondance réglée, dans sa diversité, du travail de raccord (mouvements, gestes, regards) enfin par la répétition, dans les différents plans, de tout un système de formes récurrentes :
— il est **pénétrable** cependant comme le démontre non sans coquetterie la batterie de plans cernant Christine à sa coiffeuse et comme le confirme l'ampleur, la variété et la souplesse des mouvements d'appareils accompagnant les incessants déplacements des personnages ;
— il est **extensible** parce que fondé sur le jeu combiné et accentué de la perspective et de la profondeur de champ, et la multiplication des chicanes visuelles, des portes des couloirs, des miroirs. Plus tard, lors de la fête au château, ce sera encore systématisé : l'espace n'en finira plus de s'ouvrir, follement.

L'espace de la scène suivante, chez Geneviève, est d'autant plus évidemment unitaire qu'il s'inscrit dans un plan séquence. Mais pas question cette fois de pénétrer dans l'espace, de l'étendre. Déplié par des mouvements d'appareil comme autant de charnières, le plan se décompose, se scande, s'enchaîne à lui-même sans que jamais nous soyons à même de franchir la « rampe » invisible qui nous sépare des personnages.

Remarqué par cette incapacité à le traverser, et encore par l'insistance des regards à l'éviter absolument, le quatrième côté de la boîte scénique n'est jamais aussi présent qu'ici. Théâtre un peu particulier mais théâtre tout de même ; la caméra glisse comme pourrait coulisser un décor — logiquement au regard de la fiction : nous sommes dans l'espace du mensonge et du show mondains.

Un petit fondu-enchaîné, et le personnage de Geneviève, nous conduisent à la scène « du lendemain matin » : redoublement de liaison et précaution rhétorique qui ne va pas sans duplicité puisqu'en même temps ce « même » lieu est irreconnaissable : le fond de la scène s'est ouvert sur une vue du Trocadéro, la table de bridge n'est plus là, et surtout, le pilier, ou la tenture qui séparait en deux le salon a disparu comme par enchantement ; seuls points de repère, muets et peu visibles, les deux Bouddhas. Et cette fois, l'espace est traité par une écriture strictement cinématographique, enfilant rigidement une suite implacable de champs/contrechamps (avec grossissement concomitant du cadre) enserrée entre deux plans de situation.

L'espace est bien praticable : on y entre avec la caméra, mais dans la position de tiers exclu qu'implique la suture ; on est pris dans le jeu de l'écriture cinématographique, ici déployée sous les espèces de la plus forte et de la plus codée des figures de raccord. C'est au fond un bon exemple de la transformation la plus simple et la plus canonique que le cinéma puisse opérer sur la scène théâtrale : un bon exemple, classique, de la **scène** filmique.

Avec ces trois fragments successifs, nous avons donc trois variantes, trois échantillons d'un même système de représentation, celui qui se fonde sur la postulation d'un espace référentiel donné à percevoir comme réel, à travers une construction abstraite, conventionnelle, fondée sur une double batterie de procédés : ceux de la profondeur, ceux du raccord et de la suture. Au regard de cette grande unité de principe, l'individualisation de chaque moment, de chaque scène, n'est qu'affaire de degré : l'espace est plus ou moins pénétrable, plus ou moins isotrope, plus ou moins continu. Non que les différences s'y annulent : l'espace « mondain » du spectacle et du mensonge, l'appartement de Geneviève, s'oppose fortement, ainsi, à l'espace intime où se joue la vérité chez Christine ; un souci unique, pourtant, d'assurer une dénotation spatiale cohérente et claire.

L'analyse s'en prend ensuite au système représentatif à l'œuvre dans les premiers plans (à l'aéroport du Bourget) pour en souligner la différence ; celui-ci est constitué de lambeaux d'espace juxtaposés. Aumont montre comment cet « effilochage » de l'espace représenté s'accompagne d'un discours sur la « couleur », l'épaisseur du noir que trouent les flashes crus des photographes d'où émerge fugitivement, par deux fois, le fantôme laiteux de l'avion Caudron, sur la lumière, les reflets dansants de l'inquiétant micro de Lise Elina, de ses cheveux, des fusils des gardes mobiles, sur la texture même de l'image : les mouvements de la foule, traitée comme masses indistinctes, paquets de gris, taches à qui on ne laisse pas le temps de consister en figures, comme si l'espace filmique ne consistait plus qu'en ses parties lumineuses.

2.4. Plastique et rhétorique de l'image : le cache et l'iris dans *Nosferatu le vampire.*

Les analyses précédentes n'étaient pas exemptes de considérations plastiques, loin de là. L'arbitraire de notre présentation en analyse du cadre, du montage, de l'espace narratif n'est dû qu'à des objectifs didactiques et les frontières de l'une à l'autre de ces analyses sont souvent fragiles, nous l'avons déjà dit. Nous allons aborder maintenant une analyse de l'iconicité d'un film à travers tous ses prolongements plastiques, rhétoriques et plus largement culturels en nous appuyant sur l'essai consacré à *Nosferatu, le vampire,* de F. W. Murnau (1922) par Michel Bouvier et Jean-Louis Leutrat.

Le livre de Bouvier et Leutrat, paru en 1981, est une des analyses filmiques parmi les plus riches et les plus denses parues en France. Il comprend deux parties distinctes : la première analyse le film globalement et synthétiquement en 8 chapitres, la seconde comprend une documentation historique exhaustive ainsi qu'une suite photogrammatique intégrale.

La démarche suivie s'inscrit dans l'héritage de l'iconologie panofskienne : tous les éléments du film sont scrupuleusement disséqués et éclairés par de très nombreuses références culturelles aux valeurs métaphysiques et plastiques du romantisme allemand. Le mode d'exposition, assez peu didactique, a sans doute entravé l'influence que ce remarquable essai aurait dû connaître depuis sa publication. Le style des auteurs est parfois assez difficile ; nous avons tenté de le restituer afin d'en marquer la personnalité. Il trouve également sa place dans notre cinquième chapitre comme point d'orgue des analyses de l'image parce que ses perspectives ne sont ni textuelles ni narratologiques ; nous aurons toutefois l'occasion d'y revenir dans le chapitre 7 (« analyse et histoire du cinéma »).

Les deux auteurs s'attachent notamment à relever dans la totalité du film les utilisations de la surface du cadre destinées à produire des effets de terreur (liés à l'utilisation de la technique de l'iris), des effets de soulignement (les fonds lumineux « non motivés »), des effets métaphoriques (récurrence de certains motifs graphiques ou géométriques), des effets émotionnels (utilisation des obliques, etc.). Nous en prélèverons quelques exemples qui ne pourront évidemment se substituer à l'ensemble de l'analyse des auteurs.

Au début du chapitre 2, Bouvier-Leutrat rapprochent le célèbre plan d'Ellen, vêtue de noir, assise sur un banc, à proximité d'un cimetière, au bord de l'océan (plan 325, voir photogramme ci-contre) de deux tableaux non moins célèbres de Caspar-David Friedrich, *Femme au bord de la mer* et *Cimetière de couvent.* Ils remarquent :

« Dans les toiles de ce peintre, les images de la mer, des falaises, les couleurs froides, la lumière elle-même ou le cadrage, concourent à faire vaciller l'autonomie du sujet regardant, servent l'expression pour que s'imposent les apories de la distance. »

Dans l'image de *Nosferatu,* Ellen est située à la frontière entre les flots, « convoyeurs de la menace mortelle, et les terres d'où vont surgir ses amis ». C'est la mer qu'elle contemple, et le vide. Ces images, après une ouverture à l'iris, restent cernées par un cache. Les auteurs indiquent que si l'ouverture à l'iris peut figurer la montée de la lumière à partir de l'obscurité, elle pourrait

Plan 325 de *Nosferatu*, de F. W. Murnau (1922).

Femme au bord de la mer, de C.-D. Friedrich.

Falaises de craie de Rügen, de C.-D. Friedrich.
Winterthur, Fondation Reinhart.

aussi rappeler cette indiscrétion ou ce voyeurisme dont le motif est si fréquemment inscrit par les contes fantastiques romantiques (par exemple *L'Homme au sable*). Le fantastique est lié ici à un certain retrait, et « cette dérobade anonyme ne saurait équivaloir au mouvement différant l'apparition du monstre, tel qu'il est communément décrit ». Le cache ainsi a quelque chose d'inquiétant — comme si en son ombre s'était réfugié le marginal. Son alliance avec des plans proches de personnages regardant, ou de cadrages « marqués » (comme la première image du film : le beffroi en plongée) fait que la présence ne devient avant tout signifiante (dans l'image) que d'« un indicible la menaçant, ou du pressentiment qui la hante ». Pour Bouvier et Leutrat, la composition de certaines toiles de Friedrich, telle les *Falaises de craie de Rügen,* offre l'équivalent d'un cache filmique : le premier plan des herbes et des arbres compose une forme circulaire sombre entourant les falaises blanches se découpant sur la mer. Ils remarqueront que le film propose au spectateur plus d'une fois le relais d'un regard et un appel d'un plan à l'autre : « mais l'étrangeté gagne ces plans où le regard ne semble affronter que l'infini, se perdre, fixe comme l'œil du mort (plan 259, 443), ou fasciné, en proie au vertige (269) ou à l'horreur (384) ».

Plan 259

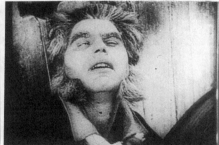

Plan 443

Plan 269

Plan 384

Au chapitre 5, ils élargissent leur analyse de cette fonction très particulière du cache et de l'iris dans le film. Nombre de plans rapprochés de personnages regardant sont affectés d'un cache : la fragmentation impliquée par la proximité, comme l'élimination de l'arrière-plan et de la profondeur, est renforcée par cette marque, « si bien que ces plans ne concourent pas à étayer l'unification scénographique, ils n'appellent pas nécessairement un contrechamp ». Le danger n'est pas lié à un point de vue particulier qui permettrait de relativiser la distance à l'Autre. Dans les iris, « la menace émanant d'une impersonnalité diffuse dans l'atmosphère, dissoute dans l'environnement, trouve à se fixer, paraît surgir du marginal lui-même où se serait repliée la présence anonyme qui est à son origine ».

Un exemple :
Une prise de vue en plongée révèle, dès la première image du film, derrière un clocher que tronque le cadrage, la ville en arrière-plan. A l'opposé, le film s'achève par une contre-plongée sur la silhouette du château en ruine se découpant sur le ciel. Dans cette ultime image, plus de cache, plus de menace non plus ; en revanche, dès la première, cette menace imminente, mais dérobée, confirmerait pour l'émotion une division essentielle et tragique. L'ombre circulaire des caches et des iris, à figurer pour l'identité une menace, mesure en quelque sorte l'autonomie accordée aux personnages. Grâce à ces effets de cache surgirait le pressentiment du thème et s'imposerait l'attribution à une puissance anonyme, centre absolu, irradiant, de cette dépendance terrifiante.

L'iris peut apparaître, toujours selon l'analyse de Bouvier-Leutrat, comme « une section de cône qui sert à une représentation géométrique élémentaire de la perspective », les ouvertures et fermetures à l'iris comme des mouvements de cette section. En ce sens, il manifesterait indirectement un processus d'appropriation et de maîtrise. Le cadre ne serait pas une fenêtre, mais le redoublement de la démarcation par l'iris, l'accentuation de la centralité et le point de vue insistant qu'il paraît traduire permettent de surenchérir sur le principe d'inquiétude et de suspicion qu'il porte dans les images.

Ils remarquent que le pendant de cette procédure que constitue l'emploi des caches pourrait être trouvé dans le recours à des faisceaux de lumière extrêmement vive, des spots qui dessinent un cercle blanc derrière les personnages de telle sorte que les formes semblent moins se déterminer par leur mouvement propre qu'elles ne paraissent exclues, comme extraites, chassées d'un « sans fond » ou d'un fond plus originaire que celui de leur arrière-plan ainsi partiellement noyé de clarté, par ce faisceau même : plans 259, 378, 586, des rats,

 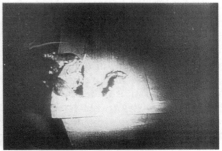

Plan 586   Plan 378

Nosferatu, Knock. Par cette rupture, ce qui s'actualise devant cette tache de lumière et fait irruption, fantôme coupé du fond, n'est pas ce qui demeure habituellement caché dans cette évanescence profonde que suggère le clair-obscur par exemple. De là le caractère fréquemment plat des figures ainsi éclairées et le sentiment qu'elles tiennent, par leur nature même, de l'ombre sans qu'elles s'alimentent romantiquement en elles.

Plan 222

Plan 144

Dans la chambre de Hutter au château, une zone violemment éclairée, circulaire, non motivée, provoque un contraste extrême avec les ténèbres très denses qui s'ouvrent immédiatement au-delà de l'étroite porte ogivale, en pénétrant dans la pièce (plans 222 et suivants). Nosferatu est, grâce à ce spot lumineux, saisi hors des ténèbres, et cette irruption même de l'ombre, associée à la lenteur inéluctable de son approche frontale, à sa rigidité, se révèle terrifiante — une lumière latérale souligne le contour du personnage à gauche ; cet effet n'est pas réductible à celui produit par un contre-jour. Lorsque le vampire abandonnera Hutter, il sera englouti par l'ombre, ou plutôt se fondra en elle, dès le seuil à nouveau franchi. C'est par une émergence semblable des ténèbres qu'il apparaît pour la première fois (plan 144) : émanant d'une bouche d'ombre limitée par la voussure d'un passage, il avance puis s'immobilise ; sa progression ne semble pas graduelle cependant, et elle tient de l'apparition : l'effet est sans doute moindre que dans les plans précédemment décrits (222 et sq) ; cela tient à ce qu'ici seule une arche blanche assume la fonction du spot. L'apparence devient apparition et certaines images revêtent un caractère quasiment hallucinatoire comme le visage de Nosferatu, diagonale blafarde dans l'échancrure seule éclairée du cercueil, ou bien les façades délabrées, sans épaisseur, de la maison du vampire, ou encore le centrage excessif de la ligne perspective des cercueils portés dans une rue.

Le spot lumineux rejoint la procédure d'abstraction chère à l'esthétique expressionniste. La contracture[5] des formes va parfois jusqu'à un certain géométrisme : le motif du quadrillage des orthogonales qui intervient dans la cellule de Knock. On retrouve ce caractère géométrique dans les grandes portes croisées de la maison des Harding, sur la façade des Hutter, et, bien sûr, dans les battants et les traverses des fenêtres à l'intérieur de cette maison, comme dans les ouvertures aveugles de la demeure citadine du vampire. Ce motif apporte aux images un caractère géométrique indéniable dont il est notable

---

5. Rétrécissement de la partie supérieure d'une colonne.

qu'il soit associé exclusivement à certains moments de la narration et qu'il se multiplie, si l'on excepte ses occurrences dans l'office de Knock, à partir de l'arrivée imminente de Nosferatu dans la ville.

Nous pourrions prolonger les références en reprenant l'analyse des directions expressives et de la convergence des obliques que Bouvier et Leutrat développent magistralement à propos du cadrage de Nosferatu sur le voilier *Déméter,* cadrage du vampire, mais aussi cadrage du décor, des étais, des haubans, des vergues et des voiles ; mais il nous semble que l'exemple de l'iris et du spot lumineux que nous avons précédemment cité atteste d'une stratégie d'analyse filmique des composantes de l'image aussi originale que maîtrisée, et nous nous en tiendrons là.

2.5. L'image et la figure : *L'Aurore,* de F. W. Murnau.

Plus largement encore, certains théoriciens et analystes ont été amenés à proposer l'idée d'une sorte de « rhétorique de l'image généralisée », en posant l'existence de figures repérables à différents niveaux du film (dans les différentes composantes de l'image, mais aussi dans le montage, même dans le récit). Dans son dernier livre sur le cinéma, *le Signifiant imaginaire,* Christian Metz consacre un long chapitre à examiner en grand détail la nature des phénomènes « figuraux » dans la signification. Il propose un grand partage en deux types fondamentaux de figures, la métaphore et la métonymie ; la première, fondée sur la disjonction et la similitude ; la seconde, sur la liaison. Pour Metz, la figure centrale dans le film est la métonymie, à l'œuvre en particulier dans le raccord (puisque celui-ci consiste à relier deux éléments — deux plans — différents, entre lesquels toutefois existent des parties communes). L'un des critiques les plus récents de Metz, Dudley Andrew, a proposé au contraire de considérer comme essentielle au discours filmique moins la métonymie que la métaphore.

Ce qui, pour Andrew, fait l'importance de la **figure,** c'est que, pour lui, l'interprétation est infiniment plus importante que l'analyse structurale. Or, précisément, la figure, dans la mesure où elle est une « complication » du langage, une distorsion, est une voie d'accès bien plus évidente, bien plus immédiate, vers la signification. En outre, la plupart des conventions du langage cinématographique (des codes ou sous-codes) ont commencé par être des figures ; ainsi, si un fondu enchaîné dénote aujourd'hui le passage du temps, c'est seulement parce que, pendant si longtemps, il a **figuré** de façon tangible, immédiatement perceptible, cette proximité physique de scènes imaginairement disjointes. A la suite de Paul Ricœur, Andrew propose de considérer comme figure essentielle la figure de la poésie : la métaphore, qui « réoriente complètement la signification par rapport à la situation dans laquelle elle est utilisée ».

Il existe assez peu d'analyses de films qui visent à décrire ce niveau figural (bien que de très nombreux films, et pas seulement, comme on a souvent tendance à le penser, des films muets, semblent se prêter à ce genre d'approche). Le travail d'Eric Rohmer sur *Faust,* que nous avons résumé au début de cette section, en serait évidemment un exemple majeur. Nous en donnerons un

Plan 1 a   Plan 1 b

Plan 3   Plan 4

autre, très différent dans son inspiration, et dû précisément à Dudley Andrew lui-même, analysant un autre film de Murnau, *L'Aurore*. Ainsi, dans les quatre plans formant, au début du film, un segment autonome groupé sous le titre « Summertime — Vacation time », Andrew relève quatre « paradigmes » graphiques, dont chacun selon lui joue ensuite un rôle-clef dans le drame visuel. Le premier représente la gare de chemin de fer, d'abord sous forme de peinture puis (sans transition) sous forme de maquette animée. Andrew y lit, d'abord, le conflit entre naturalisme et expressionnisme qui, selon lui, est à l'œuvre dans tout le film, et dont il donne des exemples dans le jeu des acteurs comme dans le décor ; il le voit, ensuite, comme une sorte d'emblème du processus de « transmutation interne » qui caractérise assez systématiquement le traitement des actions chez Murnau. Le second plan, une locomotive qui passe en diagonale, croisée par une autre pour former une sorte de X, est un emblème du conflit ; aussi bien Andrew repère-t-il que c'est précisément sur ce schème de la diagonale qu'est construite la scène de la tentative de meurtre sur le lac (alors que les diagonales sont fondamentalement absentes, par exemple, dans toutes les scènes en ville). Le troisième, qui conjoint, en « split-screen », un paquebot et une jeune femme au bord d'une piscine, et dans lequel un baigneur, vers le milieu du plan, entre soudain par le bas du cadre, suggère le pouvoir du non-vu et du non-cadré dans *Sunrise* — et le sens dans lequel Murnau joue de ce pouvoir (celui de la terreur). Enfin, le quatrième plan montre les passagers, disposés sur le paquebot, dans une composition réminiscente de maints tableaux, et compliquée par deux légers mouvements : un voilier traverse le haut du cadre,

146

la caméra glisse lentement vers l'avant. Ces deux caractéristiques — picturalité de la composition, importance du mouvement d'appareil — sont les deux bases unanimement reconnues du « style Murnau », et Andrew n'a pas de mal à en trouver l' « application » et le « développement » dans le reste du film.

Naturellement, nous ne donnons ici qu'un bref aperçu, peut-être involontairement caricatural, de la démarche de cette analyse. Inutile de dire que la traversée d'un film sur ce mode, à partir de quatre images posées comme synthèse emblématique, est aventureuse, et ne peut se tenter que si l'on a de bonnes raisons de supposer une très grande cohérence plastique et stylistique du film. Dans la plupart des cas, l'usage de métaphores (ou de figures appartenant au registre métaphorique) est infiniment plus restreint, plus localisé, et moins « organique », qu'Andrew ne le suppose ici. Il est donc impossible de donner des consignes générales pour ce type d'analyse — qui, plus explicitement interprétative que d'autres, demande aussi plus de prudence et de finesse. Tout au plus peut-on souligner que le meilleur garde-fou, ici comme ailleurs, reste la connaissance historique des **styles** filmiques, qui seule permet d'apprécier le vraisemblable de telle hypothèse relative à l'emploi du niveau figural.

3. L'ANALYSE DE LA BANDE-SON

Cette position du développement de l'analyse du son au cinéma après l'examen des rapports cinéma-peinture et de l'analyse de l'image laisserait une fois de plus supposer une hiérarchie dont serait victime l'élément sonore et un rapport de dépendance à l'image ; nous espérons démontrer qu'il n'en est rien et que, s'il y a quelques années les analyses filmiques centrées sur la bande sonore étaient encore rares, la situation semble s'être positivement modifiée depuis.

Certes, depuis l'invention du parlant, la bande-son est théoriquement l'égale de la bande-image dans la construction du sens filmique : il est clair qu'elle véhicule sans doute, au travers des dialogues, une bonne partie des informations nécessaires à la narration. Il n'en demeure pas moins vrai que, aujourd'hui encore, il reste des traces assez nombreuses des théories développées à la fin des années 20 et au début des années 30, qui définissaient quasiment toutes la spécificité du cinéma à partir de l'image mouvante (se reporter à *Esthétique du film*, « Le cinéma, représentation sonore », pp. 30-34).

Avant d'aborder l'analyse de la bande-son proprement dite, sa définition et la diversité de ses composantes, il nous semble utile de revenir à partir d'un exemple bien particulier sur la tradition de l'analyse musicale.

3.1. L'exemple de la musique.

L'art qui a sans doute suscité le plus d'analyses est la musique. Mais il faut ajouter aussitôt que cette propension à l'analyse est en quelque sorte inscrite dans la nature de l'art musical lui-même — du moins dans une très large part de notre héritage culturel. Dans les sociétés occidentales, en effet, la musique a pratiquement toujours été, et le plus souvent consciemment, très fortement liée à la mathématique. Les spéculations des XVIIe et XVIIIe siècles sur la gamme, les sons et leurs proportions, ont en tous cas abouti à un système qui aujourd'hui encore se survit fort bien, et qui place la création musicale dans le cadre tracé par un ensemble de règles et d'algorithmes (ce que les conservatoires enseignent sous le nom d' « harmonie »). Depuis la même époque — c'est-à-dire depuis environ deux siècles et demi — existe donc une analyse « musicologique », potentiellement très raffinée et très complexe, mais qui n'est jamais, dans son essence, que la vérification de la **régularité** de l'œuvre, de sa conformité au canon. Il y a moins de cent ans, par exemple, l'opus 99 de Brahms, une sonate pour violoncelle et piano, fut violemment critiquée pour passer trop légèrement de la tonalité de fa majeur à fa dièse mineur. Certes, l'atonalité, le dodécaphonisme, la musique « concrète », ont changé bien des règles — et c'est aujourd'hui par le biais d'une de ces entreprises de reconstitution dont notre époque historienne est friande, à savoir le mouvement de redécouverte de la musique baroque, que la musicologie a retrouvé un terrain d'activité. Ce n'est pas innocemment que nous mentionnons ce dernier exemple, car il est, dans sa visée, infiniment plus proche de ce qui se joue dans l'analyse de film. Si l'analyse musicologique stricto sensu (= détermination du caractère régulier ou non des œuvres) n'a aucun équivalent pensable dans le champ de la filmologie, le travail qui s'est effectué depuis une vingtaine d'années sur la musique du XVIIIe siècle est instructif. En dehors d'un aspect technique (retour aux instruments anciens, au diapason d'époque, etc.) qui ne nous concerne pas, ce qui s'est joué dans ce mouvement, c'est en effet une nouvelle compréhension d'un phénomène culturel du passé. Pour ne prendre qu'un exemple — mais central — l'idée que la musique baroque soit un discours entièrement dominé stylistiquement par la mise en œuvre d'une **rhétorique** extrêmement stricte, a eu des conséquences incalculables et sur l'exécution même de ces œuvres, et (plus fondamentalement) sur la conception qu'on doit s'en faire ; cette notion de rhétorique, notamment, si on la prend au sérieux comme il semble qu'on doive le faire, déplace très largement le discours musical d'un côté qui ne lui semble pas a priori consubstantiel : celui du *sens*. La musique baroque, parce qu'elle s'appuie sur ces règles rhétoriques précises, aurait proposé un système de correspondance entre son et sens, plus ou moins codé une fois pour toutes, c'est-à-dire qu'elle aurait été, finalement, plus consciente de ce problème du sens, et qu'elle l'aurait mieux résolu, que toute la musique « à programme » de la fin du XIXe siècle par exemple. Quand on considère les difficultés qu'éprouve, encore aujourd'hui, la balbutiante sémiologie de la musique pour traiter cette question du sens, l'idée paraît intéressante. Elle a, en particulier, l'immense mérite de signaler (ce qui, dans le cas de la musique, est peut-être plus clair qu'ailleurs) que le sens ne surgit pas tant d'un rapport au réel que d'un rapport à des conventions, à des codes.

3.2. L'analyse du son filmique : la notion de bande-son et ses limites.

L'un des problèmes majeurs dans l'analyse de la bande-son est qu'elle véhicule à la fois, et sans qu'il soit toujours possible de tracer des distinctions claires, des fonctions multiples. Tout d'abord, par rapport à la bande-image, elle comporte beaucoup plus de matériel non diégétique. La musique de film, notamment, est principalement extra-diégétique [Michel Chion propose de la nommer « musique de fosse » par analogie à la musique d'opéra, la musique entendue dans la diégèse étant une « musique d'écran » (*Le son au cinéma,* pp. 122-123)], mais c'est aussi le cas d'une proportion non négligeable de la bande-paroles : dans certains films, par exemple la plupart des documentaires, mais aussi de nombreux films de fiction (exemple : *Le Plaisir* de Max Ophuls, 1952, *Fièvre sur Anatahan* de Josef von Sternberg, 1953...), un commentaire trouve sa source hors de la diégèse. Plus précisément, on pourrait distinguer, à l'intérieur de ce matériel extra-diégétique, entre différentes fonctions : explication, caractérisation, description, etc. En outre, la bande sonore comprend trois types d'éléments différant profondément dans leur rapport au réel (au référent), et dans le type de représentation du monde qu'ils engagent. A vrai dire, les notions de « bande-son », « bande-parole », « bande-bruit » appartiennent au vocabulaire de la pratique technique des films et à ce titre, ne sont pas transposables tels quels dans la démarche de l'analyse.

De nombreux analystes et théoriciens ont, depuis une quinzaine d'années, souligné cette hétérogénéité de la bande sonore et proposé des typologies plus opératoires des matières sonores entre elles (musique, paroles, bruits) et des relations entre l'axe sonore et l'axe visuel (voir la bibliographie en annexe) ; ainsi le paradigme classique son *in/* son *off* a connu une longue série de remaniements terminologiques qui tous partaient de son inadéquation aux occurrences attestées dans les films et proposaient des classifications plus opératoires, depuis les articles de Daniel Percheron « Le son au cinéma dans ses rapports à l'image et à la diégèse » (1973), de Serge Daney « L'orgue et l'aspirateur » avec ses sons *in, off, out* et *through,* de Roger Odin, « Son *in* vs son *off* », jusqu'aux livres plus récents de Michel Chion. Retenons que la plupart de ces catégories concernent essentiellement le rapport de la parole à l'image considérée du point de vue de la diégèse (de la logique audiovisuelle de l'univers représenté).

De manière plus radicale, dans son livre sur *Le Son au cinéma,* Michel Chion défend la thèse de l'inexistence de la bande-son, thèse esquissée dans son essai antérieur, *La Voix au cinéma.* Ses premiers arguments concernent le caractère « fourre-tout » et trompeur de la notion de bande-son puisqu'elle postule que les éléments sonores rassemblés sur un unique support d'enregistrement, la piste optique du film, se présenteraient effectivement au spectateur comme « une sorte de bloc faisant coalition », face à une non moins fictive « bande-image ». Selon Chion, les éléments sonores d'un film sont immédiatement analysés et répartis dans la perception du spectateur selon le rapport qu'ils entretiennent avec ce qu'il voit, au fur et à mesure. C'est à partir de cet « aiguillage immédiat » de la perception sonore que certains éléments peuvent être tout de suite « avalés » dans la fausse profondeur de l'image, ou remisés dans la périphérie du champ, d'autres éléments, essentiellement la musique de film et les voix de commentaire, aiguillés vers un autre lieu, imaginaire, comparable à un *proscenium*. Une autre idée fondamentale à ses yeux repose sur la hiérarchie réaffirmée en faveur des voix : « dans le cinéma " tel qu'il est ", pour les spectateurs " tels qu'ils sont ", il n'y a pas des sons parmi lesquels entre autres la voix humaine. Il y a les voix, et tout le reste. Autrement dit, dans n'importe quel magma sonore la présence d'une voix humaine hiérarchise la perception autour d'elle » (*La Voix au cinéma,* pp. 13-15).

Dans son chapitre intitulé « Pour (ne pas) en finir avec la bande-son », dans *Le Son au cinéma,* Chion combat la thèse classique des promoteurs de l'autonomie de la bande-son, et la revendication d'une relation d'égalité entre celle-ci et l'image. Pour lui, le son filmique ne peut être un « son en lui-même », il est toujours véhicule d'un sens ou indice d'une source. Après avoir rappelé l'hétérogénéité bien connue des sources diverses des sons filmiques (sons directs, bruitages, voix prises en auditorium, etc.), il insiste sur les rapports de préséance obligatoires qui s'établissent entre ces sons : « on équilibre (au mixage) les niveaux sonores en fonction de critères qui se rapportent d'abord tout naturellement, à l'effet dramatique lié à l'action et à l'image : mais en aucun cas à l'équilibre intrinsèque de la bande sonore prise isolément ». Selon cette analyse, l'unité fragile de la bande-son sera toujours défaite par le spectateur qui répartira le son dans différentes zones, différentes couches, relativement étanches entre elles, de relations avec l'action et l'image.

En réalité, affirme Michel Chion, la « soi-disant bande sonore » est le plus souvent non une structure autonome de sons pouvant ensuite se présenter comme une coalition, un bloc uni face à l'image, mais plutôt une juxtaposition, une coexistence relativement inerte de messages, de contenus, d'informations, de sensations qui trouveront leur sens et leur dynamique par la façon dont ils seront distribués selon les espaces imaginaires du champ filmique.

Si nous nous sommes permis ce bref détour théorique, c'est que la thèse ci-dessus résumée nous semble utilement aller à l'encontre d'idées trop facilement reconduites sur la nécessaire autonomie de la bande sonore et du procès vite instruit de la relation de « pléonasme » entre un son synchrone et une image.

Afin d'entrer plus en détails dans des exemples d'analyses filmiques des éléments sonores, nous reprendrons, toujours dans un souci de commodité, la tri-partition classique, certes discutable comme nous venons de le voir, entre musique, paroles et bruits.

3.3. L'analyse de la musique de film.

La musique, nous en avons dit quelques mots en 3.1., n'est pas à proprement parler un art représentatif ou une technique de représentation ; sa valeur « représentative », et même sa valeur « expressive », sont hautement conventionnelles, et dépendent strictement de considérations historiques et culturelles incessamment variables.

La principale fonction de la musique dans les films commerciaux moyens est d'accentuer l'effet d'unité recherché par ailleurs également au niveau de la narration et de l'image. D'innombrables films américains de série « B », dans les années 40 ou 50, ont ainsi une bande-musique quasi ininterrompue, soulignant ici ou là tel événement, mais le plus souvent se faisant oublier, comme le liant d'une sauce (des compositeurs comme Miklos Rozsa ou Dimitri Tiomkin — pour ne citer que les meilleurs — sont de grands spécialistes du genre). Naturellement, la musique a aussi à charge, plus localement et plus épisodiquement, soit de « décrire », soit d' « exprimer » (soit les deux à la fois). Dans les cas les plus conscients d'une telle utilisation de la musique, la collaboration entre cinéaste et compositeur s'étend du tournage jusqu'au montage : l'exemple canonique en est, bien entendu, le travail commun de Prokofiev et d'Eisenstein sur *Alexandre Nevski* et surtout *Ivan le Terrible,* mais on pourrait aussi penser à de nombreux grands cinéastes, de Hitchcock (surtout dans ses films avec Bernard Herrmann) à Resnais (qui, dans *Providence,* utilise magistralement — non sans ironie et distance — le style emphatique de Rozsa).

L'analyse de la bande-musique d'un film a assez rarement été tentée, et presque toujours sur des films exceptionnels. Ainsi, dans son livre sur *Ivan le Terrible,* Kristin Thompson consacre un chapitre entier à l'analyse de la bandeson — dont une bonne partie à la musique — et un autre aux relations sonimage. Auparavant, au début des années 60, c'est la musique écrite par Giovanni Fusco pour *Hiroshima mon amour* qui avait donné lieu à plusieurs analyses de type musicologique, en raison de son caractère novateur et de son rôle par rapport au montage du film : étude de Robert Wangermee sur « Hiroshima et la musique de film » dans le livre collectif déjà cité, étude d'Henri Colpi dans *Défense et Illustration de la musique dans le film,* de François Porcile sur le même film dans *La Musique à l'écran.*

Un exemple extrait de ce dernier livre :
« Les thèmes de Giovanni Fusco pour *Hiroshima, mon amour* démontrent avec évidence l'importance de l'ostinato rythmique. Le thème « Musée » répète le même motif ascendant de piano : sol do dièse fa dièse. A la fin du thème « Musée 2 », intervient un staccato nerveux de l'alto, répété invariablement jusqu'à la coda. De même, l'andantino du piccolo dans le thème « Ruines 2 » est rythmé par un inlassable sol dièse du cor. Cette même note répétée se poursuit sur le thème « Ruines 3 » accentuée encore par un motif obstiné de l'alto : sol fa dièse bécarre sol. La reprise du thème « Corps », à la fin du film, sur la marche solitaire d'Emmanuelle Riva, ajoute au piano solo un ostinato de tout l'ensemble instrumental, qui ira s'amplifiant jusqu'à noyer le thème lui-même. »

Il s'agit là d'une analyse classique, purement interne, de la partition musicale, même si les auteurs abordent « par la bande » le rapport de la musique à l'image. C'est pourquoi nous allons développer un exemple récent nettement plus centré sur la fonction de la musique dans la signification globale du film : il s'agit de l'étude de Michel Chion consacrée au rôle des airs musicaux dans le sketch central du *Plaisir* (Max Ophuls, 1951-1952), *La Maison Tellier,* d'après la célèbre nouvelle de Guy de Maupassant.

Première constatation : la musique utilisée par Ophuls n'est pas une musique originale, ce sont des emprunts arrangés de thèmes d'Offenbach, des cantiques religieux célèbres et une brève pièce de Mozart. Chion analyse d'abord la distribution des interventions musicales dans les trois mouvements du film : 1º en ville d'abord, dans la maison Tellier ; 2º à la campagne (voyage, arrivée au village, nuit), puis cérémonie religieuse (une première communion), 3º puis retour à la ville et fête dans la maison close. Il distingue quatre éléments musicaux différenciés, ayant chacun un sens et une fonction différente qu'il appelle : 1º le pot-pourri-danse (agglomérant des thèmes empruntés à Offenbach et à la musique légère du XIXᵉ siècle), 2º le thème-chanson (emprunté à une chanson de Béranger, *La Grand-Mère*), 3º le thème-cantique *(Plus près de toi mon Dieu)*, et enfin, 4º, une pièce de Mozart « aussi brève que sublime, pour chœur mixte et orchestre, *Ave Verum* ».

Le *pot-pourri-danse* intervient dans la partie 1 et la partie 3, il est complètement associé à la description de la maison close et des scènes qui s'y déroulent, il en est comme l'émanation. Il ne s'agit pas d'un véritable thème ou d'un *leitmotiv* mais d'un certain nombre de mélodies peu différenciées et mêlées, il est lié au sentiment d'une aimable agitation rythmique vitale et sommaire.

Le thème-chanson, véritable *leitmotiv* du film, fait alterner un couplet et un refrain qui provient d'une célèbre chanson grivoise de Béranger *La Grand-Mère* ; les paroles, chantonnées, dont le film n'utilise que des phrases décentes, modulent un seul motif : le regret de n'avoir pas mieux profité du bon temps de la jeunesse. Comme le dit le refrain : *« Combien je regrette / Le temps perdu / Ma jambe bien faite / Et mon bras dodu. »* Musicalement, le thème est celui d'une chute, d'un regret, d'une extinction. D'abord purement instrumental, puis chantonné, il va peu à peu revêtir ses paroles, être communiqué par Rosa (D. Darrieux) à tout le groupe. Par contre, on ne l'entendra plus dans le finale du film, lors de la fête à Rouen, au cours de laquelle deviendront prioritaires des thèmes d'une gaieté plus anonyme, immédiate et interchangeable (le pot-pourri). « La giration mélancolique avec laquelle ils alternaient dans la première partie laisse place à un tressautement mécanique et impitoyable. »

Le thème-cantique, naturellement associé à la communion solennelle, a des occurrences moins nombreuses, il est limité à la partie centrale. Comme *La Grand-Mère,* le cantique *Plus près de toi mon Dieu* apparaît dans une version instrumentale avant de dévoiler ses paroles. Sa première apparition avec paroles chantées par un chœur d'enfants, interrompt littéralement une des occurrences de *La Grand-Mère* de manière inopinée. « Elle tombe comme une douche, la douche du sentiment religieux refoulé jusqu'ici. » Son rôle est de faire tremplin vers une musique inédite et restituée dans son intégralité, l'*Ave Verum* de Mozart.

L'*Ave Verum* de Mozart, dans une transcription instrumentale, tombe sur la petite église comme la foudre de la grâce, après des musiques liturgiques plus banales et routinières. Ophuls se garde de nous faire voir l'orchestre fantôme qui exécute l'*Ave Verum* mais insiste sur les réactions des ecclésiastiques et des communiants, comme si, tous, ils en subissaient l'effet foudroyant.

« C'est comme saisie par ce bloc de beauté et de spiritualité que l'on voit alors Rosa, puis par contagion toute l'église fondre en larmes, cependant que par-dessus la musique, la belle voix de Jean Servais raconte la scène avec les mots de Maupassant et que, dans la continuité du plan, la caméra monte au ciel et en redescend, parcourant et reliant, dans un large mouvement de description de l'église, tous les fidèles les uns aux autres en même temps qu'elle relie le ciel et la terre. Cet *Ave Verum* est, dans *La Maison Tellier,* la clef de voûte de l'édifice dramatique conçu par Ophuls. De même que la continuité musicale de l'immense courbe mélodique qui forme ce morceau de trois minutes semble taillé dans un seul bloc, c'est une égale continuité que cherche à tisser dans l'espace le parcours aérien de la caméra tendant une toile fragile et frémissante où sont pris les communiants et les putains. Nous oserons même prétendre qu'il y a une affinité subtile et voulue, entre le vibrato large, excessif, proche du chevrotement, des instruments à corde qui jouent la musique de Mozart, et le vol tremblant et cahotant de la caméra. »

Ainsi, derrière une diversité hétérogène des citations musicales dans *La Maison Tellier,* on trouve une grande richesse de situations et de statuts divers. Le thème chanson, c'est la musique à tout faire par excellence, d'une plasticité et d'une servilité sans limite ; à dominante mélodico-sentimentale, il tend des fils entre passé, présent et futur par opposition à la rythmicité phallique du pot-pourri-danse alors que le but du thème-cantique est d'introduire la rupture que marque l'*Ave Verum,* « coup de génie que cette inclusion sans préavis et qui consiste, après audition intégrale et à découvert du thème-cantique, à déplacer massivement le centre de gravité vers cette nouvelle musique non préparée ».

3.4. L'analyse des bruits, des ambiances et de la parole.

Il y a une certaine provocation dans l'intitulé de cette partie à mettre sur le même plan bruits, ambiance et paroles ; en effet, comme l'a souligné Michel Chion (que nous avons résumé en 3.2.), à l'intérieur de la bande-son, « il y a la voix humaine, et tout le reste ». L'autonomisation de la musique s'impose d'elle-même, même si l'analyse doit s'efforcer de la mettre en relation avec l'image. Mais il n'est peut-être pas inutile de souligner ici l'intérêt de la prise en compte des éléments sonores non verbaux et non musicaux, même si la catégorie sémantique du « bruit » demeure très floue. Les frontières qui séparent le verbal et le musical de l'univers des bruits et des ambiances sonores sont très variables et historiquement fluctuantes.

L'exemple classique de confusion musique/bruit se trouve dans *Les Oiseaux,* d'Alfred Hitchcock : la musique, largement électronique, de Bernard Hermann, incorpore en effet toute une série de cris d'oiseaux, plus ou moins transformés et déformés.
Ce processus est à la base de toutes les partitions musicales écrites par Michel Fano pour les films d'Alain Robbe-Grillet depuis *L'Immortelle* (1962) jusqu'au *Jeu avec le feu* (1975) et les films de montage sur la vie des animaux en liberté réalisés par Gérard Vienne et François Bel (*Le Territoire des autres,* 1971, *La Griffe et la dent,* 1975).
C'est au contraire la confusion bruits/parole qui est centrale dans la construction de l'univers sonore des films comiques de Jacques Tati ou de Pierre Etaix. Ce que disent les personnages des *Vacances de Monsieur Hulot* ou de *Playtime* n'a aucune impor-

tance, il s'agit d'une sorte de rumeur verbale des personnages (c'est l'identification d'un accent anglais très schématisé qui sera pertinent pour un touriste, par exemple). (On trouve dans le livre de Chion de nombreuses analyses de l'univers sonore de Jacques Tati.)

On s'est surtout intéressé à la fonction des bruits dans les films au moment de l'apparition du cinéma sonore, lorsque les conventions du vraisemblable n'étaient pas encore fixées. Certains films particulièrement inventifs sur ce plan ont servi de terrain privilégié aux analystes qui tentaient de définir les conditions esthétiques du cinéma sonore : ainsi *Hallelujah* (King Vidor, 1929) et *M le Maudit* (Fritz Lang, 1931).

La partition sonore de *M le Maudit* est d'une exceptionnelle richesse et privilégie assez systématiquement le son hors-champ (dont la source sonore n'est pas visible dans le plan) : ainsi le sifflement du leitmotiv musical donné dès la première apparition du meurtrier, le cri des passants dans la rue, le son du coucou de la mère d'Elsie, les appels de celle-ci, le rapport de police lu en voix *off*, le bruit *off* du clou que *M* tente de redresser dans le grenier lorsqu'il est découvert par la pègre, etc.

Inversement, c'est le parti pris hostile au recours à la parole synchrone qui fut remarqué dans *Sous les toits de Paris,* de René Clair (1930).

Parmi les tentatives plus récentes de classification des bruits, nous citerons celle de Dominique Chateau (« Projet pour une sémiologie des relations audio-visuelles dans le film ») qui propose une taxinomie fondée sur la provenance, la nature et la fonction de ceux-ci, notamment dans leur rapport à l'image : hypothèse de son « lié » à l'image ou à la diégèse.

On pourrait ainsi distinguer les sons phoniques (phonématiques : discours verbal ; non phonétiques : cris, aboiement, chuchotements, brouhaha, etc.) ; des sons non phoniques (tous les autres). De même certains sons sont de provenance humaine, les autres extra-humaine (la distinction est de Pierre Schaeffer) : d'une part la parole et les sons phoniques non phonétiques, mais aussi les bruits de pas, les applaudissements, les gifles, etc. (Chateau s'appuie sur la liste des bruits relevée dans *L'Homme qui ment,* d'Alain Robbe-Grillet, d'où la fréquence des gifles.) D'autre part, les sons « naturels » (clapotis, frottement de bois, bruissement de feuilles, etc.), les sons instrumentaux (tambour, percussions, etc.) et les sons électroniques (ondes, fréquences, etc.), toutes ces catégories étant susceptibles de chevauchements et de glissements de l'une à l'autre : ainsi un clapotis d'eau peut-être électroniquement musicalisé, le « sol » d'une sirène de bateau enchaîné sur la première note d'une partition musicale (exemple attesté au début de *Muriel,* de Resnais).

Dans un souci de synthèse et de clarification, Chateau propose de distinguer les sons concrets (ou justifiés par leur source) des sons musicaux au sens très large du terme. Un son concret peut être justifié directement dans le film ou indirectement (il reste postulé par l'univers diégétique, cas des ambiances). Afin de contourner le couple boiteux *in/off,* il propose de leur substituer la notion de *liaison* : une combinaison audio-visuelle sera liée lorsque le son et sa source d'émission apparaissent simultanément ; dans le cas contraire, on parlera de combinaison libre.

Dominique Chateau illustre ces classifications par une analyse de la bande sonore de *L'Homme qui ment,* bande sonore dont la partition musicale conçue par Michel Fano se caractérise par l'enchevêtrement du matériel « bruité » et du matériel « musical » puisque cette dernière appartient au domaine de la musique dite « concrète ». Dans l'analyse de la bande sonore de *Muriel* citée précédemment comme exemple d'approche codique d'un film (chapitre 3, § 3.1.) Michel Marie insiste particulièrement sur les codes de l'analogie auditive, la nature de la prise de son et du mixage propre au film et sur le « réalisme sonore » ainsi produit.

La bande sonore de *Muriel* est entièrement post-synchronisée et les niveaux sonores respectent les conventions dominantes du mixage : la compréhension auditive des paroles reste tout à fait privilégiée ; cependant, le film intègre les leçons de la « révolution du son direct » qui marque l'évolution des techniques au début des années 60. Les bruits sont très fréquents et restitués à un niveau inhabituel, tant les sons *in* : bruits d'interrupteurs, de pas des personnages sur le parquet de l'appartement ; que les sons *off* : sirènes et moteurs de bateaux du port de Boulogne, tout proche mais rarement présent à l'image ; « l'appartement d'Hélène (D. Seyrig) est sonore comme une coquille vide », c'est un modèle réduit de la ville entière. Les conversations dans la rue, qui restent toujours compréhensibles, sont très souvent entrecoupées par des sons parasites très agressifs : klaxons, sirène d'alarme d'ambulance, moteur de motocyclette, cris de vendeuse, slogan hurlé au haut-parleur.
La bande sonore du film est une partition qui orchestre l'ensemble de ces bruits, les paroles des personnages et les interventions musicales très discontinues d'Hans Werner Henze.

Quant à la parole, instance reine de la bande sonore, elle a principalement donné lieu jusqu'à présent à une approche narratolologique : les analyses s'intéressaient essentiellement au statut narratif des énoncés verbaux : dialogues *in* ou *off,* commentaire extra-diégétique, voix intérieure, voix sur flashback. En fait, un grand partage s'impose d'emblée lorsque l'on considère la parole dans les films, entre les contenus sémantiques des énoncés verbaux et toutes les autres caractéristiques. Les contenus sémantiques s'étudient en même temps que la narration dont ils sont un des éléments principaux. Il paraît difficile d'étudier un personnage de film sans faire intervenir ce que celui-ci dit dans un film ; la parole joue souvent un rôle structurant dans l'organisation même du récit.

Toujours dans son analyse de la bande sonore de *Muriel,* Michel Marie analyse le système de la parole du film. Il remarque que le film est un film « bavard », dans lequel les personnages exercent abondamment le langage, mais ce n'est pas la fonction dramatique qui est première : fréquences des collages de conversation prosaïques non nécessaires à la progression de l'intrigue. Il étudie les catégories lexicales à l'œuvre dans le film : « De quoi parle-t-on dans *Muriel*? » et fait apparaître sous le champ sémantique dominant de la nourriture (les repas) celui de la destruction et de la torture. Sont également analysées la fréquence des structures répétitives, les ruptures de ton et de rythme, l'abondance des lieux communs et l'ensemble des registres verbaux : dialogues, micro-récits, commentaire en voix-off, chanson, harangue violente et syncopée. De ses constatations, une certaine spécificité de la parole filmique se dégage par opposition à la parole théâtrale (nécessairement dramatique, même par stratégie anti-dramatique).

Par contre, il est rare qu'une analyse s'intéresse aux « autres caractères » de la parole. Ceux-ci sont pourtant des éléments constitutifs du film, au même titre que tous les autres : une excellente façon de s'en apercevoir consiste à voir, sans sous-titre, un film dans une langue qu'on ne connaît pas. Le nombre d'informations qui sont véhiculées par le ton des paroles, par leur rythme, par le timbre des voix, voire les connotations produites par la plus ou moins grande musicalité, deviennent alors plus évidentes — et l'on est régulièrement frappé par leur importance. Une fois évacué de la parole ce qui concerne les contenus sémantiques, ce qui reste, c'est en quelque sorte sa qualité d' « image ».

Cette « qualité d'image » du son était sensible à André Bazin lorsqu'il écoutait la bande sonore de *Citizen Kane* : « L'expérience de la radio a permis (à Welles) de renouveler la partie sonore de l'image cinématographique, dont on s'aperçoit alors combien elle est habituellement plate et conventionnelle. Non seulement Welles tire le parti dramatique maximum de la signification d'un son mais encore par son relief — qui n'est que la profondeur de champ sonore — de sa mise en place dans l'espace. A cette fin, il s'est bien gardé d'avoir recours au potentiomètre pour diminuer un son qui s'éloigne. (...) Rappelons aussi entre cent autres exemples, le gros plan sonore de la machine à écrire sur laquelle Kane termine la critique dramatique de Leland. Cette mise en scène du son dans l'espace est encore complétée par le réalisme très étudié des timbres. Faites l'expérience de fermer les yeux pendant une scène de *Kane* ou des *Amberson,* vous serez surpris par la coloration des voix qui se répondent et l'individualité de chaque son. Le son, qui n'est habituellement à l'écran que le support du dialogue ou le complément *logique* de l'image, fait ici partie intégrante de la mise en scène. »
André Bazin, *Orson Welles,* Chavane, 1950, note 1, p. 53. (Cette citation ne figure pas dans la version rééditée et remaniée à titre posthume aux éditions du Cerf, 1972.)

3.5. L'analyse de la parole et de la voix.

Les éléments verbaux du film ont donné lieu, ces dernières années, à des analyses filmiques centrées sur des caractères jusqu'ici peu envisagés : cette nouveauté est sensible à travers les déplacements notionnels et la diversification de la terminologie : ce domaine recouvre la parole, la voix, les dialogues. L'analyse des films est ici sensible au développement de théories voisines : la pragmatique linguistique et l'étude de l'oral, l'analyse psychanalytique de la voix. Nous nous en tiendrons à deux exemples, celui de Francis Vanoye pour l'aspect linguistique, et celui de Michel Chion pour l'aspect psychanalytique.

3.5.1. L'analyse des dialogues de films.

La perspective de réflexion théorique de Francis Vanoye est essentiellement narratologique. Partant de la distinction entre trois constituants du récit, le narré, le décrit et le dialogué dans *Récit écrit, récit filmique,* des caractéristiques propres au dialogue écrit et au dialogue filmique, l'auteur a été amené à cerner le dialogue filmique par l'analyse de la transcription (étude du *Schpountz*, d'*Adieu Philippine* et de *Ma Nuit chez Maud*) et celle de la conversation (étude de *France/Tour/Détour/Deux enfants*, du *Genou de Claire*, de *Loulou*, et du *Pays de la terre sans arbre*).

Par opposition avec le dialogue écrit, Vanoye caractérise le dialogue filmique par les traits suivants : le sujet de l'énonciation du dialogue est désigné par l'image, soit par le physique de l'acteur, et par sa voix ; voix et gestes informent le spectateur ; bruits et paroles peuvent se superposer. Au début de *La Règle du Jeu*, André Jurieu est d'abord nommé par la speakerine dès le premier plan, celui-ci apparaît et parle au plan 4 et lorsqu'il aperçoit son ami, il l'appelle aussitôt « Octave ! Ah ! Mon vieux Octave ! ». Au début du plan 7 qui cadre un récepteur de TSF, Octave n'est plus qu'une voix radiophonique, Christine qui l'écoute s'adresse à Lisette, « Donne-moi mon sac, Lisette ! » mais n'est pas nommée et c'est la logique du montage qui permet de la mettre en relation avec la femme dont parle Jurieu dans le plan précédent sans la nommer. Au cours du plan 6, voix et gestes de Jurieu expriment le passage de la tristesse à la colère, les mêmes éléments signifient la gêne de la speakerine et la nervosité de Christine.

Corrigeant la retranscription préalablement publiée par *l'Avant-Scène* des dialogues des trois segments de scènes de repas dans les films de Pagnol, Rozier et Rohmer, précédemment cités, à l'aide d'outils descriptifs plus précis, Vanoye relève l'omission de nombreux traits caractéristiques de l'oral : les hésitations, les répétitions, la segmentation des énoncés par de brèves pauses ou des silences, l'utilisation de formes invariantes spécifiques, des « fautes » dues à la rapidité d'énonciation. Il remarque également l'importance de certains outils pragmatiques qui accompagnent la communication orale : la régulation des échanges opérée par des éléments verbaux, intonatifs, gestuels, par des regards. La séquence introductive du *Schpountz*, de Marcel Pagnol, fourmille de traits d'oralité. Le jeu sur les pronoms personnels *(lui/moi)* est accentué par la diction des acteurs lors de l'affrontement entre l'oncle et le neveu (Charpin et Fernandel) ; il y a beaucoup de répétitions dans le dialogue dit par l'oncle (Charpin) : « *Voilà !... Voilà l'idée !... voilà l'imagination ! Il a trouvé ça... lui !* »,. des hésitations *(le, lui)*, des traits syntaxiques spécifiques : *c'est* pour *ce n'est, que tu me le redises* pour *de me le redire, étaient gonflés* pour *avaient gonflé ; si tu les avais pas vendus (...), ça veut dire ce pâté de foie... (sic) ;* des onomatopées : (*beuh, ah* pour *oui*), des traits pragmatiques liant les répliques : *mais alors, lui-oh-mais, mais qu'est ce-ce que tu dis ;* des éléments soulignant le propos en queue de phrase : *quoi, va,* etc.

Le dialogue est systématiquement accompagné de gestes nombreux, appuyés, qui fonctionnent comme illustratifs : Irénée (Fernandel) montre le rôti de porc ; comme manifestation d'affects : Irénée essuie une larme, rapproche le visage en fronçant les sourcils ; comme des régulateurs : nombreux gestes du bras et mouvements de doigt accompagnant le flux verbal, hochement de tête, geste d'Irénée saisissant le bras de son oncle pour capter son attention. La façon de l'acteur va jusqu'aux gestes hyperboliques : extension des bras au moment des « obsèques tropicales de la famille », et même emblématiques : signe de croix à valeur ironique puisqu'il n'est pas accompli en situation orthodoxe : *et, à l'heure qu'il est, elle est peut-être à l'agonie* (très théâtral, il passe son index sur le cou) *Tranchée !...* (un temps puis grave) *Adieu Gra/zi/ani !...* (il fait le signe de la croix).

L'étude suivante de Vanoye tente de cerner à l'aide des outils de la « pragmatique conversationnelle » les traits spécifiques de la conversation filmique en confrontant quatre situations conversationnelles différentes, deux extraites de films de fiction (Pialat, Rohmer) et deux autres, extraites de films-enquêtes, fondés sur des interviews (Godard, Perrault) avec des degrés de complexité croissants : un plan à deux personnages, jusqu'à un segment plus long, monté, avec plusieurs lieux et plusieurs personnages.

Le fragment de *France/Tour/Détour/Deux enfants* (6e mouvement) met en scène une voix interrogatrice qui reste *off* (celle de Godard, jouant le rôle d'un enquêteur, Robert Linart) et une petite fille Camille, seule dans le champ, en plan rapproché, debout entre la cour de récréation et un mur. Le dialogue est structuré en paires adjacentes d'énoncés, sur le mode question/réponse. C'est la voix *off* masculine qui a toutes les interventions initiatrices d'échange. Camille occupe la position « basse » et se soumet au rituel d'interaction instauré. Si celle-ci respecte le « principe de coopération » en répondant aux questions, elle ne cesse de résister à la relation en réduisant l'interaction au minimum (réponses très brèves) ; le ton de sa voix ne manifeste aucun investissement personnel dans les réponses, et surtout, ses regards ne sont presque jamais dirigés vers la voix (du moins vers le lieu supposé d'émission), mais partagés entre la cour où jouent ses camarades et un lieu intermédiaire où ne se situent ni l'enquêteur, ni les camarades, ni même la caméra (« lui a-t-on proscrit les regards à la caméra ? » se demande Vanoye). Il s'agit en fait d'un faux interview, sans véritable dialogue interrogatif-informationnel car la voix *off* ne cherche pas vraiment à connaître les réponses (elle les connaît déjà), Camille n'est nullement indispensable à la voix *off* pour l'obtention des informations requises. Il s'agit plutôt de l'échange classique maître-élève dans une situation qui n'est pourtant pas explicitement pédagogique tout en en gardant les traits dominants. Ce qui est mis en scène, c'est le **dispositif** même de la relation pédagogique, avec ce qu'elle a de retors, voire de violent, et plus largement de la relation adulte/enfant, avec tout ce que l'adulte peut avoir de curieux, d'intrusif, de manipulateur.

L'analyse de *Loulou,* de Maurice Pialat est centrée sur l'affrontement entre Michel (Hubert Balsan), le frère de l'héroïne (Nelly-Isabelle Huppert), et Loulou (Gérard Depardieu), elle révèle les différentes stratégies d'évitement propres aux personnages jusqu'au moment où Loulou est acculé et perd la face, vis-à-vis de son interlocuteur : il s'agit d'une mise à l'épreuve de Loulou par Michel pour convaincre Nelly. Mais Vanoye se demande à juste titre « Qu'en est-il de la place du spectateur ? » Y a-t-il identification au personnage principal incarné par la star (Depardieu) ? Dans cette perspective, si Loulou perd la face aux yeux de Nelly et de Michel, il ne la perd pas aux yeux des spectateurs sympathisants pour qui Michel apparaît comme un odieux « bourgeois » ;

inversement, certains spectateurs peuvent se situer du côté de Michel (ou avec Nelly) pour juger Loulou sans appel comme « parasite social »...

L'analyse porte principalement sur les dialogues, l'interaction communicationnelle, mais elle fait aussi intervenir des paramètres spécifiquement filmiques : l'échelle et la longueur des plans, la présence du locuteur à l'image, la logique du montage, plus globalement, le rapport de la parole enregistrée à l'image.

Ce type d'analyse du dialogue filmique et de la conversation peut également rétroagir sur certaines recherches de pragmatique du discours en apportant des corpus d'exemples nouveaux et des situations spécifiques. Il est certain que le matériel verbal propre au cinéma pose des problèmes que l'on ne retrouvera pas automatiquement dans des enregistrements bruts de « conversations authentiques », et dans ce cas, les recherches sur le cinéma peuvent jouer un rôle moteur.

3.5.2. L'analyse de la voix dans les films.

Ce sont à la fois les théories féministes et la psychanalyse qui ont déporté l'intérêt des études de la parole au cinéma vers la voix jusqu'alors simplement évoquée à travers la célèbre expression de Barthes sur le « grain de la voix ». Il appartient à Michel Chion, avec l'essai cité préalablement, d'avoir mis l'accent sur ce « drôle d'objet », aussi stratégique qu'insaisissable. La voix donc, non la parole, ni la langue, ni le bruit, ni le chant. Ce que l'auteur recherche, c'est la voix comme mythe, la voix originelle de la mère ; il met au centre de ses références le livre de Denis Vasse, *L'Ombilic et la voix,* qui considère le moment de la coupure ombilicale « comme strictement corrélative à l'attention portée à l'ouverture de la bouche et à l'émission du premier cri ». L'intérêt de Michel Chion porte essentiellement sur le rapport entre l'écoute de la voix et la visualisation de son lieu d'émission qu'il développe avec sa théorie de l'acousmêtre, dérivé d'un terme central dans le *Traité des objets musicaux* de Pierre Schaeffer, « acousmatique », désignant un son que l'on entend sans voir la cause dont il provient. Il va alors centrer sa réflexion sur les voix ni *in,* ni *off,* qui ne sont ni tout à fait dedans, ni clairement dehors, « voix laissées en errance à la surface de l'écran », en souffrance d'un lieu où se fixer, voix qui n'appartiennent qu'au cinéma, se différenciant de la voix-commentaire de la lanterne magique comme de la voix synchrone du théâtre.

Si nous abordons ici cette théorie de la voix, c'est qu'elle s'appuie sur l'analyse filmique détaillée de quelques films majeurs dont elle enrichit nettement la lecture. Nous prendrons l'exemple de l'analyse du *Testament du Docteur Mabuse,* de Fritz Lang (1933).

Le dernier film allemand réalisé par Lang au début des années 30 est une sorte de film programme pour le cinéma parlant. L'idée centrale du film est d'avoir laissé Mabuse muet, de s'être servi du parlant pour ne pas faire entendre sa voix, ou plutôt pour ne jamais conjoindre cette voix avec un corps humain. La voix de Mabuse, et qui s'avèrera finalement être celle d'un autre, ne sera entendue que derrière un rideau. Quant à l'authentique Mabuse, il restera obstinément muet jusqu'à sa mort. On ne le verra parler qu'à l'état de fantôme en surimpression, « doté d'une voix irréaliste et inhumaine de vieille sorcière » : « Un corps muet, une voix sans corps ; ainsi se divise, pour mieux régner, le terrible Mabuse. »

Chion montre bien comment la voix de Mabuse accumule, sans se préoccuper des contradictions logiques, tous les pouvoirs possibles : en se faisant passer pour quelqu'un d'autre, en ne précisant pas d'où elle parle, en étant la voix d'un mort, en se révélant être une voix pré-enregistrée sortie d'un mécanisme, non pas un acousmêtre mais une « acousmachine ».

Le fonctionnement total du film réside dans ce principe de non conjonction de la voix de Mabuse avec un corps humain, cette voix est littéralement « indésacousmatisable ». Tout le film progresse par une succession de faux dévoilements qui ne font que se reconduire. Le scénario n'est qu'un tissu d'illogismes ne tenant que par le non-dit qui les recouvre. Le pouvoir de Mabuse en tant que principe du Mal procède lui-même de ce non-dit. Il ne vit que de cet interdit de nommer et d'aller y voir que s'imposent successivement les personnages. Hofmeister, brusquement interrompu dans sa confession téléphonique au commissaire, devient fou alors qu'il allait nommer Mabuse. Hofmeister, comme le montre Chion, représente le désir du spectateur d'en savoir plus, d'entendre prononcer le nom-titre du film. Tout au long du récit, Hofmeister s'efforce de garder le contact téléphonique avec le commissaire Lohman comme le spectateur attend la révélation de l'énigme. Hofmeister, posé d'emblée comme être d'écoute, est le personnage le plus régressif du film, et tel un « fœtus téléphonique », il s'accrochera jusqu'à la fin à la voix comme « cordon de transmission d'un flux aveugle et nourricier ».

BIBLIOGRAPHIE

1. LE CINÉMA ET LA PEINTURE

Dominique NOGUEZ, *Une renaissance du cinéma, le cinéma « underground » américain*, Paris, Klincksieck, 1985.

Jacques AUMONT, « Godard peintre », in Jean-Luc Godard, Les Films, *Revue belge du cinéma,* été 1986, n° 16.

Denis DIDEROT, *Traité du Beau* et *Essai sur la peinture*, Marabout-Université, Verviers, Belgique, 1973.

Rudolf ARNHEIM, *Vers une psychologie de l'art*, Paris, Seghers, 1973. — *The Power of the Center*, University of California Press, 1982.

Éric ROHMER, *L'organisation de l'espace dans le « Faust » de F. W. Murnau*, coll. « 10/18 », Paris, UGE, 1977.

2. L'ANALYSE DE L'IMAGE FILMIQUE

Jacques AUMONT, « Vertov et la vue », in *Cinémas et réalités,* CIEREC Travaux XLI, université de Saint-Étienne, 1984. — « Notes sur un fragment de *La Chinoise,* de Godard », Sémiologiques, *Linguistique et sémiologie,* n° 6, Presses universitaires de Lyon — « L'espace et la matière », in *Théorie du film,* Paris, Albatros, 1980.

David BORDWELL, *The Films of Carl-Theodor Dreyer*, University of California Press, Berkeley, 1981.

Marie-Claire ROPARS, « L'ouverture d'*Octobre* ou les conditions théoriques de la révolution », in *Octobre, écriture et idéologie*, Paris, Albatros, 1976.

Michel BOUVIER et Jean-Louis LEUTRAT, *Nosferatu,* Paris, Gallimard, Cahiers du Cinéma, 1981.

Dudley ANDREW, « The Gravity of *Sunrise* », *Quarterly Review of film studies,* vol. 2, n° 3, août 1977.

3. L'ANALYSE DE LA BANDE SONORE

Michel CHION, *La Voix au cinéma,* Paris, éd. de l'Étoile, 1982. — *Le Son au cinéma,* Paris, éd. de l'Étoile, 1985.

Kristin THOMPSON, *Eisenstein's « Ivan the Terrible ». A Neoformalist Analysis, op. cit.*

Henri COLPI, *Défense et illustration de la musique dans le film,* Lyon, SERDOC, 1963.

Michel FANO, « Le son et le sens », in *Cinémas de la modernité,* Paris, Klincksieck, 1981. — « Entretien sur le son et le sens », *Ça/Cinéma,* n° 18.

Dominique CHATEAU, « Projet pour une sémiologie des relations audio-visuelles dans le film », *Musique en jeu,* Paris, Le Seuil, n° 23, avril 1976.

Michel MARIE, « *Muriel,* un film sonore, un film musical, un film parlant », in *Muriel, histoire d'une recherche,* Paris, Galilée, 1974.

André BAZIN, *Orson Welles,* Paris, Chavane, 1950, rééd. Cerf, 1972.

Francis VANOYE, « Comment parler la bouche pleine ? », *Communications,* n° 38, 1983. — « Conversations publiques », *Iris,* « La Parole au cinéma », n° 5, Paris, 1985.

CHAPITRE 6

PSYCHANALYSE ET ANALYSE DU FILM

1. POURQUOI LA PSYCHANALYSE ?

Le statut de la psychanalyse dans ce qu'il est convenu d'appeler les sciences humaines, et de façon plus générale, dans la vie intellectuelle de notre société, n'est pas des plus simples. Tout le monde ou presque, aujourd'hui, est plus ou moins frotté de freudisme et, fût-ce souvent sous une forme très édulcorée, chacun se déclare prêt à accepter sans trop de questions des notions comme l'**inconscient** ou l'**Œdipe.** Le cinéma, qui a souvent traité la psychanalyse comme un thème fictionnel particulièrement riche, n'est d'ailleurs pas pour rien dans cette popularisation et dans cette vulgarisation de la doctrine freudienne (non sans distorsion ni affadissement). Mais d'un autre côté — et sans doute dans la mesure même où la connaissance générale qui s'en est répandue est très approximative — l'application effective des concepts psychanalytiques, dans quelque domaine que ce soit, soulève toujours énormément de résistances (et nous ne suggérons d'ailleurs pas que celles-ci sont toujours injustifiées).

En cette fin des années 80, la psychanalyse est, dans les études littéraires et artistiques, le centre, l'objet, le prétexte de débats plus vifs que jamais, opposant les tenants d'une approche critique des textes de nature traditionnelle (= le texte n'est **que** le texte manifeste, il peut et doit être rapporté à l'intentionnalité d'un auteur, nul clivage n'est repérable entre sujet de l'énoncé et sujet de l'énonciation, etc.) à tous ceux pour qui le texte, comme toute production intellectuelle, est informé par le désir du sujet qui le produit, en garde les traces, et affecte ainsi le sujet qui le reçoit.

Modestement, et sans vouloir légitimer ici, globalement, la place (énorme) que tient la psychanalyse dans la réflexion actuelle, nous voudrions d'abord rappeler la logique de son utilisation dans le champ des études cinématographiques. Comme nous l'avons déjà signalé, le grand mouvement théorique qui s'est dessiné à partir de 1965, dans la mouvance du structuralisme, a directement affecté l'étude du cinéma en suggérant de l'étudier (véritablement, plus seulement métaphoriquement) comme un langage — et c'est dans ce même mouvement que s'est imposée l'idée de l'analyse de films telle que nous la décrivons dans ce livre. Mais rapidement, sous l'influence du développement d'autres sciences sociales (notamment la relecture althusserienne de la théorie marxiste de l'idéologie), il est apparu que ces approches sémio-linguistiques du cinéma et des films laissaient de côté un point essentiel du fonctionnement des films, à savoir précisément, les effets **subjectifs** qui s'exercent dans et par le langage (tout langage). L'inclusion dans la sémio-analyse du cinéma, d'une théorie du sujet, est donc en soi un mouvement logique, en quelque sorte appelé, de l'intérieur de la théorie, par la théorie elle-même. Ce qui, à ce point, reste moins évident, est le pourquoi du recours à la psychanalyse, et plus précisément encore, à la psychanalyse freudienne, le plus souvent, via le remodelage que lui a fait subir la théorie lacanienne du sujet — et à elle seule. Il existe, en effet, bien d'autres théories du sujet (telles celles développées aujourd'hui, de façon très active, dans le cadre de la psychologie cognitive). Si, dans les études filmologiques récentes (la « seconde sémiologie du cinéma », pour reprendre l'expression de Metz lui-même), c'est le modèle psychanalytique qui l'a très largement emporté, c'est pour une série de raisons que nous schématiserons ainsi :

— davantage que n'importe quelle autre théorie du sujet, la psychanalyse freudo-lacanienne s'intéresse à la production du sens dans son rapport au sujet parlant et pensant ; ce n'est pas par hasard que, systématiquement, les textes de Freud auxquels Lacan et ses disciples font le plus souvent référence sont l'*Interprétation des rêves* et le *Mot d'esprit,* c'est-à-dire ceux où se travaille le plus directement le rapport sens latent/sens manifeste ;

— davantage que toute autre théorie du sujet, elle s'intéresse à la question du regard et du spectacle ; un ouvrage comme les *Clefs pour l'imaginaire,* d'Octave Mannoni (l'un des plus proches disciples de Lacan) aborde frontalement la question du rapport du sujet spectateur à ces productions imaginaires que sont la pièce de théâtre ou le film ; c'est sous la plume de psychanalystes de l'Ecole Freudienne (= société fondée par Lacan) comme André Green ou Jean-Louis Baudry qu'on a pu lire les premières comparaisons systématiques entre le dispositif du cinéma comme spectacle et la structure du sujet ;

— c'est en intégrant certains des éléments de la théorie lacanienne que s'est développée, autour de 1970, la théorie de l'idéologie chez Althusser et ses élèves ; très explicitement, dans un célèbre article de 1970, « Idéologie et appareils idéologiques d'Etat », Althusser tente de relier le concept marxiste d'idéologie au mécanisme de la constitution du sujet ; compte tenu de l'importance du marxisme dans les études critiques de cette période, c'est là un élément supplémentaire de poids dans le recours au modèle lacanien ;

— enfin, la théorie lacanienne du sujet s'appuie, explicitement, sur des modèles linguistiques (on l'a souvent considérée — il est vrai, à ses débuts et de façon parfois peu convaincante — comme partie intégrante du mouvement structuraliste) ; il y aurait donc là une sorte de « principe du moindre déplacement » : moins de distance entre linguistique et « logique du signifiant » lacanienne que par rapport à la psychologie cognitive expérimentale, par exemple (laquelle, en revanche, est bien plus proche de la linguistique générative — comme en témoigne l'actuelle génération de psycholinguistes).

Naturellement, ces raisons que nous donnons, et d'autres que l'on pourrait envisager, sont autant de « prévisions du passé », et ne prétendent pas reconstruire une logique consciente. Il conviendrait ici d'ajouter que l'analyse de films, dont nous avons déjà dit combien, dans toute cette période, elle était proche du mouvement de théorisation, n'a pas été pour rien dans ce recours à la **psychanalyse** — avec laquelle, précisément, elle partage certaines attitudes analytiques de base.

2. QUELQUES AMBIGUITES DU RAPPORT A LA PSYCHANALYSE

Une des précautions qu'a dû constamment observer la théorie du cinéma, dans son recours à la psychanalyse, a été (et reste) de se distinguer aussi nettement que possible de certains usages de la psychanalyse dans le champ des sciences humaines et de la critique. En effet, avant la « seconde sémiologie » et en dehors d'elle, la psychanalyse, la découverte de l'inconscient, n'avait pas été sans inspirer de nombreuses tentatives d'explication, d'interprétation ou de critique des œuvres d'art. Nous ne ferons pas ici l'histoire de ces tentatives, mais il nous semble important de mentionner que, jusque dans le domaine des études cinématographiques, il existe nombre d'études se réclamant plus ou moins nettement de l'attitude psychanalytique, mais qui nous semblent fort éloignées d'une véritable application de la théorie psychanalytique à l'analyse des films.

Pour être brefs, nous dirons que ces utilisations de la psychanalyse concernent essentiellement deux types de travaux :

1. Des « biopsychanalyses », lisant l'œuvre d'un auteur — en tout ou en partie — dans son rapport à ce qu'il faut bien appeler un diagnostic sur cet auteur en tant que névrosé. L'approche peut varier, on peut utiliser plus ou moins la biographie de l'auteur (ou au contraire, se cantonner plus ou moins strictement à son œuvre), mais le but reste toujours le même : expliquer une production artistique donnée par une configuration psychologique (névrotique) donnée.

Nous nous cantonnerons à deux exemples : le livre de Dominique Fernandez sur Eisenstein, paru en 1975, et significativement sous-titré « L'Arbre jusqu'aux racines, 2 » (ce sous-titre était le titre d'un ouvrage antérieur de Fernandez, sous-titré, lui « Psychanalyse et création »). De son propre aveu, Fernandez considère l'œuvre d'Eisenstein comme « une autobiographie ininterrompue, mais sous la forme d'une transposition grandiose qui est le contraire de l'aveu ». Le second exemple est la biographie d'Alfred Hitchcock par Donald Spoto, qui trouve « les origines de l'incomparable et bizarre génie d'Hitchcock » dans les événements de sa petite enfance, en particulier ses rapports avec sa mère.

Ces deux livres sont très inégaux (le livre de Fernandez utilise des sources secondaires, elles-mêmes très peu fiables, alors que Spoto s'est livré à une véritable recherche de documents) mais ils partagent la même approche : un névrosé (homosexuel refoulé pour l'un, sado-masochiste pour l'autre) sublime sa névrose dans sa création, et celle-ci peut dès lors être lue, et être lue exclusivement, comme *symptôme*. Chaque détail des films d'Eisenstein ou d'Hitchcock est ainsi lu par les « psycho-bioanalystes » comme renvoyant nécessairement et uniquement à ce complexe par lequel ils ont préalablement défini le sujet-créateur.

2. Des lectures « psychanalytiques » des films, dans lesquelles il s'agit en fait de caractériser tel ou tel personnage comme souffrant de telle ou telle névrose. Là encore, il s'agit d'une affaire de diagnostic, mais cette fois, non plus à propos d'un sujet réel (à propos duquel on peut toujours espérer découvrir des faits authentiques, même si cet espoir est en grande partie illusoire), mais à propos d'un personnage, c'est-à-dire — nous l'avons souligné en parlant de narratologie, cf. chapitre 4, § 3 — à propos de ce qui, en dernière instance, n'est qu'une construction plus ou moins rigoureuse et plus ou moins cohérente, entièrement déterminée par les nécessités du récit et de ses fonctions.

Aussi bien, cette tendance à « psychanalyser » les personnages est-elle plus diffuse. On la trouve, souvent implicitement, dans d'innombrables critiques de films (la critique de cinéma étant un genre dans lequel règne, de façon générale, la plus grande confusion entre réalité et représentation). Naturellement, certains films, plus que d'autres, appellent et suscitent ce genre de commentaire. C'est le cas, notamment, des films dont l'histoire traite expressément de cas de maladie ou de névrose, comme *Soudain l'été dernier* ou *La Maison du Docteur Edwardes,* ou de films mettant en scène des criminels (souvent lus comme névrosés dans la majeure partie des « films noirs » par exemple, *cf. Kiss of Death* et Richard Widmark comme paradigme). On pourrait aussi en trouver nombre d'exemples à propos du mélodrame, genre qui se prête singulièrement bien à une lecture « psychologique ». Enfin, il ne faut pas oublier que souvent, l'industrie du cinéma a favorisé ce type de lecture, comme en témoignerait par exemple la vogue de ce qu'on a appelé le « western psychologique » vers la fin des années 50 (*cf.* le thème explicitement « œdipien » de *Coup de fouet en retour,* de John Sturges).

Un autre exemple assez révélateur consacré à l'œuvre de Luis Buñuel a pour auteur un psychanalyste mexicain : il s'agit de *L'Œil de Buñuel,* par Fernando Cesarman (Mexico, 1976, Paris 1982). Plus encore qu'Eisenstein et Hitchcock, Buñuel est un terrain privilégié pour l'étude psychanalytique en raison de sa thématique explicite : désir et pulsion de mort, sadisme, castration, etc.

Los Olvidados est envisagé à travers l'exercice de la pulsion infanticide. Los Olvidados (les oubliés), ce sont les enfants abandonnés. Cesarman rappelle la fréquence du fantasme inconscient d'avoir été assassiné et/ou abandonné par ses parents. Dans le film, l'enfant abandonné a deux visages, l'un positif Pedro, l'autre négatif El Jaïbo. Ce dernier représente la tendance qui empêche Pedro de s'évader du territoire de l'abandon : il le dépouille constamment de ses objets (le couteau, le billet de banque) au point de le dépouiller de sa vie même au prix de la sienne.

Cette figure de l'abandon est distribuée à travers une catégorie assez large de personnages : Ojitos, le jeune paysan, les enfants de la bande de El Jaïbo. « *Los Olvidados* nous montre le produit de la relation interdite : les amants parviennent, certes, à l'acte sexuel mais il en naîtra des enfants non désirés ; le fruit de ce coït sera toutes les formes possibles de l'abandon : infanticide, parricide, matricide, amanticide, etc. » (p. 93).

165

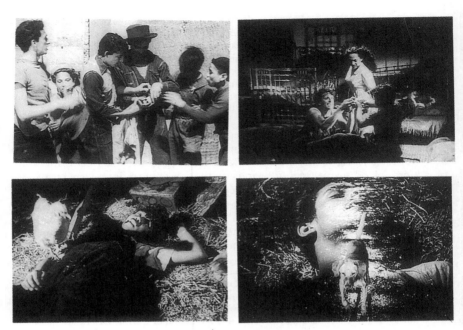

Los Olvidados, de Luis Buñuel (1950).

Il ne s'agit pas, dans notre esprit, de condamner urbi et orbi ce type de travail utilisant la psychanalyse. Après tout, l'histoire de l'art, et celle de la psychanalyse, ne sont pas avares de tentatives d'explication de la création artistique par des déterminations psychologiques (c'est même un des grands lieux communs hérités du romantisme). Mais c'est là, indubitablement, un terrain extrêmement glissant, où la rigueur est rare, et où les hypothèses les plus hasardeuses et les moins étayées semblent être la règle. Quant au diagnostic que l'on peut former sur des personnages de fiction, il s'avère généralement d'autant plus inoffensif et anodin que les films et les personnages à propos desquels on le forme, ont précisément été calculés dans cette intention (et là aussi, en référence à des modèles outrancièrement et outrageusement simplifiés).

3. PSYCHANALYSE ET TEXTUALITE

Comme nous l'avons indiqué en commençant, l'usage de la psychanalyse dans l'étude des films nous semble dériver d'une relation essentielle entre sémiologie du cinéma et théorie psychanalytique (à distinguer strictement, notons-le au passage, de la psychanalyse en tant que thérapie — laquelle est, socialement parlant, l'aspect majeur). Ce que la description plan par plan, et les premières analyses textuelles de films, avaient fait apparaître, c'est en effet l'existence de phénomènes extrêmement localisés, de moments ponctuels ou presque, à l'intérieur du signifiant filmique, et où le sujet spectateur était plus précisément et plus directement affecté.

Un exemple classique, mais crucial, est celui des regards. Certes, il n'a pas fallu attendre l'analyse textuelle pour reconnaître l'importance du raccord sur un regard (on en trouve une définition très nette dans un article de Jean-Luc Godard écrit en 1956, « Montage mon beau souci »). Cependant, la minutieuse description du montage sur un regard dans une séquence des *Oiseaux* a énormément fait pour montrer (ou pour découvrir — car ce fut à l'époque une véritable découverte y compris, vraisemblablement, pour Raymond Bellour) que cette procédure figée et réputée « transparente » reposait en fait sur des phénomènes de croyance et d'identification certes répétitifs et usuels, mais néanmoins complexes dans leur nature.

Ce que la « logique du signifiant » permet donc de tenter, c'est avant tout une appréciation de l'insertion du spectateur, en tant que sujet, dans le texte filmique. Cette appréciation repose sur une base théorique générale, que l'on peut schématiquement décrire selon deux grands axes :

1. La théorisation du « dispositif ». Un grand nombre de travaux des années 70 tournent autour de cette notion de « dispositif », proposée pour rendre compte d'un fait fondamental, à savoir que, **quel que soit le film,** l'ensemble des conditions de la fabrication et de la vision des films (le dispositif technique) assigne au sujet spectateur, **en tant que sujet,** une certaine « place », ce qui se traduit par un ensemble de dispositions psychologiques a priori (le dispositif psychique) du spectateur envers le film. Les pièces maîtresses de ce dispositif psychique sont au nombre de deux ; d'une part, ce qu'on a baptisé elliptiquement l' « identification à la caméra » (ou « identification primaire », ou « identification du spectateur à son propre regard ») ; d'autre part, la position voyeuriste du spectateur (le fait qu'au cinéma, il cherche à satisfaire sa « pulsion scopique »).

2. La théorisation des marques de la présence du sujet spectateur **dans le texte** filmique — essentiellement à travers la notion de **suture.** Cette notion, aujourd'hui encore objet d'interminables controverses, a originellement été forgée par Jean-Pierre Oudart (dans un article paru en 1969) pour désigner un type bien particulier de film, et de rapport du spectateur à la « chaîne » du « discours filmique », qu'Oudart croyait pouvoir distinguer dans certains films de Bresson, et à peu près eux seuls, sous la forme d'un type particulier de champ-contrechamp. Nous y reviendrons au § 3.4.

Encore une fois, nous ne saurions ici entrer dans le détail, extrêmement problématique et incertain, de l'une et de l'autre de ces élaborations théoriques. Ce qui nous importe est que, historiquement, elles ont fourni l'arrière-plan de nombreuses analyses de films, auxquelles nous allons maintenant venir.

La notion de « dispositif », telle que nous venons de le rappeler, n'est a priori que peu propice à fournir la base d'une analyse, puisque, par définition, elle vise **la situation spectatorielle** en tant que telle, et non le rapport subjectif à tel ou tel film particulier

Aussi les analyses concrètes qui se sont placées dans ce cadre conceptuel se sont-elles centrées sur des problèmes plus particuliers, de façon d'ailleurs quantitativement très inégale.

3.1. L'Œdipe, la castration, le « blocage symbolique ».

Les premières analyses de films qui aient eu recours à la théorie psychanalytique se sont intéressées à la représentation et à l'inscription dans le texte filmique de « structures profondes » de la constitution du sujet, et au tout premier chef, l'Œdipe et la castration.

Dans leur analyse du *Young Mr Lincoln,* de John Ford, parue en 1970, les rédacteurs des *Cahiers du cinéma* mettent en évidence comment la figure du jeune Lincoln comme détenteur de la vérité et incarnation de la Loi, telle que le film la présente, peut (et, suggèrent-ils, doit) se lire en référence au caractère patriarcal de cette Loi. Dans la théorie psychanalytique comme dans le film, la Loi est en effet associée symboliquement au Nom du Père, et le rapport de tout sujet à la Loi est donc un aspect de son itinéraire œdipien : très précisément, l'acceptation de la Loi du père, dernier stade de l'Œdipe, marque à la fois l'accession au symbolique, et est une des étapes du passage à l'âge adulte ; cette accession se fait au prix d'une « castration » symbolique (= le sujet renonce à conquérir sa mère). C'est cette structure que l'analyse découvre dans le film, à différents niveaux : d'abord, bien entendu, dans de nombreux détails du scéna-

Young Mr Lincoln, de John Ford (1939).

rio (qui est précisément fait pour poser Lincoln comme incarnation d'une Loi supérieure), mais aussi, de façon encore plus convaincante, dans la représentation et la mise en scène ; Lincoln, joué par Henry Fonda, a une apparence particulièrement raide, il démontre, au long du film, un pouvoir de volonté qui se manifeste visiblement dans son regard (qualifié de « castrant » dans l'analyse), et d'innombrables détails sont lus comme marquant à la fois son intime proximité à la Loi (à la justice, au droit, à la vérité) et son rapport à la castration, qu'il figure symboliquement. Une place spéciale est faite dans l'analyse au rapport de Lincoln à des figures de femmes, et notamment aux différents visages de la Mère. Le trait le plus marquant de toute cette analyse (longue, irrésumable en quelques lignes) est de ne jamais reposer sur une caractérisation psychologique des personnages ; la figure de Lincoln est vue comme **signifiant** la castration et la Loi, mais jamais bien entendu, il n'est suggéré qu'il s'agit d'une incarnation psychologique, consciente, et l'une des qualités les plus remarquables de cette analyse (aujourd'hui classique) est de ne jamais confondre le personnage (qu'elle considère d'ailleurs très peu) et le « figurant » (= le signifiant visible).

Plus largement, cette analyse est importante pour avoir été l'une des toutes premières à démontrer l'existence dans les textes a priori les plus transparents, d'un « sous-texte » structuré aussi strictement (et parfois même davantage) que le texte manifeste. C'est actuellement un point qui est largement considéré comme acquis, et de nombreuses analyses de films, hollywoodiens en particulier, en font une de leurs prémisses.

L'autre texte analytique classique en ce domaine est l'analyse, par Raymond Bellour, de *La Mort aux trousses,* d'Hitchcock (parue en 1975, mais exposée par son auteur sous diverses formes avant cette date). Apparemment, le propos de Bellour est tout différent de celui des *Cahiers du cinéma.* Le film qu'il choisit d'analyser est un film d'aventures, censément l'un des films mineurs de son auteur. Or, précisément, l'analyse de Bellour met en évidence, dans le récit comme dans la mise en scène du film, la même présence de l'Œdipe et de la Loi du Père. Certes, cette fois, on n'a plus affaire à un personnage exceptionnel comme Lincoln, qui incarnait la Loi — mais à un personnage « moyen », « comme vous et moi ». Pourtant le même schéma œdipien : rapport de dépendance amoureuse par rapport à la mère, conflit avec le père, puis finalement acceptation de la loi du père au prix du renoncement à la mère, et accession à l'âge adulte marqué par l'abandon de la mère pour un autre objet de désir — se retrouve ici littéralement. Bellour, en particulier, démonte et expose brillamment la façon dont le film présente, sous divers déguisements, la figure du Père symbolique, et montre comment en dernière instance c'est toujours le Nom du Père qui joue le rôle de signifiant de la Loi. On retrouve donc, en profondeur, un grand nombre des résultats obtenus dans l'analyse de *Young Mr Lincoln.* Mais l'analyse de *La Mort aux trousses* révèle encore quelque chose de plus. A la différence de l'analyse du film de Ford, qui est menée par grands blocs de scènes, sans recours à un micro-découpage, le travail conjugue ici analyse de l'ensemble du film et micro-analyse de fragment. La lecture du film dans son ensemble pose les étapes de cet itinéraire œdipien, coïncidant dans le film avec la trajectoire physique du héros ; le moment crucial est vu par Bellour comme étant celui du rapport entre le héros, Thornhill, et la jeune femme, symptomatiquement prénommée Eve, depuis leur rencontre dans le train jusqu'à la scène finale sur le mont Rushmore. C'est pour éclaircir ce rapport entre la formation du couple et le film comme itinéraire que Bellour analyse alors, en très grand détail, une scène-clé (probablement la plus célèbre de tout le film) : l'attaque du héros par un avion. Cette analyse fait ressortir, entre autres, l'importance du rôle joué par les moyens de locomotion dans sa structure. C'est de là que, repassant au niveau de la macro-analyse, Bellour tire l'idée que l'avion, dont le rôle est mis en évidence au niveau micro-textuel, est à rattacher, au niveau macro-textuel, au défilé des symboles de la castration. Plus largement, cet effet de correspondance entre micro- et macro-structure est postulé par Bellour comme étant une caractéristique générale du film de fiction classique, qu'il désigne comme *« blocage symbolique ».*

Entre le « paradigme des moyens de locomotion » dans le segment analysé et le paradigme dans lequel il s'inscrit au niveau de l'ensemble du film, il y a, dit Bellour, un « effet de miroir ». La clôture apparente de chaque scène est trompeuse, car chacune est **traversée** par le système textuel : d'où l' « impression vertigineuse » que tout élément annonce un autre élément qui « l'entraîne, le double, le redistribue dans le miroitement de la fiction », et plus largement, un caractère « indirect » de l'effet de symbolisation, qui fait que cet effet est incessant. Autrement dit, selon Bellour, il existe dans tout grand film classique « un ou plusieurs systèmes qui assurent spécifiquement la circularité de la structuration symbolique » (ici, le paradigme des moyens de locomotion), et ce qu'il appelle « blocage symbolique », c'est le fait que l'Œdipe, le code symbolique, qui ouvre et ferme le film, « se propage, par une hiérarchisation savamment orchestrée et selon un effet d'écho continu, tant au niveau du destin massif et apparent, qu'à celui de l'infini détail de chacun de ses composants » : des grandes structures narratives jusqu'au détail formel de chaque fragment.

Nous ne pouvons rendre ici dans la richesse de leur détail ces deux analyses. L'une et l'autre ont joué un rôle très important, mais moins, nous semblet-il, par les analyses qu'elles ont engendrées (lesquelles, dans la mesure où elles s'inspirent de ces modèles, sont plus ou moins répétitives), que par leurs conséquences sur la théorie du cinéma en général. Elles sont, l'une et l'autre, une parfaite et nouvelle démonstration de cette interdépendance analyse/théorie dont nous avons déjà donné maints indices.

3.2. Les identifications secondaires.

Une autre approche serait centrée moins sur le repérage des grandes matrices symboliques inscrites dans le texte, que sur une analyse des films en termes d'identification.

Nous avons rappelé un peu plus haut l'une des bases de la théorisation du « dispositif » cinématographique, à savoir la notion d' « identification primaire » ; ce phénomène, constant, est accompagné, théoriquement, par d'autres phénomènes d'identification, plus contingents, voire plus évanescents, en tout cas plus largement dépendants du rapport de **chaque** individu-spectateur à la situation fictionnelle. Ces identifications « secondaires » recouvrent, au moins superficiellement, ce que la critique de cinéma a découvert depuis longtemps, à savoir que le film suscite, chez le spectateur, des affects, de la sympathie, de l'antipathie, et que ces affects sont souvent dirigés vers les personnages en tant que tels (d'où l'idée, rebattue dans les débats de ciné-clubs, et singulièrement simplificatrice, que l'on s'identifierait nécessairement à tel ou tel personnage — de préférence le « bon », alors que le « méchant » susciterait notre aversion). Cette notion d' « identifications secondaires » a été peu travaillée dans le détail. Il est clair que, mettant en jeu le micro-détail de notre relation au texte filmique, elle relève de l'analyse filmique (et d'elle presque seule : il est difficile d'envisager vraiment une théorisation générale des identifications secondaires, du moins une théorisation qui parlerait du film, et non de la subjectivité en général).

Il n'existe aucune analyse publiée sous forme écrite qui soit centrée sur cette question — pour une raison évidente : l'identification est un phénomène subjectif, à tous les sens du mot. Il est peu probable que l'on puisse décrire, dans tel ou tel film particulier, des indices identificatoires **absolus** (= valables pour tout spectateur, pour le spectateur en général). En revanche, il nous semble que, bien que cela n'ait jamais été vraiment tenté à notre connaissance, on pourrait repérer les « micro-circuits de l'identification dans le texte de surface » (Alain Bergala) — c'est-à-dire les éléments textuels qui **prêtent** à identification. Naturellement, la liste de ces éléments est sujette à caution, mais on pourrait, en première approximation, la constituer à partir de ce que l'on sait (ou suppose) de l'identification au cinéma. Il est clair, par exemple, que les identifications secondaires ont pour support privilégié certains éléments de la **narration,** essentiellement 1) les personnages, ou plus exactement les **traits** constitutifs des personnages, et 2) les situations, ou plus exactement les événements unitaires constitutifs de telle situation — mais que, au cinéma, ces éléments narratifs deviennent prétexte à identification dans la mesure où ils sont **visualisés.**

Si je lis, par exemple, *Le Grand Sommeil,* de Raymond Chandler, je pourrai, par la description qui en est donnée, identifier certains traits du personnage de Philip Marlowe : sa tendance à l'ironie et à l'auto-ironie sensible dans telles répliques du roman, ou, à un tout autre niveau, les indications données sur sa consommation de whisky, etc. — et je pourrai éventuellement m'identifier à tel ou tel de ces traits ; c'est l'ensemble de ces identifications partielles qui dictera mon rapport global au personnage. De même pour les situations du livre, où je serai à même de plus ou moins « me reconnaître », et qui susciteront plus ou moins mon identification.

Si je vois le film qui a été tiré de ce livre (en négligeant les nombreuses transformations infligées à l'histoire), ces identifications subsisteront dans leur principe, mais d'autres traits, visuels, s'y ajouteront, qui pourront les modifier complètement, ou les préciser : l'ironie de Philip Marlowe, incarnée par Humphrey Bogart, peut pour moi devenir insupportable apparence de supériorité ; je peux au contraire être sensible à l'aspect « battu » du visage de Bogart, et infléchir ma perception de son ironie dans le sens de l'impuissance, etc.

Il serait sans doute très intéressant de tenter ce genre de repérage, malgré tous ses dangers (cela pourrait même constituer un excellent exercice d'analyse en situation pédagogique). Il devrait être également très instructif d'étudier un film sous cet angle, à la lumière de ce qu'on peut savoir des déterminations de sa production. Un cas particulièrement net ici est celui d'Hitchcock, qui s'est souvent vanté de faire de la « direction de spectateurs », donc de prévoir les réactions du public à tel ou tel élément : le travail analytique consisterait donc ici à tenter de reconstituer le « calcul » des identifications, et d'en estimer l'efficacité. Inutile de souligner que c'est une entreprise où l'on ne saurait se montrer trop prudent, car on frôle en permanence le risque de tomber dans une critique d' « intentions », avec tous les pièges qui l'accompagnent.

3.3. Psychanalyse et narratologie : narrateur, personnage, spectateur.

L'étude des identifications secondaires amène à s'intéresser de près aux personnages et aux relations que le spectateur entretient avec eux. C'est en approfondissant la question du narrateur, donc au départ dans une perspective principalement narratologique, que Marc Vernet a formulé l'hypothèse d'une certaine homologie de situation entre spectateur et personnage de film, notamment lorsqu'il s'agit d'un personnage en position de narrateur. Ainsi, dans le film policier, le détective privé qui cherche à voir ou à savoir est une figure déléguée, au sein de la fiction, de la position occupée dans la salle par le spectateur. Marc Vernet a cerné cette homologie à partir de deux figures stylistiques particulières : le regard à la caméra et la voix-*off*.

Comme beaucoup d'expressions traditionnelles d'origine technique, le regard à la caméra est une expression « bien mal fagotée », nous précise Vernet, puisqu'elle veut rendre compte en termes de **tournage** d'un effet produit à la **projection** du film, à savoir que le spectateur a l'impression que le personnage, dans la diégèse, le regarde directement, à sa place, dans la salle de cinéma (*La Rose Pourpre du Caire*, de Woody Allen repose sur cette idée très classique). Ainsi se trouvent alignés trois espaces différents : le tournage, l'univers diégétique et la salle de cinéma, effet que désire justement produire la figure du « regard à la caméra ». Vernet cite l'exemple de deux genres dans lesquels les regards à la caméra sont très fréquents : la comédie musicale et le burlesque. Dans un numéro de chant de *Swing Time* par exemple, c'est la vedette (ici Fred Astaire) qui prend le pas sur le personnage. Fred Astaire est cette figure « transdiégétique », reconduite de film en film, à quoi se réduit toute vedette, et où elle s'exhibe en exhibant son savoir-faire. Vedette de cinéma ? Mais vedette de music-hall d'abord. Dans le film burlesque, deux cas de regard à la caméra : le premier est la prise à témoin du public, par le regard et la parole, pour commenter ironiquement, comme à Guignol, l'action ou le caractère d'un partenaire. Ici, l'adresse directe au spectateur est une prise à témoin, une référence à un tiers. Le deuxième cas possible ne diffère du premier que parce qu'il demeure muet et ne provoque pas de la part du spectateur, la même réaction pour le personnage. C'est le regard de Laurel qui ne comprend pas ce qui se passe et qui semble demander de l'aide ou la solution au public. Ce regard à la caméra est une brève rencontre entre vedette et spectateur où celle-ci, de façon perverse, s'offre en s'évanouissant, rencontre manquée, ratage entre la vedette présente au tournage et absente à la projection, et le public absent du tournage mais présent à la projection. Le partenaire impliqué par ce regard à la caméra, loin d'être l'individu spectateur réel est en fait un partenaire collectif (*le* public) et imaginaire (l'autre public). S'il y a accentuation, c'est sur cette relation qui exclut le spectateur qui est dans la salle.

Marc Vernet résume ainsi la chaîne qui relie l'acteur au spectateur : vedette-métapersonnage-personnage-public diégétique-métapublic-public réel-spectateur : structure en miroirs décalés, structure en pelure d'oignon, qui n'est pas sans rappeler, dans son fonctionnement, la situation connue de tout individu, « en particulier dans l'expérience de la nostalgie où je contemple avec délectation ce personnage que j'étais, que j'ai cru que j'étais, que j'aurais pu être, que je ne suis plus, que peut-être je n'ai jamais été et où pourtant j'aime à me reconnaître. Figure déléguée au passé, de l'Idéal du Moi, que Freud définit comme le substitut du narcissisme perdu de l'enfance ».

Le « regard à la caméra » est également un regard ambigu parce qu'il est le fruit d'un compromis entre la bonne et la mauvaise rencontre. Aussi le retrouve-t-on dans le film classique, dans deux situations diégétiques opposées : la rencontre amoureuse et le rendez-vous avec la mort. L'exemple canonique pour la rencontre amoureuse aux yeux de Marc Vernet est la célèbre scène de *Laura* (Preminger, 1947) où le héros se retrouve face à face avec l'héroïne. Laura, tout de blanc vêtue, rentre miraculeusement de la campagne alors qu'on la croyait morte et surprend l'inspecteur Mc Pherson chez elle, où il a pris ses quartiers et ses aises. Dans un premier gros plan, Laura offre à la caméra son visage et un regard très étonné, mais nettement dirigé sur l'objectif. Deux autres plans suivront où ce regard se décalera vers le hors-champ pour peu à peu rétablir une direction « normale ». Le rare est que dans les plans avec lesquels ils alternent, Mc Pherson regarde tout à fait hors champ et que donc les deux directions de regard ne raccordent absolument pas, ce qui ne fait que renforcer l'idée d'un tête-à-tête entre l'héroïne et le spectateur qui ne l'a pas encore vue de tout le film. Il y a de l'offrande dans ce gros plan qui vient combler, en une agréable surprise, une absence de l'image. Mais toute la mise en scène insiste assez lourdement sur deux choses : d'une part Laura est une revenante, un fantôme puisqu'elle a été assassinée avant le début du film (ou du moins c'est ce que le spectateur a cru jusqu'à ce point). Son habillement la fait d'ailleurs ressembler autant à un spectre qu'à une petite mariée. D'autre part, les plans précédents ont été pour mettre l'accent sur la monomanie du détective, sur le fait qu'il tombe de sommeil et sollicite fortement une grosse bouteille de whisky. Tout le monde se pince pour se persuader qu'il ne rêve pas. Enfin, il ne faut pas ignorer la suite : Laura, en retour, sera durement soumise au regard froid et un rien sadique de l'inspecteur : inéluctable alternance du Désir et de la Loi. Ce n'est que dans ce vacillement, dans ce retournement en doigt de gant que peut se saisir le rôle et l'effet du « regard à la caméra ». Le spectateur, c'est un rôle que joue le sujet.

3.4. Le spectateur dans le texte : la « suture ».

Enfin, une autre grande approche analytique s'est centrée sur la question du regard, et notamment sur le rôle des regards représentés sur l'écran, dans l'actualisation du phénomène postulé sous le nom de **suture**. Comme le mot l'indique, il s'agit là d'une métaphore, et la suture désigne (hypothétiquement, il convient de le souligner) la clôture de l'énoncé filmique, en tant qu'elle est conforme au rapport entre le sujet spectateur et l'énoncé filmique. Dans la description que donne Oudart, tout champ filmique instaure, implicitement, un champ **absent,** supposé par l'imaginaire du spectateur ; les objets du champ (y compris, bien sûr, les personnages visibles dans ce champ) sont autant de signifiants de ce champ absent. D'autre part, et contradictoirement, chaque image a tendance à être prise comme « somme signifiante », unité autonome de signification ; certaines images ont même une relative autonomie sémantique (symbolique, dit Oudart). Deux images successives (deux plans successifs) fonctionnent donc **d'abord** comme deux « cellules » autonomes, qui ne s'articulent que par une forte métonymie, ou par un énoncé extra-filmique (verbal). La suture, pour Oudart, est au contraire une forme purement filmique d'articulation entre deux images successives — purement filmique en ce qu'elle est fondée sur des mécanismes qui ne dépendent pas du **signifié** des images à articuler et se déroule entièrement au niveau du signifiant filmique, et spécialement, au niveau de la relation champ/champ absent. Ainsi Oudart lit-il la suture dans le champ/contrechamp comme, inséparablement, 1) surgissement d'un manque (le champ **absent**), 2) abolition du manque par le surgissement de quelque chose provenant du champ absent : la « suture » est ce qui annule la « béance » introduite par la position d'une « absence ». Ce modèle (que nous simplifions beaucoup, notamment en en évacuant la dimension normative) est destiné, pour son auteur — et bien qu'il ne le dise jamais de façon très claire —, à assurer dans le texte filmique la **représentation** d'un phénomène de

« suture » plus général, celui qui se produit dans le rapport du sujet parlant à son propre discours, selon le modèle proposé par Jacques-Alain Miller, un disciple de Lacan dont Oudart s'inspire très littéralement. Pour Oudart, la suture est un cas de figure limite, voire exceptionnel ; dans le cinéma de la non-suture, le champ imaginaire reste toujours celui d'une absence et « du sens on ne perçoit que la lettre, morte, la syntaxe » ; en revanche, dans le cinéma de la suture, le signifié n'est pas issu de la somme signifiante d'une image, mais du rapport même entre deux images : le spectateur a accès à un sens véritablement filmique.

Cette théorie, difficile à comprendre en raison du caractère elliptique et allusif de l'article d'Oudart, est en outre proprement invérifiable ; elle présente, chez Oudart, l'inconvénient supplémentaire (!) d'être foncièrement normative, puisqu'elle introduit une hiérarchie de valeurs entre le cinéma de la suture (pleinement cinématographique), malheureusement à peu près réduit à quelques films de Bresson et quelques séquences de Lang — et tout le reste du cinéma... C'est pour ces deux raisons — obscurité de la théorie, discutable restriction de son domaine de validité — que, depuis la parution du texte d'Oudart, une bonne douzaine d'auteurs ont tenté de reprendre son modèle, mais en l'élargissant de plus en plus. Nous avons déjà mentionné un des textes où cette tentative est la plus nette, l'analyse d'un fragment de *Stagecoach* par Nick Browne ; on y trouve, sans ambiguïté, une extension du mécanisme postulé par Oudart, non seulement à tous les cas de champ/contrechamp, mais à un rapport entre deux plans successifs articulant deux regards de façon plus lâche (ce que Browne appelle la stratégie du « regard décrit »). Mais incontestablement, l'auteur qui a cherché le plus systématiquement à creuser analytiquement, sur des exemples textuels précis, cette notion de suture, est Stephen Heath.

Anne Wiazemski dans *Au Hasard Balthazar*, de Robert Bresson (1966).

Le Tombeau hindou, de Fritz Lang (1959).

La notion de suture par elle-même est trop problématique pour qu'on puisse en faire un thème d'analyse ; elle suggère, en revanche, une approche des textes filmiques qui analyse, non plus la présence immanente dans le texte de structures de l'inconscient en général, non plus le rapport immédiat et incessamment changeant du spectateur au film (en termes identificatoires), mais les signifiants du sujet spectateur dans le texte. Ce type d'analyse, évidemment sera largement axé sur le plus évident de ces signifiants, le **regard.** Mais l'idée de « suture », au sens élargi qu'elle a pris le plus souvent, recouvre en fait toutes les diverses positions du sujet-spectateur par rapport **et** à l'espace du champ, **et** à celui de l' « autre champ ». Si ce rapport devient plus apparent, et davantage susceptible de transformation, au moment du raccord, il n'en est pas moins vrai que, par nature, il varie plus ou moins continûment au cours d'un même plan (en fonction notamment des regards mutuels des personnages sur l'écran, mais aussi de leur position dans l'espace, et de façon générale du plus ou moins grand « marquage » de ce « quatrième côté » de la scène que constitue le cadre). Une analyse de film en ces termes et selon cet axe est donc, dans sa démarche concrète, assez proche d'une analyse de la mise en scène.

3.5. Les analyses féministes aux U.S.A.

Enfin, il nous faut signaler ici, en raison de l'importance considérable (quantitativement et qualitativement) qu'elles ont prise dans les toutes dernières années, les analyses de films centrées sur ces questions que nous venons de décrire, mais d'un point de vue plus particulier, d'inspiration féministe, et mettant donc l'accent, à l'intérieur de ces problèmes, sur ce qui touche soit à la représentation de la femme comme objet de désir (et objet de la pulsion scopique), soit à la différence de position entre les figurants hommes et femmes par rapport au rôle du regard.

Ce courant, pratiquement inexistant dans la littérature analytique en français, a pris en revanche une remarquable extension dans les pays de langue anglaise (extension favorisée, en Amérique du Nord, par l'existence, depuis une dizaine d'années, d'un cadre institutionnel à l'intérieur de l'Université : ce qu'on appelle les « Gender studies »). Aussi tous les textes majeurs sur ce sujet ont-ils été publiés en anglais. Parmi les articles à vocation théorique générale, le plus souvent cité est celui de Laura Mulvey, « Visual Pleasure and Narrative Cinema » (1975).

Cet important article étant quasi inconnu du public français, nous le résumons succinctement. Le point de départ est posé ainsi : le regard du sujet humain (et donc, aussi bien, les spectacles et les images) est informé par une interprétation de la différence entre sexes. La femme, qui dans la théorie psychanalytique symbolise la menace de castration, est pour l'homme un signifiant d'altérité.
L'auteur rappelle ensuite que le dispositif cinématographique est fondé sur deux mécanismes subjectifs principaux : **le voyeurisme** (= une pulsion qui prend l'autre comme objet ; le fait de regarder une autre personne comme objet a donc toujours une base érotique) et **l'identification** (le cinéma courant est lié à la forme humaine, à tous les niveaux, échelle, espace, histoires, il nous propose une sorte de miroir). Ces deux mécanismes sont vus par Mulvey comme relativement contradictoires, puisque l'un implique séparation entre sujet et objet du regard, l'autre, identification.
Dans le réel, le plaisir du regard est divisé en masculin (actif = plaisir de regarder) et féminin (passif = plaisir d'être regardée). Au cinéma, la présence visuelle de la femme dans le film narratif tend à geler le flux de l'action, en provoquant la contemplation érotique. Cette contradiction est résolue dans les moments de pur spectacle (gros plans de visages, de jambes...) ou de spectacle dans le spectacle (ex., comédies musicales). Dans le film narratif classique, le rôle de l'homme est actif, c'est lui qui fait survenir les événements, et c'est lui aussi qui est porteur du regard du spectateur, « neutralisant » le danger de la femme comme spectacle (puisque la femme, signifiant la castration, menace toujours de faire surgir l'anxiété).
Mulvey analyse enfin, sur quelques exemples, les solutions trouvées, concrètement, dans le cinéma classique, pour déjouer ce « danger » recelé par l'image féminine. Ainsi le film noir est vu comme rejouant le trauma primitif (= découverte de l'absence de pénis de la mère) sous la forme transposée de scènes de sadisme. Chez un cinéaste comme Josef von Sternberg, la solution est trouvée du côté du fétichisme (le héros mâle, littéralement, ne **voit** pas la femme), etc.

Sur la base du texte de Mulvey, et de quelques autres, s'est donc développé un courant **critique** (qui ne nous concerne pas directement ici) mais aussi un courant plus analytique. Les premières analyses publiées étaient généralement consacrées à l'analyse de « films de femmes » (au sens de « films dans lesquels une femme a le rôle principal », comme *The Revolt of Mamie Stover,* de Raoul Walsh, ou *Imitation of Life,* de Douglas Sirk), et se préoccupaient assez directement de mettre en évidence la différence de statut entre regard masculin et regard féminin telle que postulée par Mulvey. Depuis quelques années, on assiste à un déplacement assez net du centre d'intérêt de ces analyses féministes, qui s'interrogent davantage, à présent, sur la possibilité d'une « alternative » au cinéma hollywoodien classique. Le plus souvent, dans cette approche, ce sont des films réalisés par des femmes qui se voient, logiquement,

Le Mirage de la vie (Imitation of Life), de Douglas Sirk (1959).

privilégiés. Quel que soit le film analysé, la question actuellement semble être bien moins de repérer des différences de représentation entre homme et femme sur l'écran, que de chercher à comprendre et à décrire la façon dont un film peut (pourrait, devrait) s'adresser à « un » sujet spectateur féminin.

BIBLIOGRAPHIE

1. POURQUOI LA PSYCHANALYSE ?

Adolfo FERNANDEZ-ZOILA, *Freud et les psychanalyses*, Paris, Nathan-Université, 1986.

Sigmund FREUD, *La Science des rêves*, Paris, PUF, 1971. – *Le Mot d'esprit et ses rapports avec l'inconscient*, coll. « Idées », Paris, Gallimard, 1971.

Octave MANNONI, *Clefs pour l'imaginaire*, Paris, Le Seuil, 1969.

Louis ALTHUSSER, « Idéologie et appareils idéologiques d'État », *La Pensée*, n° 151, juin 1970.

Jean-Louis BAUDRY, *L'Effet-Cinéma*, Paris, Albatros, 1978.

2. QUELQUES AMBIGUÏTÉS DU RAPPORT À LA PSYCHANALYSE

Dominique FERNANDEZ, *Eisenstein*, Paris, Grasset, 1975.

Donald SPOTO, *The Dark Side of Genius : The Life of Alfred Hitchcock*, New York, Little, Brown and C°, 1983.

Marc VERNET, « Freud : effets spéciaux. Mise en scène : USA », in *Communications*, 23, Psychanalyse et cinéma, Paris, Le Seuil, 1975.

Fernando CESARMAN, *L'Œil de Buñuel*, Paris, éd. du Dauphin, 1982.

3. PSYCHANALYSE ET TEXTUALITÉ

Christian METZ, *Le Signifiant imaginaire*, coll. « 10/18 », Paris, UGE, 1977, rééd. 1984.

Collectif, *Young Mister Lincoln* de John Ford, *Cahiers du Cinéma*, n° 223, août 1970 et Nick BROWNE, « Relire *Young Mister Lincoln* », in *Le Cinéma américain, Analyses de films*, t. I.

Raymond BELLOUR, « Le Blocage symbolique », in *Communications*, 23, rééd. *L'Analyse des films, op. cit.*

Alain BERGALA, « Le film et son spectateur », in *Esthétique du film, op. cit.*, chap. 5.

Marc VERNET, « Le regard à la caméra », *Iris*, n° 2, 1983. – « Figures de l'absence 2 : la voix off », *Iris*, n° 5, 1985. – « Le personnage de film », *Iris*, n° 7, 1986.

Jean-Pierre OUDART, « La suture », *Cahiers du Cinéma*, n°s 211 et 212, avril et mai 1969.

Stephen HEATH, « Notes on Suture », *Screen*, vol. 18, n° 4, 1977-1978.

Philippe ARNAUD, « Procès de Jeanne d'Arc, Visions », in *Robert Bresson*, Paris, *Cahiers du Cinéma*, 1986.

Laura MULVEY, « Visual Pleasure and Narrative Cinema ». *Screen*, vol. 16, n° 3, automne 1975.

Murielle GAGNEBIN, *Du divan à l'écran, montages cinématographiques, montages interprétatifs*, coll. « Le fil rouge », Paris, PUF, 1999.

CHAPITRE 7

ANALYSE DE FILMS ET HISTOIRE DU CINEMA ; VERIFICATION D'UNE ANALYSE

1. ANALYSE DE STRUCTURES IMMANENTES OU ANALYSE DE PHÉNOMÈNES HISTORIQUES

Il s'agit ici de mettre en question l'autonomie absolue d'un système filmique et de voir si l'analyse a toujours devant elle des structures immanentes, propre à un seul texte, ou bien si au contraire ces structures peuvent être susceptibles d'un certain nombre de récurrences, de répétitions plus ou moins systématiques. Est-il possible, à travers l'analyse d'œuvres particulières, de révéler des phénomènes historiques, de définir par la permanence de certains traits, des styles filmiques propres à certaines époques ? Ces questions sont à l'horizon de la plupart des tentatives d'analyses de vastes corpus de films qui caractérisent les recherches des cinq dernières années : travaux de Lagny-Ropars-Sorlin sur le cinéma français des années 30, de Bordwell-Staiger-Thompson sur le « cinéma classique américain », de l'équipe de Gaudreault-Gunning sur le cinéma des origines jusqu'en 1908, de Noël Burch sur le cinéma japonais, pour nous limiter aux projets les plus ambitieux...

1.1 Analyse de films et intertextualité

La quasi-totalité des analyses de films que nous avons évoquées tout au long de cet ouvrage se défiaient à juste titre des approches fondées sur le recours aux sources ou aux intentions affichées de l'équipe de réalisation, au discours critique strictement contemporain de la distribution du film. Cette démarche a plutôt pour effet de limiter l'analyse à l'énumération d'anecdotes ou de traits informatifs systématiquement répétés au détriment d'une approche plus systématique et interprétative. Il n'est cependant pas inutile de bien connaître le contexte de production d'une œuvre et la généalogie esthétique dans laquelle elle entend s'inscrire. L'exemple de deux films de Jean-Luc Godard respectivement étudiés par Dudley Andrew (*A Bout de souffle*, 1960) et par Michel Marie (*Le Mépris*, 1963) nous permettra d'illustrer l'intérêt de la perspective intertextuelle.

L'inter-texte et le phénomène d'intertextualité appartiennent au vocabulaire critique de Julia Kristeva et de Roland Barthes (cf. le chapitre sur l'analyse textuelle). Ce phénomène permet de rappeler que tout texte est travaillé par les autres textes, par absorption et transformation d'une multiplicité d'autres textes.

Comme l'écrit Roland Barthes : « Tout texte est un intertexte ; d'autres textes sont présents en lui, à des niveaux variables, sous des formes plus ou moins reconnaissables : les textes de la culture antérieure et ceux de la culture environnante ; tout texte est un tissu nouveau de citations révolues. (...) L'intertextualité, condition de tout texte, quel qu'il soit, ne se réduit évidemment pas à un problème de sources ou d'influences ; l'intertexte est un champ général de formules anonymes, dont l'origine est rarement repérable, de citations inconscientes ou automatiques, données sans guillemets. Epistémologiquement, le concept d'intertexte est ce qui apporte à la théorie du texte le volume de la socialité : c'est tout le langage antérieur et contemporain qui vient au texte, non selon la voie d'une filiation repérable, d'une imitation volontaire, mais selon celle d'une dissémination — image qui assure au texte le statut, non d'une **reproduction,** mais d'une **productivité**[1]. »

1.1.1. *A Bout de souffle,* l'authenticité et la référence

Dans son étude « Au début du souffle : le culte et la culture d'*A bout de souffle* », Dudley Andrew se demande comment le film de Godard réussit à concilier deux désirs contradictoires : un désir d'« authenticité », d'expression d'une parole radicalement nouvelle, personnelle, et d'autre part un désir de références et de filiation, de réappropriation des codes du film américain de série B : « A travers un tissu de références et de citations, *A bout de souffle* présentait une relation spontanée entre la position de son cinéaste et la vie contemporaine dans les rues. C'est sa revendication et son paradoxe », précise l'auteur. Au début de son article, il analyse la première phase culturelle de Godard, celle qui va de 1949, date de sa rencontre avec le cinéma jusqu'à 1960 (sortie du film). Pendant cette phase, Godard dans ses critiques et ses premiers courts métrages ne cesse d'affirmer l'omniprésence de la morale et sa nécessité dans la vie culturelle de l'après-guerre. L'art authentique ne peut être le fruit que de créateurs sincères qui refusent les concessions du « cinéma de qualité ». Andrew insiste sur les références à Malraux et à Sartre comme modèles d'attitude morale et politique pour Godard. Les caractéristiques de la vie moderne sont à ses yeux la rapidité d'action, l'audace et l'ingéniosité, qualités qu'il trouve dans les premiers romans de Malraux et dans sa destinée politique (son engagement dans la guerre d'Espagne au côté des républicains et son film *Sierra de Teruel,* 1939-1945).

---

1. *Théorie du Texte,* E.U. p. 1015.

Cette spontanéité, Godard la retrouve dans le cinéma américain de série B, particulièrement dans le « film noir ». Dudley Andrew déploie avec une grande perspicacité toutes les références explicites et implicites aux films noirs repérables dans *A bout de souffle,* souvent citées sur un mode allusif mais rarement énumérées et analysées. Il y a les citations directes : l'affiche de *The Harder they Fall* (*Plus dure sera la chute,* Mark Robson, 1956), le portrait photographique d'Humphrey Bogart, le fragment de dialogue de *Whirlpool* (*Le Mystérieux docteur Korvo,* Otto Preminger, 1949) entendu dans une salle de cinéma — voix de Gene Tierney et de Richard Conte — ; il y a surtout les références narratives à des situations typiques ou particulières : *Gilda* (Charles Vidor, 1946), *Fallen Angel* (*Crime passionnel,* Otto Preminger, 1945), l'agression dans les toilettes publiques qui vient tout droit de *The Enforcer* (*La Femme à abattre,* Bretaigne Windust et Raoul Walsh, 1951), l'anecdote que raconte Poiccard à Patricia à propos du conducteur de bus qui avait volé une fortune pour impressionner une fille, et qui résume le sujet de *Gun Crazy* (*Le Démon des armes,* J.H. Lewis, 1949), la réplique de l'inspecteur Vital à Tolmatchoff « Tu te rappelles quand tu as donné ton ami Bob », qui renvoie à *Bob le Flambeur* (Jean-Pierre Melville, 1955)... Dudley Andrew va jusqu'à évoquer le ton général du film noir qui domine le film et se traduit par le rêve de Poiccard de descendre dans le Sud, en Italie avec sa petite amie et son argent, qui rappelle les rêves de « sécurité derrière la frontière », celle du Mexique, de tant d'anti-héros des années 40.

Andrew évoque ensuite « l'ombre philosophique » du film et rappelle que Michel Poiccard fut perçu comme une « réincarnation du Roquentin de Sartre, du Meurseault de Camus et des héros pervers de Genet », ce qui lui permet, à travers la filiation existentialiste, d'étendre les références cinématographiques hors d'Amérique et de les ramener sur le sol français. Belmondo serait une résurgence du personnage incarné par Gabin, fumant et arpentant le fil de ses dernières heures dans *Le Jour se lève,* ou jouant avec l'ours en peluche de sa petite amie. Le rapport est plus pertinent encore avec *Quai des brumes* où, comme déserteur, il espère s'échapper sur un bateau avec Michèle Morgan, mais est abattu au dernier moment. Andrew voit à travers cette filiation le parcours d'un modèle historique dont l'origine se trouverait dans le cinéma expressionniste allemand.

> « Gabin instaura en effet un style de jeu puissant et taciturne dans les films pessimistes qui précédèrent la Seconde Guerre mondiale. Il construisait ses rôles sur des attitudes qui étaient dans une large mesure adoptées de l'expressionnisme allemand, mais il maîtrisait son propre corps, en ne lui permettant de se déchaîner qu'une fois par film. Il est le modèle que Bogart allait incarner en Amérique durant la guerre, transmettant sa retenue à Dana Andrews, à Fred Mac Murray et au catatonique Richard Widmark. C'est une tradition qui retourne en France avec *A bout de souffle.* »

Ces références intertextuelles sont utilisées de deux façons au moins. La première, plus forte, accentue l'impact esthétique et philosophique de son propre effort en « le reliant au film noir de bas étage avec ses infernales ruminations sur la mort et l'amour », la seconde en citant des romanciers, peintres et compositeurs célèbres (Françoise Sagan, Maurice Sachs, Jean Genet, Malraux, Renoir, Picasso, Mozart, Bach, Brahms,...) concerne plutôt la texture du film que sa structure. Selon Andrew, Godard « éclabousse sa toile » de ces noms pour varier le ton et l'intérêt des scènes, pour garder son drame dans un espace vivant et culturel. Il sera ainsi le premier à lâcher des noms tels que Renoir et Faulkner, le premier à montrer « Roméo et Juliette » de Picasso, le premier à jouer avec l'art, irrespectueusement, c'est-à-dire avec désinvolture. La spirale de ce tourbillon de références provient à la fois des films de série B et de la littérature existentielle ; mais ce qui est profondément original, c'est l'**énergie** du film, le fait que tous ces rappels, citations, parodies, hommages, procédés qui dépendent du passé, soient replongés dans un temps discursif et utilisés au présent. C'est en cela que dans *A bout de souffle,* Godard **réinvente** : tout semble s'y exprimer pour la première fois. D'où la parfaite conciliation d'une esthétique de la simulation et de l'authenticité : le chemin vers l'expression sincère passe inévitablement, contrairement aux films classiques d'auteurs (ceux de Bergman et Fellini), par des rituels pré-existants, et l'acte libre de faire un film à un moment historique précis est lié à ces rituels qu'il n'est guère possible d'éviter.

1.1.2. *Le Mépris,* monument funéraire du cinéma classique

Le cinquième long métrage de Jean-Luc Godard est une super-production internationale avec une star (Brigitte Bardot) et c'est aussi le film le plus réflexif sur l'histoire du cinéma et son avenir dans la première partie de l'œuvre de l'auteur. Adaptant Alberto Moravia, Godard met aux prises un producteur américain tyrannique, un auteur qui incarne la célèbre politique des *Cahiers du cinéma* et un scénariste-adaptateur travaillant à la commande, dont la vocation penche plutôt vers le théâtre. Michel Marie dans « Un monde qui s'accorde à nos désirs » — célèbre phrase attribuée à André Bazin que Godard a placée en exergue de son film — s'attache à déployer personnage après personnage le fil des références filmiques provoquées par le choix des acteurs. Jack Palance permet à Godard de modifier la nationalité du producteur, italien chez Moravia, et rattache Jeremy Prokosch à la galerie des producteurs hollywoodiens représentés dans les films américains auto-réflexifs : *La Comtesse aux pieds nus, Le Grand Couteau,* mais Palance est aussi un acteur de films de genres, notamment bibliques ou historiques : *Le Signe du Païen, Les Barbares, Les Mongols.* Ce prédateur capitaliste agit comme un empereur romain, signe des chèques sur le dos de son esclave et liquide les dernières traces de l'humanisme européen.

En allant chercher Fritz Lang pour représenter le créateur, Godard ajoute à l'œuvre de Moravia une dimension fondamentale, absente dans le roman. Lang est l'artiste libre qui a refusé toutes les compromissions, résisté à la dictature nazie comme à la machinerie hollywoodienne. Il incarne la figure du Sage, de l'homme de culture citant Dante, Hölderlin, Brecht, Corneille, et Godard va jusqu'à l'assimiler à la figure d'Homère.

Ces deux brefs exemples témoignent de la nécessité absolue d'inscrire l'analyse du *Mépris* dans un moment précis de l'histoire du cinéma, comme

Voyage en Italie, de Roberto Rossellini (1953).

Le Mépris, de Jean-Luc Godard (1963).

Voyage en Italie, de Roberto Rossellini (1953).

Le Mépris, de Jean-Luc Godard (1963).

point d'orgue de la Nouvelle Vague et constat de la disparition de la majeure partie de la production «classique».

1.2. L'analyse de vastes corpus

Comme nous l'avons déjà dit, une des utilisations actuellement les plus fréquentes de techniques d'analyse du film se trouve dans toutes les entreprises nécessitant la prise en compte analytique d'un vaste ensemble de films. Ces études, malgré l'importance des moyens qu'elles réclament, se sont beaucoup développées ces dernières années et représentent en quelque sorte un stade intermédiaire entre l'analyse d'un film singulier et la théorie du filmique ou l'histoire du cinéma ; le plus souvent consacrées à des corpus homogènes historiquement et formellement, elles « appliquent » plus ou moins directement certaines des techniques et certains des résultats dégagés au cours de vingt années d'analyses de films.

Les démarches en question ne sont pas strictement « textuelles » mais la dimension « codique », même si le mot n'est que très exceptionnellement repris, y est plus visible que dans l'analyse de films isolés. Cela ne saurait d'ailleurs surprendre outre mesure : la prise en considération d'ensembles de films pouvant compter jusqu'à plusieurs milliers d'unités nécessite en effet qu'on se dote d'un minimum d'axes supposés communs à tous les films, et qui seuls pourront en permettre une analyse rapidement efficace. Jusqu'à ce jour en effet, il n'a jamais été question d'analyser systématiquement, et un par un, tous les films d'un ensemble de ce type.

Les choses peuvent évidemment, sur ce point précis, être en train de changer sous nos yeux. L'utilisation de moyens informatiques et la constitution d'équipes homogènes promettent, du moins sur des corpus relativement simples, des progrès importants. Nous citerons le projet d'analyse filmographique impulsé par deux jeunes chercheurs américain et canadien, André Gaudreault et Tom Gunning, consacré à la production cinématographique de la première décennie (1900—1908) comme la tentative la plus ambitieuse et la plus radicale d'analyse exhaustive d'un très vaste corpus puisqu'il s'agit de la production mondiale sur près de dix ans. Le corpus est toutefois limité par les hasards de la conservation des copies car les auteurs entendent décrire systématiquement tous les films dont les copies sont encore manipulables de nos jours dans les différentes archives filmiques.

1.2.1. A la recherche des origines (le cinéma des premiers temps)

Ce projet s'inscrit dans le contexte de la relecture « idéologique » inaugurée par Jean-Louis Comolli, avec sa série d'articles sur « Technique et Idéologie », des œuvres des historiens « classiques » du cinéma : Georges Sadoul et Jean Mitry notamment. Il est également lié au développement, observable un peu partout dans le monde, des travaux de restauration et d'archivage accomplis par les diverses cinémathèques. C'est d'ailleurs un conservateur de cinémathèque, David Francis, du N.F.A. de Londres qui eut l'idée d'organiser à Brighton en 1978 une rencontre au cours de laquelle furent projetés plus de 600 films réalisés entre 1900 et 1906, point de départ de ces recherches.

L'équipe d'André Gaudreault a d'abord publié à l'issue de cette rencontre une première filmographie analytique comprenant 548 brèves fiches descriptives de films (FIAF, 1982). Depuis, le projet, qui s'est considérablement amplifié, se propose de reprendre chacune des descriptions et de la compléter sur la base d'un visionnement, à la table de montage, des films conservés, cinémathèque après cinémathèque, et d'étendre ces descriptions jusqu'à l'exhaustivité (des films conservés dans le monde).

Cette première phase du travail doit permettre l'établissement d'une typologie des principales formes de montage utilisées, de procéder à l'étude de l'évolution du montage entre 1900 et 1908 et de ses effets sur le développement de la narrativité cinématographique.

André Gaudreault et Tom Gunning ont été amenés sur la base de leurs premières observations (c'est-à-dire après visionnement détaillé de plusieurs centaines de films) à proposer « deux modes de pratiques filmiques » : le premier appelé « système d'attractions monstratives », le second « système d'intégration narrative ». Le système d'attraction monstrative ne connaîtrait que très faiblement le régime de la narration filmique. Son unité de base serait le plan, considéré en lui-même comme un micro-récit autonome.
Inversement, le système d'intégration narrative est celui qui a permis au cinéma de suivre un processus progressif de narrativisation. Le discours filmique est alors mis au service de l'histoire à raconter : à tous les niveaux les divers éléments de l'expression filmique sont mobilisés à des fins narratives : que ce soient les éléments du profilmique, ceux qui ont trait à la composition de l'image ou encore les diverses opérations de montage.
Ce qui distingue en tout premier lieu le système d'intégration narrative de celui qui lui a succédé, c'est précisément son rôle de transition entre le cinéma plutôt monstratif d'avant Griffith et le cinéma qui allait être dit classique et pour lequel la narrativisation est tout à fait dominante.

La saucisse mystérieuse, film Pathé (1913)

1.2.2. Le cinéma hollywoodien (D. Bordwell, J. Staiger et K. Thompson)

Dans une optique plus spécifiquement filmologique, David Bordwell, Janet Staiger et Kristin Thompson ont choisi d'aborder frontalement la question du cinéma « classique » hollywoodien ; pour cela, et afin d'échapper à la répétition d'hypothèses anciennes et bien connues mais jamais vérifiées empiriquement (notamment celles qui tournent autour de la notion, déjà évoquée, de

187

« transparence »), ces auteurs ont adopté une méthode résolument empirique. Le corpus étudié étant bien évidemment d'une ampleur assez gigantesque pour décourager l'analyse exhaustive, ils ont choisi d'opérer une ponction sur le corpus d'ensemble, selon des modalités purement aléatoires (tirage au sort). On peut d'ailleurs remarquer que, dès ce stade de la sélection des quelque 200 films ensuite étudiés plus en détail, interviennent des procédures de pondération, destinées à assurer qu'aucun type de film ne sera par trop sur-représenté ou sous-représenté : par conséquent, cette sélection initiale met déjà en œuvre des présupposés relatifs à la composition du corpus d'ensemble (par exemple, pour rester dans des choses évidentes, en termes de genres), et que, malgré toutes les précautions imaginables, il ne faut pas penser que cette analyse puisse absolument remplacer celle du corpus entier. Quant à l'analyse proprement dite des films retenus, elle s'est concentrée sur les caractéristiques « formelles », avec l'intention déclarée de confronter les résultats avec le modèle implicite (et un peu vague) fourni par la notion de « cinéma classique hollywoodien ».

Les auteurs constatent que la pratique d'Hollywood en tant que style et mode de production s'est imposée comme norme et modèle au monde entier, des années 10 aux années 60. « Classique » est donc d'abord pris comme synonyme de conforme à une norme. L'un des objectifs des analyses de Bordwell-Staiger-Thompson est de montrer comment, dans un laps de temps remarquablement court, l'industrie du film a réussi à codifier certaines pratiques cinématographiques acceptées par le public dès qu'il en voyait les résultats à l'écran. « Les conventions employées pour décrire l'espace ou la psychologie des personnages et leurs motivations, au départ peut-être simples conventions, » cessèrent de l'être dès que le public accepta ces pratiques en tant que normes. » Cette norme n'est qu'un systématisme dans l'application et n'a pas grand-chose à voir avec le réalisme. Pour les auteurs, ce qui a rendu ce système « classique », c'est sa stabilité, l'importance qu'il accorde à l'unité et la cohérence interne, et le fait qu'il ait pu se réclamer de l'universalité. Au fil des chapitres l'ouvrage démontre que le besoin de communiquer une histoire le plus efficacement possible et de la manière la plus frappante a déterminé les divers éléments du style classique : le montage en continuité, les conventions relatives à l'espace, les actions parallèles et le découpage des scènes ; les rapports entre les plans, les mouvements de caméra, la structure du point de vue.

Les auteurs établissent le principe des « équivalents fonctionnels » voulant dire par là que différents procédés formels ou techniques, par exemple les mouvements de caméra, l'éclairage, la musique ou la couleur, peuvent se substituer l'un à l'autre, parce qu'ils peuvent remplir le même rôle, sans transgresser les normes ni violer unité et cohérence. Ce principe implique une standardisation de la production, standardisation analysée dans tous les stades successifs de l'industrie cinématographique américaine qui combinent les changements et la continuité, notamment les changements dans la technologie de base : l'introduction du sonore, par exemple. Ces changements ne sont ni radicaux, ni abrupts mais constituent des mutations et des nouvelles combinaisons d'éléments destinés à conserver un équilibre entre conformité et préservation d'une part et différenciation de l'autre.

1.2.3. « Générique des années 30 »

Le trio de chercheurs français déjà évoqué précédemment, composé de Michèle Lagny, Marie-Claire Ropars et Pierre Sorlin, s'est proposé d'éprouver la méthode de l'analyse structurelle et thématique en l'appliquant au cinéma français des années 30. Quelques titres de la fin de la période, comme *Le Jour se lève* ou *La Grande Illusion* ont pu servir de modèles pour un certain classicisme français, notamment pour André Bazin, mais la production nationale n'a jamais connu, comme celle des Etats-Unis, une organisation industrielle et standardisée, seule susceptible de codifier des normes dominantes. Le cinéma français n'a jamais été une « machine à bien raconter des histoires », d'où son originalité artistique et sa faiblesse économique.

L'ouvrage publié après deux articles particuliers se concentre autour de l'année 1937. Là encore, la part d'arbitraire dans le choix de l'échantillon est manifeste. Contrairement à l'analyse du cinéma classique hollywoodien, elle n'aborde pratiquement pas l'organisation économique de la production et s'en tient à une approche interne d'une série de films.

Les auteurs s'en expliquent ainsi : « Nous avons d'abord exclu massivement ce qui concernait la production et l'exploitation, autant par manque de prises sur le contexte que par scepticisme sur d'éventuels résultats : l'extrême morcellement du système productif rend l'étude inutilement dispendieuse. Pour un Pathé qui sort une douzaine de films par an de 1930 à 1935, on a une centaine de firmes qui tournent une ou deux bandes et disparaissent ; aucune trace n'est restée, ni du financement ni du tournage ni de la diffusion. L'exploitation serait davantage accessible, au prix d'une immense enquête dans les journaux de province ; on en tirerait des aperçus sur les programmes, rien sur la fréquentation ni sur les goûts du public. »

Toutefois l'intérêt de l'analyse est de multiplier la diversité des approches, tant méthodologique que d'objet : le premier chapitre, après l'exposé des « outils », tous narratologiques, de l'unité séquentielle aux protagonistes, éprouve la méthode sur une bande standard, *Rendez-vous, Champs-Elysées* (Jacques Houssin, 1937) totalement oubliée des historiens : « sélectionnant un des navets les plus fades, nous avons essayé de cerner le vide où il se meut ». Ils confrontent assez classiquement avec une grande finesse, inversement proportionnelle à celle de l'objet, une approche thématique à une approche structurelle. Les lignes thématiques associent assez lâchement la pénurie financière comme embrayage de l'action, la moralisation d'un fêtard par l'amour et la mise au travail d'un « bourgeois » et sa découverte des classes populaires, le tout sur fond de dérision. Mais « la dérision, nécessaire au fonctionnement de l'inversion, n'atteint pas l'écriture, qui reste lâche, et permet les escamotages : des chômeurs, du conflit social, d'une féminisation domestique qui serait nécessaire à la régénération du maître ». L'analyse structurelle vérifie ce « flou de l'écriture » en distinguant 44 séquences dont 31 constituent un ensemble instructurable, relevant de la pratique du remplissage.

Le second chapitre constitue comme texte un ensemble de quatre films, deux « classiques » et deux « nanars » anonymes dont aucun n'est saisi individuellement ; les deux chapitres suivants abordent, assez différemment l'un de l'autre, deux classes de films : le « film de guerre » et le « film colonial ». La dernière approche est consacrée à une approche narratologique des rôles et des emplois en partant d'un relevé statistique de la fréquence des interventions d'acteurs.

Le cinéma français des années 30 a donné lieu, depuis la publication en 1975 du premier volume des catalogues de Raymond Chirat, à plusieurs recherches autour de la problématique « Cinéma et Histoire ». Ainsi François Garçon dans *De Blum à Pétain* (Cerf, 1984) s'est livré à une étude exhaustive des films français produits entre 1936 et 1944 en les traitant comme un ensemble idéologique thématique documentaire pour les confronter aux thèmes fournis par le discours officiel de Vichy. Il aborde la célèbre trilogie « Travail, Famille, Patrie », faisant apparaître un réseau d'oppositions entre les films d'avant et d'après le désastre de 40. L'étude de la représentation des étrangers, notamment des Anglais, apporte des observations inattendues. Le « voyage dans les images » amène l'auteur vers ce constat paradoxal : « le basculement du pays dans sa période la plus sombre correspond au surgissement d'un cinéma idéologiquement propre, moralement irréprochable. Au moment où tous les véhicules d'idées (la grande presse, la radio, une bonne part de l'œuvre romanesque) donnent dans l'air du temps le plus vil, le cinéma, lui se tait. Et il se tait sur des questions comme la Grande-Bretagne, les Juifs, la xénophobie sur lesquelles il était, jusqu'alors, fort disert. Et bien cruel. » (p. 11)

1.2.4. 1895 films font-ils le « western » des années 20 ?

Enfin, une entreprise à la fois comparable par son ampleur, mais fort différente dans ses moyens, a été menée par Jean-Louis Leutrat sur le western des années vingt ; elle a donné lieu à plusieurs articles et à un livre.

Ici, le premier problème était de définir précisément le corpus : si « le cinéma français des années 30 », ou même « le cinéma classique américain » suffisent à définir des collections d'objet filmiques, il n'en va pas de même de cette étiquette « western », toujours à définir, comme toute étiquette de genre, *a fortiori* à propos d'une période où le genre n'est pas vraiment constitué. D'autre part, les 1895 films recensés par Leutrat comme faisant partie de son corpus, là aussi au prix de présuppositions importantes définissant les critères d'appartenance, sont loin d'être tous disponibles. Certains ont même disparu depuis longtemps. L'étude a donc pris une forme particulière, puisqu'à la fois l'auteur a voulu étudier **tout** le corpus, mais qu'il n'a pu voir qu'une assez faible proportion des films ; d'où, par exemple, un recours massif aux sources « secondaires » externes (comptes rendus critiques notamment), et une relativement moins grande importance accordée à l'analyse formelle. Mais là aussi, il est clair que la visée excède de beaucoup l'analyse de films : il s'agit au minimum d'éprouver et de contester la notion traditionnelle de genre, au maximum de travailler, sur cet exemple, les rapports entre représentations, mythe et histoire.

1.2.5. Analyse de vastes corpus, histoire et étude de codes.

Que tous les travaux abordés en 1.2. soient l'œuvre d'historiens, ou réalisés en collaboration avec des historiens et dans une perspective historique, ne doit pas surprendre, mais indique seulement un déplacement notable de la recherche, des problèmes esthétiques, « langagiers » et théoriques de la représentation, vers des problèmes plus sociologiques ou idéologiques liés aux représentations.

Ces études de vastes corpus sont également hétérogènes. Les unes sont plutôt centrées sur les notions de style, de forme (Bordwell-Staiger-Thompson), de configurations structurelles (Lagny-Ropars-Sorlin), de mode de représentation ou mode de pratique filmique (Gunning-Gaudreault, mais aussi Noël Burch sur la même période et sur le cinéma japonais), les autres sur les contenus représentatifs (Leutrat, Garçon, les exemples peuvent être aisément multipliés). Toutes peuvent être, dans une certaine mesure, qualifiées de « codiques », si l'on donne à ce terme une acception large et souple. Bordwell-Staiger-Thompson étudient le cinéma classique américain sous l'angle de ses codes les plus spécifiques : le cadrage, le montage, la lumière, etc. Lagny-Ropars-Sorlin s'intéressent aux codes narratifs et à l'énonciation : implication séquentielle, focalisation, marques formelles d'énonciation, fonctions des protagonistes, temporalité. A l'opposé, Leutrat s'intéresse, dans le western muet, aux représentations sociales et Garçon, dans le cinéma français du Front Populaire à l'occupation, aux énoncés idéologiques explicites. Ces phénomènes sont eux aussi largement « codés », mais infiniment moins spécifiques au cinéma, et où le « codage » (à construire) prend des formes beaucoup plus lâches.

Dans cette acception, il s'agit d'une catégorie générale, certes précieuse lorsqu'il s'agit d'élaborer une théorie unifiée, et de mettre sur le même plan des phénomènes incommensurables mais également importants — par exemple l'éclairage et l'opposition sexuée dans les films — mais c'est une catégorie délicate à manier, qui entraîne souvent au risque de dérapage ou d'application mécaniste puisque par définition, elle renvoie à un dehors social du film, aux « codages » représentatifs ou idéologiques même qui ont lieu dans une société en général, aux conventions, générales ou particulières qui font que cette société peut exister comme société, qu'elle produit un certain type de films et que le public s'identifie à l'institution cinématographique.

C'est dire que, si l'on peut à la rigueur rêver d'établir un jour une liste point trop incomplète des principaux codes spécifiques du cinéma, il est vain de penser qu'on puisse le moins du monde maîtriser la liste de ses codes culturels, qui resteront toujours en nombre infini, et dont la définition restera toujours du ressort de l'historien, du sociologue ou de l'anthropologue plus que de l'analyste de film ou du sémiologue.

2. GARANTIES ET VALIDATION D'UNE ANALYSE

A la fin de ce livre présentant les principales voies d'accès à un texte filmique, il est indispensable de s'interroger sur la **validité** des résultats obtenus lors d'une analyse, et sur les critères qui peuvent être utilisés pour estimer cette validité. Les méthodes que nous avons citées ont toutes en commun un désir (plus ou moins net) de rationalité — mais il s'en faut de beaucoup qu'elles présentent pour autant la moindre garantie de scientificité. Nous avons même été amenés à marquer fortement, à propos de certaines d'entre elles, à quel point elles laissaient une large part à l'imagination, quand ce n'est pas à l'arbitraire, du chercheur.

En fait, le problème que nous posons ici est double. Il s'agit d'abord de savoir si une analyse a été menée valablement au regard de ses propres présupposés méthodologiques : autrement dit, la méthode choisie a-t-elle vraiment été appliquée correctement, et jusqu'au bout ? Ensuite, il faut se demander si cette méthode elle-même est susceptible de justification, de légitimation : a-t-on choisi une méthode adéquate à l'objet, a-t-on suffisamment tenu compte d'autres approches possibles du même objet ? Il y aurait, en somme, une question « interne » à l'analyse et une question « externe ».

2.1. Critères «internes »

Le degré de vérifiabilité d'une analyse par des critères internes varie énormément selon le type de méthode adopté. Certaines méthodes impliquent leurs propres critères ; c'est le cas, en particulier, de toutes les méthodes qui proposent la construction de modèles ou de schémas. Dans ces méthodes, le critère de « vérification » de l'analyse est double :

— l'analyse obtenue (ou le schéma construit) doit être **cohérente** — ne pas comporter de contradictions internes, bien entendu, mais aussi traiter ses différentes parties de façon comparable (même degré de détail, mêmes types d'éléments pris en considération, etc.) ;

— l'analyse ne doit pas être menacée par l'inclusion ultérieure de nouveaux éléments jusque-là non pris en considération. Une analyse doit avoir une certaine «capacité d'accueil », être à même d'intégrer dans le système construit des niveaux jusque-là non analysés.

Cette idée d'une vérification « interne » de l'analyse est évidemment d'inspiration structuraliste. Elle n'a de sens que dans la perspective d'une méthode plus ou moins **systématique,** menant à une analyse exhaustive, ou tendanciellement exhaustive, et surtout établissant des relations **fortes** entre éléments. C'est chez Barthes que l'on trouve, de la façon la plus explicite, cette assertion d'une « auto-validation » de l'analyse « par sa propre endurance et sa systématicité ». Naturellement, il ne s'agit pas d'une véritable **validation ;** tout au plus peut-on dire que ces considérations jouent davantage comme limites à l'analyse (comme limites à l'interprétation, voire à la surinterprétation) que comme preuves de quoi que ce soit.

Ce qui se définit par ces exigences de cohérence et d'exhaustivité au moins potentielle, c'est la clôture de l'analyse, non sa vérité. Ainsi, la lecture de *Sarrasine,* de Balzac opérée dans *S/Z* est-elle, en son genre, parfaite, puisqu'elle se « boucle » parfaitement sur elle-même, que, comme Barthes le signale lui-même dès le début, les cinq codes qui sont repérables dès les toutes premières lexies sont ceux-là mêmes qui jouent dans le texte entier. Mais cette lecture « parfaite » méthodologiquement n'en est pas moins questionnable, puisqu'elle comporte, explicitement, sa part d'interprétation (notamment dans la lecture du code symbolique, et plus précisément dans le repérage du thème de la castration). On peut certainement imaginer une autre lecture de la même nouvelle qui serait tout aussi achevée mais se centrerait sur un autre élément, une autre interprétation.

De façon générale, plus une analyse reste proche de la simple description, plus sa vérification est aisée et sûre ; les analyses rapides, en termes formels ou stylistiques, de films appartenant à de vastes corpus — tels que ceux que nous avons mentionnés plus haut — sont moins sujettes à caution que les analyses textuelles faisant largement appel à l'interprétation de niveaux **figuraux** ou symboliques, ou même que des analyses utilisant des « instruments » aussi lâches et aussi peu directifs que le « carré sémiotique » greimasien, par exemple.

2.2. Critères « externes »

Il sera toujours plus efficace et plus convaincant, bien entendu, de juger de la validité d'une analyse donnée par rapport à des critères plus larges. Sur l'application correcte de la méthode, le critère de correction le plus évident est la comparaison avec d'autres analyses du même genre (ayant recours à la même méthode), et la confrontation des résultats. C'est là un critère relativement approximatif, bien entendu, et qui dépend largement du nombre d'analyses qui sont réellement comparables à celle que l'on vient de réaliser. Ici encore, les comparaisons sont toujours plus aisées lorsque la méthode est davantage « formalisée », lorsqu'elle implique des procédures plus ou moins standardisées. Le plus souvent, cette comparaison reste implicite, et surtout, elle s'opère au moment d'entreprendre l'analyse, lorsqu'il s'agit d'évaluer les résultats que l'on peut en espérer. Une analyse narratologique sera indubitablement influencée, avant même de commencer, par la connaissance que l'on peut avoir d'autres analyses de films narratifs ; la définition de fonctions narratives, par exemple, est infiniment plus évidente si on l'a déjà pratiquée, ou si on en connaît des exemples.

Un exemple récent nous permettra de mettre en relation deux démarches analytiques sur le même objet. Dans le n° spécial de la *Revue Belge du cinéma* consacré à Godard, Jean-Louis Leutrat procède à l'analyse de trois débuts de films de l'auteur : *Une femme est une femme, Le Mépris* et *Passion* : « Il était trois fois ». Dans le même numéro, quelques pages plus loin, Roger Odin étudie également ces trois génériques : « Il était trois fois, numéro deux », en mettant l'accent sur l'approche pragmatique, sur l'« entrée du spectateur dans la fiction » de ces trois films.
L'approche de Leutrat révèle les procédés esthétiques employés par Godard, en démonte le fonctionnement et la signification des éléments signifiants ; il inscrit la démarche du cinéaste dans celle de l'histoire de l'art, reliant les ciels initiaux de *Passion* à Corot, Boudin et Constable ; à la tradition des peintres de ciels et de nuages.
Odin quant à lui pense « institution cinéma », machine à fiction et n'apprécie la pratique godardienne qu'en relation avec l'attente du spectateur qui a l'habitude de voir des films de fiction traditionnels. Il explique par là les résistances au changement de « positionnement » que Godard impose, pour conclure : « *Passion* est le calvaire du spectateur fictionnalisant », calvaire esthétique à la source du plaisir de Leutrat.

En ce qui concerne le choix de la méthode, la première possibilité logique consiste à envisager d'autres possibilités analytiques pour le même film. Toutefois, cette démarche, qui semble épistémologiquement rationnelle, n'est pas sans présenter de grandes difficultés pratiques, parfois insurmontables. Choisir une voie d'approche particulière pour aborder un film donné suppose en effet que l'on a de bonnes raisons de penser que cette approche est adéquate pour ce film ; en outre et surtout, il n'est pas toujours possible d'apprécier rapidement ce qu'une autre méthode pourrait apporter. Ce conseil méthodologique est donc plutôt un principe à garder présent à l'esprit en commençant une analyse : il ne faut pas se précipiter sur une approche qui semble prometteuse, sans s'être assuré préalablement qu'il n'y avait pas d'autres possibilités pour le même film.

Une façon plus réaliste d'évaluer une méthode consiste à examiner les résultats qu'elle a permis d'obtenir lorsqu'elle a été appliquée, et à apprécier l'étendue et la précision des résultats que l'on peut en attendre.

Ce problème de la comparaison des méthodes d'analyse, et de l'évaluation des résultats et de la validité d'une méthode donnée appliquée à un film donné, déborde évidemment de beaucoup le seul cas de l'analyse des films. L'appréciation et l'interprétation des productions artistiques et littéraires en général est un problème ancien, qui a fait l'objet, depuis au moins deux siècles, de nombreuses théories. En simplifiant beaucoup, on pourrait dire que, au siècle dernier, l'appréciation des œuvres se faisait tendantiellement en fonction de leur plus ou moins grande adéquation à un idéal, implicite ou explicite, de l'œuvre d'art ; c'est donc par rapport à cette « idéalité » de l'œuvre que d'éventuelles critiques ou analyses des œuvres devaient être jugées. La critique littéraire, puis, petit à petit, celle d'autres formes artistiques, a mis l'accent, au XXe siècle, sur d'autres valeurs ; depuis la succession des mouvements modernistes du tournant du siècle, et les transformations qui se sont ensuivies en matière de critique, les œuvres — donc les méthodes d'appréciation et d'analyse — sont jugées plutôt en fonction de leur insertion dans un ensemble de productions comparables, et dans la société en général. Des « formalistes » russes des années vingt aux diverses approches inspirées du marxisme depuis cinquante ans, l'accent est mis, unanimement, sur un ensemble de notions qui ont pour commune caractéristique d'obliger à une confrontation de l'œuvre à d'autres œuvres, à une appréciation historique de sa situation, donc à la construction, au moins implicite, de modèles généraux auxquels l'œuvre peut être comparée.

En ce qui concerne l'analyse (et la critique) de films plus précisément, les approches que nous venons de mentionner n'ont pas (pas encore ?) donné lieu à de véritables systématisations, qui permettraient d'élaborer des protocoles « universels » de vérification et d'appréciation des analyses. Mais il est clair qu'il existe, d'ores et déjà, une réflexion suffisante, au niveau général, pour permettre d'esquisser ces protocoles. Grosso modo, les approches pertinentes ici nous semblent se situer dans la descendance, respectivement, du formalisme et du marxisme. Le second, plus hétérogène, a donné naissance à des approches qui mettent au premier plan la place et la fonction **sociale** des œuvres, aussi bien au niveau de la production qu'au niveau de la réception. Le marxisme s'intéressera donc à analyser les forces sociales qui ont déterminé la production d'une œuvre donnée, la structure précise de l'appareil de production de cette œuvre (question particulièrement pertinente à propos d'un art « industriel » comme le cinéma), mais aussi les déterminations idéologiques qui ont pesé sur son élaboration ; en ce qui concerne la réception, le critique marxiste la considérera moins en termes individuels et subjectifs qu'en termes d'effets idéologiques objectifs (encore que certaines approches marxistes, par exemple sous l'influence de Louis Althusser, aient tenté d'intégrer la considération de la subjectivité, en reliant cette dernière au fonctionnement de l'« appareil » idéologique). Concrètement, le marxisme est une approche trop diversifiée, trop variable au cours des époques, pour donner des indications quant à une méthode universelle d'appréciation des analyses. Mais on peut, au minimum, en retenir des leçons générales extrêmement importantes, et essentiellement la nécessité d'une considération de l'*histoire* dans le travail analytique. Il est, ainsi, toujours instructif de confronter ce qu'une analyse a permis de comprendre d'un film, aux données que l'on peut tirer de l'histoire de sa production ; plus largement, cette analyse devra être confrontée aux données générales de l'histoire du cinéma, voire de l'histoire tout court.

Nous nous contenterons de quelques indications à propos de l'un des films que nous avons déjà souvent mentionnés, *Citizen Kane*. Ce film archi-connu a donné lieu à de nombreuses et longues analyses. Peu d'entre elles, pourtant, ont suffisamment pris soin d'utiliser les données historiques relatives à ce film.
Ainsi, lorsqu'il réalise *Citizen Kane,* Orson Welles n'est pas un réalisateur comme un autre. Il ne s'agit pas d'entonner, une fois de plus, l'hymne au génie supérieurement doué et original ; il s'agit seulement de rappeler un certain nombre de données **objectives,** qui ne sont pas sans conséquences sur la production du film **et sur son interprétation.** Si chacun a présent à l'esprit le mythe du « Wonderboy » étonnant l'Amérique, si chacun connaît l'épisode qui rendit Welles célèbre (sa fameuse adaptation radiophonique de *La Guerre des mondes*), il nous semble plus important, par rapport au film, de savoir que, dans les années 30, Welles fut activement lié à la politique rooseveltienne du New Deal ; qu'il collabora, entre autres, pendant environ un an, au New York Federal Theatre, une troupe officiellement subventionnée par l'administration démocrate, violemment attaquée par la presse Hearst, et dont les buts avoués étaient aussi proches d'une entreprise culturelle « de gauche », à l'européenne, que cela est possible aux USA (la troupe comprenait, par exemple, des membres ou sympathisants du Parti communiste ; Welles paya d'ailleurs pour cette « promiscuité » au moment du maccarthysme). De même, il est important de savoir que, après avoir — de son propre mouvement — quitté le NYFT, Welles fut le co-fondateur d'une autre troupe, le Mercury Theater, largement influencée, elle aussi, par des idéaux de « collectivité » sinon de « collectivisme ». Le « Manifeste » du Mercury Theater, rédigé par John Houseman, est un évident prototype du « manifeste » de Kane dans le film ; il déclare en particulier que la troupe jouera des pièces ayant « une importance émotionnelle ou factuelle pour la vie contemporaine ».
Bien entendu, ce genre d'indications relatives à la **place** de Welles dans l'industrie du spectacle (et dont nous ne faisons que donner un échantillon) devrait être suivi d'une caractérisation du studio qui a produit le film, la RKO. Parmi les « majors » de l'industrie hollywoodienne, la RKO tient une place à part ; elle n'a jamais eu, par exemple, une image aussi clairement définie que certaines de ses rivales (la MGM, symbole de la « qualité américaine », la Warner Bros., représentante du « réalisme social ») ; en revanche, ce fut peut-être un studio plus « expérimental » que ses contemporains, notamment dans le domaine des films fantastiques et des films nécessitant des décors élaborés. Vers la fin des années 30, le studio avait, parmi ses financiers, deux groupes principaux, représentant respectivement le pétrole texan et

l'industrie électrique de la côte Est, et ayant des philosophies bien différentes de la gestion de la firme. Lorsque Welles arrive à la RKO, le second groupe venait de l'emporter, et .sa conception, centrée sur une image de « qualité », remplaçait la conception axée sur des « quickies » destinés à assurer une rotation rapide des capitaux. Ce contexte est évidemment très important pour expliquer la suite de la carrière de Welles à la RKO, mais également pour comprendre *Citizen Kane,* dont il n'est pas seulement une toile de fond.

Les faits que nous venons d'énumérer sont, pour l'instant, autant d'informations factuelles certes intéressantes, mais que nous n'avons que très lâchement reliées à une quelconque analyse du film. C'est évidemment là le plus difficile. De très nombreux auteurs d'analyses de films, plus ou moins conscients de la nécessité de ne pas enfermer l'analyse sur elle-même, ont eu recours, avec plus ou moins de précision, à des recherches de ce genre. Il est rare, en revanche, que ces faits contextuels/historiques soient véritablement utilisés dans le cours de l'analyse, et paradoxalement encore plus rare de les voir employés pour justifier ou vérifier une analyse. Trop souvent, ils jouent un rôle de « garantie » formelle beaucoup plus que de preuves ou d'indices.

Entendons-nous : nous ne suggérons nullement qu'une enquête, même bien menée et complète, sur les **circonstances** d'un film soit à elle seule de nature à expliquer ce film. Une analyse peut très bien (c'est même une de ses fonctions) mettre à jour des mécanismes signifiants, des contenus même, qui échappent en tout ou en partie aux déterminations rigidement définies par cette étude du contexte. Lorsque les rédacteurs des *Cahiers du cinéma* analysent la figure de Lincoln comme incarnant la Loi au prix de sa castration symbolique, ils parlent un langage totalement incompatible avec celui de John Ford, de Zanuck, de la Fox, des spectateurs de 1939 ; il n'en est pas moins vrai qu'ils peuvent prétendre avoir mis à jour un mécanisme idéologique et symbolique inconscient, qui décrit à sa façon une certaine vérité du film, **y compris en termes historiques** par rapport à l'Amérique de l'époque (encore qu'il y ait certainement beaucoup à redire quant à la précision et la complétude de leur enquête historique). Aussi l'enquête historique, si elle est essentielle en tant que garde-fou, n'est-elle pas vraiment une **méthode** de vérification.

L'autre approche que nous mentionnions un peu plus haut, celle qui dérive de l'étude des œuvres littéraires et artistiques telle que définie par les formalistes russes, est moins répandue dans les études filmiques que le recours à la contextualisation historique. Il semble pourtant qu'elle doive offrir des possibilités plus immédiates et plus opératoires de jugement et de vérification des résultats d'une analyse. L'approche « formaliste », en effet, si elle souligne la spécificité de chaque œuvre, au point de parfois paraître manquer totalement de méthode, travaille toujours avec la perspective d'une **norme esthétique** par rapport à laquelle l'œuvre se définit. Il s'agit donc là d'une approche qui, par nature, est plus sensible au contexte stylistique des œuvres analysées. Il s'agit, au fond, d'une mise en contexte historique à un niveau particulier, celui de la nature et de la fonction de tel ou tel **style**.

Les représentants les plus évidents de ce recours aux concepts « formalistes » sont sans conteste dans les études cinématographiques Kristin Thompson et David Bordwell. Partant de prémisses semblables à celles que nous venons d'exposer, ils ont entrepris d'analyser un certain nombre de films en référence à des normes stylistiques bien précises. Aussi leur travail — que nous avons eu l'occasion de citer plusieurs fois — suit-il une logique assez forte : pour étudier une œuvre particulière, il faut disposer d'un modèle du style dominant dans le contexte duquel cette œuvre a été produite — soit en se conformant, soit en s'opposant à ce style dominant. La première tâche est donc, logiquement, de construire ce modèle général. Il s'agit là d'une tâche à la fois historique et analytique, relevant d'un genre que nous avons déjà mentionné plusieurs fois, l'analyse de vastes corpus. Déterminante est la définition, en particulier, d'un style « classique hollywoodien » (cf. supra). Mais il existe d'ores et déjà d'autres tentatives de caractérisation (plus partielles) du style classique. La plus notable à ce jour est celle de Barry Salt, dont l'étude, extrêmement ambitieuse, conjugue des considérations sur l'évolution de la technique cinématographique et celle du style filmique durant toute la période pré-classique et classique. Ce travail, qui a l'immense intérêt de proposer une approche **statistique** des traits stylistiques — approche jusque-là inédite — a malheureusement l'inconvénient de s'appuyer sur un corpus relativement réduit, et surtout choisi de façon trop arbitraire.

L'analyse de vastes corpus, et la définition de styles (nécessairement historicisés) qui en résulte, sont une tâche plus historique peut-être que réellement analytique. Aussi ne peut-on, en raison même de sa lourdeur, la donner comme une « méthode de vérification » des analyses singulières. Toutefois, dans la mesure où ces analyses historiques sont de plus en plus nombreuses (et de plus en plus accessibles), elles peuvent constituer une référence utile.

2.3. Analyse de film et histoire sociale : *Rome, ville ouverte* ou Rossellini, témoin de la résistance italienne.

Nous terminerons par un dernier exemple : l'analyse historique de *Rome, ville ouverte,* de Roberto Rossellini, (1945), célèbre classique du « néo-réalisme », par Pierre Sorlin. Selon l'auteur, le film relève d'une vision plutôt pessimiste de la résistance italienne. La construction séquentielle détermine un déroulement inexorable et continu des événements. Ce sont les Allemands qui ont systématiquement l'initiative et font preuve d'une prodigieuse efficacité comme d'une insensibilité absolue. Cependant, le film efface toute référence politique explicite : il n'est pratiquement jamais question du nazisme et on ne voit jamais le portrait d'Hitler. Une seule scène donne l'occasion aux Allemands de s'expliquer. De même, Mussolini et le fascisme sont absents du film. Les collaborateurs sont rares et n'ont pas de motifs politiques, seules les tares dont ils sont chargés expliquent leur choix. « Le questeur, obèse et doucereux, est un larbin professionnel, les miliciens sont des maigrichons cafards qui ne pensent qu'à regarder les filles. La jeune actrice couronne cette collection d'épaves : pour échapper à la misère de son quartier populaire, elle n'a reculé devant rien ; en quittant son milieu d'origine, elle s'est perdue : menteuse, coléreuse, hypersensible, toxicomane et quasi lesbienne, elle accumule assez de vices pour trahir sans peine ». La grande masse des Italiens est, de cœur, engagée contre l'occupant. Mais, la résistance, naissant de son propre mouvement, n'a besoin ni de se présenter, ni de se justifier. Le film qui la montre universellement présente et agissante ne fait rien pour l'éclairer. Sorlin qualifie d'absurde l'épisode imaginé par les scénaristes qui montre Manfredi à la tête des partisans attaquant les camions de l'armée allemande. Selon lui la fonction de cette scène est de rappeler aux Italiens qu'il existe quelque

Rome, ville ouverte, de Roberto Rossellini (1945).

part une organisation clandestine pourvue de gros moyens. « Tout Romain sent confusément qu'une armée se constitue mais il ne sait rien à son sujet. » Il n'y a qu'une seule note touchant la signification de la guerre et les causes de l'occupation, et elle est dite par le prêtre. La résistance est un état d'esprit plus qu'un choix politique. Le film la voue à l'échec : « Qu'elle soit nationale ou locale, la résistance est a priori perdante ; si le film ne le dit pas clairement, sa structure, la manière dont il présente les deux camps ne laissent aucun doute à cet égard : Rome ne se libérera pas seule. »

Le combat des résistants, d'essence morale, n'a pas d'importance réelle et ne sert qu'à sauver la dignité des victimes. C'est ici — commente Sorlin — et non dans le constat d'une plus ou moins grande fidélité à la « vérité » que l'historien trouve à intervenir : comment interpréter cette vision très particulière de la vie romaine sous l'occupation, à la date et dans le contexte où elle fut conçue ? Le pessimisme du film pose problème ; il détonne dans l'atmosphère de soulagement qui suit la Libération.

Sorlin éclaire ce pessimisme par l'évolution de Rossellini cinéaste et de la plupart de ses collaborateurs, qui ont commencé à travailler sous le fascisme. Si dans *Un pilota ritorna* (1942), la guerre apparaît comme l'école de la virilité et le ferment de l'unité nationale, cette mythologie belliqueuse disparaît dès *L'Uomo della Croce* (1943) et dans *Rome, ville ouverte,* la guerre devient un cauchemar inexplicable. Elle n'a pas de sens — ce qui permet d'en ignorer les origines. Ce retournement épouse l'évolution politique de l'année 1943. *Rome, ville ouverte* est conçu parallèlement au vaste débat touchant l'épuration, qui devient extrêmement violent à l'automne 1944. Dans *Il Sole sorge ancora,* Aldo Vergano cherchera quelques mois plus tard à éclairer la collaboration en se fondant sur une analyse de classe. Dans le film de Rossellini, le seul bourgeois collaborateur est le questeur de la capitale, allusion limpide à l'ancien préfet Caruso. Les autres collaborateurs représentés dans le film sortent du peuple : dénuement, faiblesse de caractère font qu'on rencontre la majeure partie des traîtres parmi les déclassés. L'intelligence avec l'occupant semble un phénomène mineur, isolé. Les auteurs du film laissent entendre qu'un changement profond s'est accompli à partir du moment où les Allemands ont mis la main sur Rome ; dans ces conditions une vaste épuration semble injustifiée.

Pour Pierre Sorlin, *Rome, ville ouverte* traduit l'évolution, les hésitations, les arrière-pensées d'un groupe d'intellectuels qui ont d'abord accepté, naturellement, et sans réticence, le régime fasciste, qui ont soutenu ses thèses et ses mythes puis, après le 23 juillet, ont changé d'orientation, ont été bouleversés par l'occupation allemande, et, généralement sans entrer dans la résistance active (Amidei — co-scénariste du film — est ici une exception) se sont sentis unis à tous les Italiens par une commune hostilité à l'égard des Allemands. A travers son pessimisme, son refus du nationalisme, sa volonté de gommer la collaboration et d'illustrer l'unité morale de l'Italie, *Rome, ville ouverte* témoigne à la fois de l'ampleur des désillusions provoquées par la crise de l'été 1943 et du désarroi qui bouleverse les intellectuels au moment de la Libération.

Telle qu'elle est présentée dans le film, la guerre constitue une sorte de rachat : les souffrances endurées sous la botte allemande ont aboli l'histoire antérieure ; les années de collaboration entre la Péninsule et le Reich n'ont pas besoin d'être évoquées tant elles sont devenues lointaines à partir de la rupture qu'a constituée l'occupation. La Résistance a été une découverte de soi-même, elle n'a légué aucun modèle utilisable pour l'avenir, sinon quelques leçons de courage. Apolitisme, relativisation de la lutte clandestine, insistance sur la pauvreté des Romains constituent un ensemble cohérent ; une fraction de l'opinion veut ignorer à la fois le fascisme et l'antifascisme et redécouvrir l'unité italienne à partir des plus humbles réalités quotidiennes ; déjà perceptible à l'automne 1944, cette tendance pèsera ultérieurement sur l'évolution du pays.

BIBLIOGRAPHIE

1. ANALYSE DE STRUCTURES IMMANENTES OU ANALYSE DE PHÉNOMÈNES HISTORIQUES

Dudley ANDREW, « Au début du souffle : le culte et la culture d'*A bout de souffle* », in *Revue belge du cinéma*, n° 16, *op. cit.*

Dudley ANDREW, *Mists of Regret, Culture and Sensibility in Classic French Film*, Princeton, Princeton University Press, 1995.

L'Atalante, La Bête humaine, La Chienne, La Grande Illusion, Les Enfants du Paradis, Le Jour se lève, Quai des brumes, etc.

Michel MARIE, « Un monde qui s'accorde à nos désirs », in *Revue belge du cinéma*, n° 16, *op. cit.*

André GAUDREAULT et Tom GUNNING, « Le cinéma des premiers temps : un défi à l'histoire du cinéma ? » *Actes du colloque de Cerisy*, Paris, Publications de la Sorbonne, 1989.

André GAUDREAULT sous la direction de, *Ce que je vois de mon ciné, La représentation du regard dans le cinéma des premiers temps*, Paris, Méridiens-Klincksieck, 1988.

The Big Swallow, How It Feels to be Run over, Eclipse de soleil en pleine lune, Un drame dans les airs, Ce que l'on voit de mon sixième, Un coup d'œil par étage, etc.

Andrée MICHAUD et Alain LACASSE, « Ambitions et limites d'une filmographie », in *Les Premiers Ans du cinéma français*, actes du Ve colloque de l'institut Jean Vigo, Perpignan, 1985.

David BORDWELL, Janet STAIGER et Kristin THOMPSON, *The Classical Hollywood Cinema, Film Style and Mode of Production to 1960*, Londres, Routledge and Kegan Paul, 1985.

Michèle LAGNY, Pierre SORLIN, Marie-Claire ROPARS, Geneviève NESTERENKO, *Générique des années 30*, Paris, Presses universitaires de Vincennes, 1986.

François GARÇON, *De Blum à Pétain*, Paris, Cerf, 1984.

Raymond CHIRAT, *Le Cinéma français des années 30*, Paris, Hatier, 1983. — *Le Cinéma français des années de guerre, idem*, 1983.

Jean-Pierre BERTIN-MAGHIT, *Le Cinéma français sous Vichy*, Paris, Albatros, 1980.

Jacques SICLIER, *La France de Pétain et son cinéma*, Paris, Henri Veyrier, 1981.

Noël BURCH, *Pour un observateur lointain. Forme et signification dans le cinéma japonais,* Paris, Cahiers du Cinéma-Gallimard, 1982.

Jean-Louis LEUTRAT, *L'Alliance brisée. Le Western des années 1920,* Lyon, Institut Lumière et Presses universitaires de Lyon, 1985.

2. GARANTIES ET VALIDATION D'UNE ANALYSE

Jean-Louis LEUTRAT, « Il était trois fois », *Revue belge du cinéma*, n° 16, *op. cit.*

Roger ODIN, « Il était trois fois, numéro deux », *même numéro*.

Pierre SORLIN, « Rossellini témoin de la résistance italienne », *Mélanges André Latreille*, Lyon, Audin, 1972.

CHAPITRE 8

VISÉES DE L'ANALYSE :
EN GUISE DE CONCLUSION

Une question, que nous avons négligée jusqu'à présent — en faisant comme s'il allait de soi qu'on devait faire de l'analyse de films — ne peut manquer de se poser à la fin de ce parcours : **à quoi sert l'analyse de films ?** Ou plus précisément (son utilité **immédiate** n'étant pas nécessairement en cause) : dans quelles stratégies d'ensemble intervient-elle, comment, et pourquoi ?

Notons tout de suite que nous avons déjà répondu en partie à ces questions chemin faisant, par exemple en insistant (au chapitre 3) sur les liens entre analyse textuelle et structuralisme — marquant ainsi la visée théorique de l'analyse — ou encore en faisant ressortir son rôle dans le travail historique (chapitre 7). Ce dernier chapitre cherche donc moins à justifier notre entreprise qu'à rassembler des remarques éparses dans le livre, et surtout, à ouvrir quelques nouvelles perspectives, en les synthétisant clairement.

1. L'ANALYSE, ALTER EGO DE LA THEORIE

Nous y avons déjà insisté à plusieurs reprises : il n'existe pas d'analyse « pure », « absolue », pas de méthode « universelle » d'analyse. On analyse **toujours** un film en fonction de présupposés théoriques — quand bien même ceux-ci restent innomés, voire inconscients. Autrement dit, il n'y a pas d'analyse de film qui ne repose, au moins pour partie, sur une certaine conception théorique, au moins implicite, du cinéma. Ce n'est certes pas à dire que toutes les analyses **visent** la théorie : aucune, du moins, n'en est totalement coupée.

Un exemple presque extrême serait fourni par le livre d'Alfred Guzzetti sur *Deux ou trois choses que je sais d'elle* (déjà cité). Non seulement l'analyste y suit systématiquement le fil du texte, en semblant greffer son commentaire de façon semi-improvisée

sur le texte, mais en outre il évite soigneusement (et de façon tout à fait exceptionnelle, la tradition dans les textes universitaires américains étant de donner le plus de
références possible) les allusions à des textes théoriques sur le cinéma. Il n'y a pas
plus d'une douzaine de telles allusions, et toujours très rapides, dans un texte de près
de 200 pages.

Il n'en est pas moins certain que ce livre a une perspective théorique très précise :
l'analyse est expressément centrée sur la relation entre idéologie et esthétique, et
l'analyste prend souvent parti sur la teneur, et sur la plus ou moins grande qualité et
densité, du discours politique du film ; le film, pour lui, « parle » de façon quasi
transparente, non problématique (une position, on le sait, qui n'est pas sans précédents, mais dont le moins qu'on puisse dire est qu'elle n'est pas neutre théoriquement
ment).

Dans le cas des analyses où la visée théorique est explicitée, on peut distinguer trois types de rapports entre l'analyse et la théorie : la première peut
jouer, par rapport à la seconde, le rôle de vérification, d'invention, ou de
démonstration.

1.1. L'analyse comme vérification de la théorie

Beaucoup de recherches théoriques sont effectuées « en général » —
certes en ayant recours à de nombreux exemples, mais sans qu'il y ait réellement une procédure expérimentale. Pour de telles recherches, l'analyse de
films peut constituer un moment important, celui où, en appliquant le modèle
théorique, on cherche à en apprécier la validité, à le vérifier, ou au contraire à
le « falsifier » (= à démontrer qu'il est faux, ce qui, contrairement à ce qu'on
croit parfois, est plus facile, et tout aussi important, que de le vérifier).

Les recherches d'orientation sémiologique sont ici particulièrement
concernées. L'exemple le plus évident est sans doute celui, déjà évoqué longuement, de Christian Metz et du code de la Grande Syntagmatique (cf. chapitre 2.
§ 2.2. et chapitre 3. § 3.2.) : l'analyse d'*Adieu Philippine* amène Metz à préciser,
et même à transformer quelque peu son modèle. De même, dans une entreprise
comme celle de Michel Colin, les analyses de films, toujours partielles et très
précisément orientées, viennent toujours à l'appui d'une hypothèse théorique ;
lorsqu'il étudie les fonctions textuelles des panoramiques dans les premiers
plans de *Last Train To Gun Hill,* il s'intéresse à certains types de transformation
de la structure profonde à l'énoncé de surface, et non au film en tant que film
américain, par exemple ; de même, pour étudier la coréférence, il choisit, pratiquement au hasard, un des quatre cent cinquante films de Griffith, *The Adventures of Dollie,* et le traite, explicitement, sans souci de sa place dans l'histoire
du cinéma. Le film devient un objet d'expérimentation : mais c'est évidemment
la théorie qui reste première.

1.2. L'analyse comme invention théorique.

Plus souvent encore, l'analyse est **une forme de théorie** ; on pourrait presque dire qu'il existe des théoriciens qui ne font de théorie que sous forme d'analyses. L'exemple le plus éclatant en est sans conteste Raymond Bellour, dont, en particulier, chacune des grandes analyses sur des films d'Hitchcock a été l'occasion de proposer un concept (le « blocage symbolique », cf. 6.3.1.) ou de définir une approche du cinéma — au moins autant que de proposer telle ou telle procédure analytique. Il y a même des pans entiers de la théorie qui n'ont été abordés, jusqu'ici, que par le biais d'analyses de films. Citons l'analyse des dialogues de films, notamment les analyses conversationnelles de Francis Vanoye et Michel Marie, qui visent délibérément à débroussailler ce domaine inexploré.

Vérification et invention sont en quelque sorte symétriques ; aussi bien, dans les deux cas, le risque est-il le même : celui d'un aller-retour insuffisant entre théorie et analyse. L'analyse-vérification doit, idéalement, permettre de retourner à la théorie et de la compléter ou de la modifier ; l'analyse-invention doit à son tour donner lieu à des vérifications par d'autres analyses. Dans un cas comme dans l'autre, le modèle épistémologique sous-jacent est celui des sciences expérimentales : une théorie se fonde sur une certaine expérimentation, et se développe en ayant recours à l'expérience régulièrement (moment inductif, moment déductif). Naturellement, c'est là un schéma abstrait que la théorie du cinéma (qui n'est pas une science expérimentale) n'a suivi que de loin.

1.3. L'analyse comme démonstration.

Un cas un peu à part est celui des analyses où l'on cherche moins à produire ou à conforter une théorie, qu'à l'exposer de façon convaincante — à la promouvoir. Ici encore, les stratégies peuvent être multiples : David Bordwell et Kristin Thompson, par exemple, qui cherchent avec beaucoup de constance, depuis plusieurs années, à promouvoir une approche « néo-formaliste » du cinéma, ont souvent conçu leurs analyses filmologiques comme des moments dans cette entreprise ; le cas est particulièrement évident dans le livre de Kristin Thompson, *Eisenstein's « Ivan the Terrible » : A Neoformalist Analysis,* où le premier chapitre (le plus long) est consacré à l'exposé de l'approche « néo-formaliste », l'analyse étant dès lors une mise en œuvre et une mise en évidence des principes exposés. Il en va de même pour l'essai de Marie-Claire Ropars, *Le Texte divisé,* dont la seconde partie est une analyse d'*India Song* de Marguerite Duras. On pourrait en dire autant, à un degré moindre, du livre de Bordwell sur Dreyer. Dans une toute autre perspective, et de façon beaucoup plus discrète, il nous semble que c'est aussi le cas de Michel Bouvier et Jean-Louis Leutrat sur *Nosferatu,* démonstration implicite de ce que peut être une analyse qu'on pourrait dire *iconologique* (au sens de Panofsky).

2. ANALYSE, STYLISTIQUE ET POÉTIQUE

Comme nous l'avons dit au chapitre 1, l'analyse a été liée quasi spontanément, dans ses premières manifestations, à des préoccupations de créateurs. Avant même que la critique se fasse un peu méticuleuse, avant que la théorie ait recours au support de l'analyse, les cinéastes savaient, de par leur pratique, que le sens et l'effet d'un film se jouent à des niveaux bien différents. Il y a une visée « poétique », « créatorielle » de l'analyse, qu'on retrouve chez beaucoup de cinéastes analysant ou décrivant leurs œuvres (souvent sous forme d'un plaidoyer pro domo) ; n'insistons pas sur le cas d'Eisenstein (cf. chap. 1, § 2.1.), exceptionnel à bien des égards ; mais, dès l'époque muette, on pourrait relever, chez un Jean Epstein par exemple, une propension à réfléchir sur ses propres films en termes déjà presque analytiques (par exemple pour y déceler les éléments de cet effet poétique un peu mystérieux alors à la mode, la **photogénie**). Plus près de nous, il serait intéressant de considérer les différents discours tenus par des cinéastes sur leurs propres œuvres, par exemple à l'époque de la dite « politique des auteurs » (cf. chap. 1, § 2.3.) ; à un Howard Hawks, cinéaste qui n'a pour ainsi dire jamais commenté l'aspect formel de ses films, et dont tout le discours reproduit et redouble l'impression de simplicité, de facilité, de naturel que donne son cinéma (le « génie de l'évidence » dont parlait Jacques Rivette), s'opposerait ainsi l'attitude d'un Hitchcock, cherchant délibérément à jouer la carte inverse, celle de la maîtrise et de la conscience de ses moyens esthétiques et formels : dans l'entretien-fleuve qu'il a réalisé avec François Truffaut, comme dans maint entretien filmé (celui accordé à André Labarthe par exemple), il tient à entrer dans le détail formel de telle ou telle séquence, à l'expliquer, à en exposer les raisons créatorielles. Plus récemment encore, on a vu des cinéastes pratiquer eux-mêmes l'analyse sur l'œuvre d'autres cinéastes (cf. chap. 5, § 1.2., l'exemple d'Eric Rohmer explicitant, sur *Faust,* les fondements de son amour pour Murnau).

Bien sûr, tout le monde n'est pas cinéaste, et les cas que nous venons de rappeler sont exceptionnels. Ils indiquent néanmoins la possibilité d'un lien entre l'analyse et la **poétique** des films. Prenons le mot pour ce qu'il vaut : il n'existe pas de poétique du film constituée ; la notion de « créateur » est d'ailleurs d'application toujours difficile ou incertaine au cinéma. La question posée ici, c'est donc de savoir si l'analyse peut aider à expliquer la création des films, leur genèse, ou plus prosaïquement, leur production. C'est évidemment une question qui comporte plusieurs aspects :

1. L'aspect proprement créatoriel : l'analyse permet-elle de restituer, au moins approximativement, quelque chose du processus de création ? La réponse semble devoir s'imposer comme négative, puisque ce processus, plus ou moins mystérieux par nature, est encore compliqué par la multiplicité des déterminations qui pèsent sur lui dans l'industrie du cinéma. Pourtant, à défaut d'expliquer absolument la création d'un film, l'analyse peut amener à se poser des **questions** qui ressemblent à celles que se pose un cinéaste — notamment, bien sûr, l'analyse des éléments de la mise en scène (cf. chap. 5). Précisons bien qu'il n'est nullement question, pour nous, de prétendre avoir accès à ce qui

s'est passé « dans la tête » du cinéaste ; nous sommes au contraire farouche-ment opposés à toute lecture d'un film — analytique ou non — qui repose sur de supposées « intentions » de l'auteur ; à supposer même que ces intentions aient été parfaitement claires et explicites pour le cinéaste lui-même (ce qui est rare), rien ne garantit que le film répond bien à ces intentions, qui en outre ne peuvent être connues avec certitude par l'analyste. Il s'agit donc plutôt, pour l'analyste, de se poser **à son tour** (et nous ajouterons : **à sa place,** qui n'est pas celle d'un cinéaste) des questions d'ordre créatoriel.

La question clef ici est celle du « pourquoi ? » : pourquoi tel cadrage, tel mouvement d'appareil, telle coupe sur un insert, etc. Encore une fois, l'analyse ne livrera jamais **la** réponse à cette question, mais, par exemple, une **commutation** imaginaire (se demander ce qui arriverait si, au lieu d'un panoramique par exemple, le cinéaste avait utilisé un montage de deux plans) permettra souvent de trouver **des** réponses possibles.

Pour être tout à fait clair, ajoutons encore que, si une partie des intentions du cinéaste est vouée à demeurer inaccessible à l'analyste, inversement, celui-ci est libre de développer son travail sans se sentir contraint par les limites de cette intentionnalité du créateur. Nous répondons par là à une objection sou-vent faite à l'encontre des analyses, notamment textuelles, auxquelles on reproche de s'attacher à des détails que personne ne perçoit dans le déroule-ment du film, ou à des éléments dont il est peu vraisemblable qu'ils aient réelle-ment été voulus par le cinéaste, etc. : il faut dire très nettement que l'analyste a parfaitement le droit d'utiliser de tels éléments, tant que son analyse demeure cohérente — puisque, encore une fois, il est à une place autre que celle du créa-teur, et libre de traiter comme bon lui semble tout ce qui est **présent** dans le texte.

2. En un autre sens, l'analyse peut aider à s'interroger sur la production d'un film, en examinant, pièces à l'appui, les étapes visibles de cette produc-tion. Le problème de base ici est sans doute celui de l'**adaptation** — tarte à la crème de toute réflexion d'inspiration littéraire sur le cinéma, et thème aujourd'hui encore d'innombrables travaux universitaires. Or cette question, qui est de peu d'intérêt tant qu'on en reste (c'est encore souvent le cas) à une approche contenutiste, peut, dans le cadre d'une analyse bien menée, contri-buer à éclairer tant la genèse d'une adaptation particulière, que la nature de ce « transcodage » qu'est l'adaptation.

Le problème a été exposé avec une grande netteté par Marie-Claire Ropars, dans son « Étude de genèse » d'une scène de *Muriel,* d'Alain Resnais. Ayant procédé à une analyse de cette scène et construit un système textuel qui en rende compte, elle confronte ce système avec le script de Jean Cayrol dont le film est une adaptation, et aussi avec le découpage avant montage (document utilisé, donc, au tournage). Les modifications repérées d'un texte à l'autre sont pour l'analyste matière à confirmer — ou à corriger — l'analyse précédemment effectuée sur le film seul ; elles permet-tent, chemin faisant, de faire des hypothèses sur le processus d'adaptation en tant que recherche d'une systématicité propre au texte filmique.

Outre cette valeur « créatorielle », et sur un terrain peut-être plus sûr, on peut avancer que l'analyse est un moyen important de progresser dans la définition d'une **stylistique** des films. La notion de style, en matière de films, est apparue lors de la période « auteuriste » de la critique de cinéma : chez des critiques comme Alexandre Astruc ou Eric Rohmer (et aussi dans les tout premiers textes de Raymond Bellour, par exemple), s'exprime le désir de définir la mise en scène en général, à partir des caractéristiques formelles des œuvres — donc, de définir un « auteur de films » par son traitement de la mise en scène, son « regard », sa « distance » au monde. C'est évidemment une définition particulière du style, comme caractéristique individuelle liée à une conception du monde, quand ce n'est pas à une morale ou à une métaphysique. Par rapport à cette approche, l'analyse joue un rôle important : caractériser le style de Lang, par exemple, par « un certain regard » (comme le fait Michel Mourlet) est tendanciellement banal ; infiniment plus probant est de décrire ce regard en termes de cadrages, d'angles, d'éclairages, de montage.

Aujourd'hui, les études stylistiques ont pris une orientation sensiblement différente (cf. chapitre 7. § 1.2.), et sont essentiellement liées à la définition et à l'étude de vastes corpus historiquement différenciés. Il ne s'agit pas de renoncer à définir des styles individuels, mais de les définir plus objectivement, en s'appuyant sur une caractérisation plus ferme et plus précise des « styles » dominants par rapport auxquels chaque cinéaste se singularise, consciemment ou non.

Le cas de Fritz Lang, que nous évoquions à l'instant, serait très éclairant. Fétichisé par différentes fractions du mouvement auteuriste, de *Présence du cinéma* et des macmahoniens jusqu'aux derniers sursauts américains de la politique des auteurs (Peter Bogdanovitch), c'est un cinéaste dont la carrière en dents de scie, plusieurs fois interrompue et relancée, ne prête guère à une évaluation unitaire. La définition d'une thématique langienne s'avère particulièrement difficile (les thèmes de la « destinée » ou de la « vengeance », couramment accolés à son nom, sont en fait ce qui nourrit des genres entiers, du western au film noir) — mais on pourrait en dire de même d'un hypothétique style langien, tant dans sa période allemande que dans sa période américaine. Certains traits, la frontalité du cadrage, le côté « balancé », équilibré de la composition, se retrouvent souvent, mais se combinent la plupart du temps avec d'autres traits difficilement assignables à Lang seul.

L'analyse précise des formes filmiques est ici très importante. Elle seule peut obliger à rompre radicalement avec le subjectivisme et l'impressionnisme des descriptions stylistiques fondées sur trop d'actes de foi, telles qu'on les a connues à propos de Hawks, de Lang, de Preminger ou de Nicholas Ray.

3. L'ANALYSE COMME RÉVÉLATEUR IDÉOLOGIQUE

Nous avons évoqué (chap. 1) ces débats des ciné-clubs de l'après-guerre, où l'on s'intéressait souvent à un film en fonction de son supposé contenu, et bien souvent en vue d'une appréciation idéologique de ce contenu. Les auteurs de ce livre, comme la plupart des cinéphiles de leur génération, se souviennent de nombreux débats autour, par exemple, du jugement idéologique qu'il convenait de porter sur tel film américain (du genre : *The Horse Soldiers* — *Les Cavaliers*, de John Ford — est-il un film fasciste ?) ; les arguments et les « rôles » (de l'extrême-gauche à l'extrême-droite) étaient un peu toujours les mêmes — et c'est bien normal puisque le film, au fond, ne jouait guère que le rôle de prétexte. Loin de nous, d'ailleurs, l'idée de récuser totalement ces discussions, qui ont pu avoir leur utilité même si elles ne rendaient pas forcément justice au film discuté. Mais, comme nous l'avons dit à propos de la notion de « thème » (chap. 4, § 1), nous pensons qu'il n'existe pas de contenu d'un film hors, précisément, d'une considération du filmique. En ce qui concerne ce « contenu » particulier qu'est le contenu idéologique d'un film, nous pensons qu'il est **dans** le texte — dans le **texte** — et pas, par exemple, dans l'histoire racontée, encore moins dans les « intentions » de l' « auteur » (cf. ci-dessus, § 2). Dans l'histoire que raconte *The Horse Soldiers,* on voit le personnage joué par John Wayne avoir un certain nombre de comportements violents, inhumains, fascistes si l'on veut, en tout cas inacceptables dans le réel ; toute appréciation idéologique du film devra en tenir compte, mais elle ne saurait pour autant oublier qu'il s'agit d'un film, que les agissements du personnage sont montrés à travers une forme qui n'est pas insignifiante.

Ces débats sur l'importance respective du « contenu » et de la « forme », à vrai dire, sont anciens, et d'avance piégés tant qu'on perpétue l'idée qu'il existerait des contenus et des formes qui pourraient exister indépendamment les uns des autres. Aussi, sans reprendre à nouveau les innombrables discussions autour de ce problème (par exemple, autour de 1970, à l'intérieur de la critique d'orientation marxiste, entre tenants d'une « neutralité des formes filmiques », et tenants d'un rôle idéologiquement décisif du travail d'écriture [1]), nous dirons simplement qu'à notre avis, l'analyse de films a apporté, et peut encore apporter beaucoup, sur ce terrain. Si l'idéologie d'un texte est dans ce texte, il faut se donner les moyens de considérer le texte lui-même : ce que, précisément, l'analyse assure, en général, mieux que toute autre démarche. Bien sûr, il n'est pas indispensable de faire une analyse (« textuelle » ou autre) pour comprendre — même pour comprendre correctement — un film ; du moins l'analyse permet-elle (elle n'y contraint pas) d'avoir affaire à ce film lui-même, et non à l'histoire qu'il raconte, à ce qu'on a pu en dire ici ou là, au problème qu'il « illustre », etc.

Nous passerons sur un autre danger, symétrique du premier, auquel l'analyse de films permet d'échapper : le risque de formalisme excessif (encore que, sur ce plan, l'analyse ne soit pas sans comporter sa part de risque, comme nous l'avons noté.

Outre l'exemple classique de l'analyse de *Young Mr Lincoln,* déjà citée (chap. 6, § 3.1), nous citerons ici, comme exemple d'intégration réussie de l'analyse formelle, de l'analyse textuelle et de l'appréciation idéologique, le travail effectué sur *Octobre,*

---

1. Voir, pour la première position, Jean-Patrick Lebel, *Cinéma et Idéologie,* Editions Sociales, 1971, pour la seconde, les textes éditoriaux des *Cahiers du cinéma* et de *Cinéthique* en 1969-1971.

d'Eisenstein par Michèle Lagny, Marie-Claire Ropars et Pierre Sorlin. Il est vrai que le film s'y prête, qui « fait jouer la rencontre d'une expérience filmique (le montage conçu comme écriture cinématographique) et d'une représentation historique : la Révolution comme moment fort de l'Histoire ». Le rapport, singulièrement complexe (et pour cause) que le film établit entre les différentes figures du pouvoir — Kérenski, Kornilov, le Tsar, Lénine, les Bolchéviks — est ainsi lu **à travers** l'écriture du film, et non à partir d'idées prédéterminées sur une thèse politique qu'Eisenstein aurait cherché à traduire. Constatant, par exemple, l'existence d'une « poussée figurale » (circulation de diverses figures d'agents révolutionnaires) qui tend à « parcelliser » le camp de la révolution, face à la cohésion que garde jusqu'au bout le camp gouvernemental, les auteurs cherchent à évaluer (de façon d'ailleurs interrogative, puisqu'ils proposent deux lectures possibles) l'incidence de ce phénomène scriptural sur l'interprétation politique du film.

Nous ajouterons pour terminer sur ce point qu'une analyse qui vise à apprécier idéologiquement un film doit s'interroger, plus peut-être qu'une autre, sur la **réception** de ce film : les effets, voulus ou non, produits par un film donné, les malentendus à son propos, les polémiques, font alors partie de la lecture.

4. LE PLAISIR DE L'ANALYSE

Avec le titre de cette partie, nous avons conscience de faire état de ce qui peut apparaître d'emblée comme un paradoxe. La notion de **plaisir,** au cinéma comme ailleurs, n'est pas associée, en général, à celle de **travail** ; c'est, sans conteste, un des aspects de la division sociale-technique du travail dans les sociétés industrielles, que de séparer de plus en plus nettement le travail et les loisirs, ceux-ci étant considérés, dans l'idéologie dominante, comme le lieu exclusif du plaisir.

C'est précisément dans ce monde des loisirs, de la distraction, que sont vus en général les films (et l'industrie du cinéma est une des industries des loisirs). Or l'analyse de films, quelle que soit sa forme exacte, a toujours pour caractéristique, par nature, d'obliger à une **réflexion** et à une **re-vision.** Ces deux traits sont on ne peut plus directement opposés aux traits majeurs de la consommation du film comme divertissement, qui est **irréfléchie** et **unique.** Si, comme le notait déjà Barthes dans *S/Z,* relire un livre est toujours une petite transgression dans une société où le geste « normal » est de jeter le livre après l'avoir consommé, revoir un film est aussi un geste délibéré, qui peut certes être d'ordre purement fétichiste (comme dans le cas de certains films-« culte », de *Casablanca* à *Rocky Horror Picture Show*), mais qui va à contre-courant de l'idée, dominante, qu'un film nouveau vaut mieux qu'un film ancien.

La relecture, le re-vision, a fortiori ces re-visions informées et actives que sont les analyses, produisent donc une approche foncièrement différente des films, fondée non plus sur la jouissance immédiate et consommatrice, mais sur le savoir. Ce que nous voulons souligner, c'est que cette approche, socialement et subjectivement différente de l'approche « normale », n'est pas sans produire un certain type de plaisir spécifique.

Casablanca, de Michael Curtiz (1943).

Il y a d'abord ce qu'il faut bien appeler le plaisir du savoir. L'activité cognitive est une des importantes fonctions du cerveau humain, et comme toute fonction psychologique, elle implique une « prime » de satisfaction lorsqu'elle est correctement accomplie. Dans le cas de l'analyse de films, il est certain que très souvent, elle se fonde (pas uniquement, bien sûr) sur un fantasme de maîtrise : l'analyste veut posséder l'œuvre, au besoin d'ailleurs en la dérobant au cinéaste pour en faire sa chose en la recréant à sa fantaisie !

Les choix d'objets seraient ici très éclairants : s'attaquer à un film au récit complexe et/ou énigmatique, comme *2001*, *Muriel*, les films de Robbe-Grillet, c'est certainement en partie désirer (se) prouver qu'on peut « en venir à bout », le « réduire », avoir intellectuellement prise sur lui — peut-être expliquer la fascination qu'il exerce.
Quand il s'agit d'un grand classique, c'est parfois l'originalité de la lecture qui devient l'enjeu de l'analyse ; cet aspect devient très évident dans le cas d'analyses de

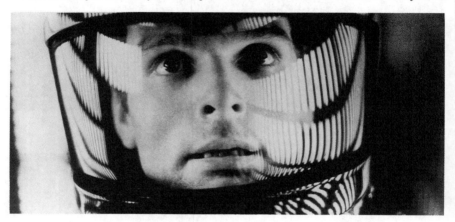

2001, l'Odyssée de l'espace, de Stanley Kubrick (1968).

films ordinairement méprisés (films de genre, de série, films « B », « nanards » de tout poil). Enfin, on n'en finirait pas de relever les cas où le choix du film analysé vise à conforter ou à exposer une théorie (cf. ci-dessus, § 1) — redoublant ainsi la prime de savoir.

D'autre part, l'analyse procure un indéniable plaisir lié au « décorticage » (nous avons déjà cité la *libido decorticandi,* fustigée par Dominique Noguez — mais qui n'a pas que des aspects négatifs). C'est là un plaisir essentiellement **ludique,** provenant probablement de la satisfaction partielle de pulsions sadiques. C'est le vieux thème du plaisir pris par l'enfant à casser sa montre pour voir comment elle marche (il est vrai que cette opération-là est devenue assez infructueuse depuis l'invention des composants intégrés...). L'analyste, en quelque sorte, « joue » avec le film qu'il analyse (ce qui n'est pas sans rapport, psychologiquement parlant, avec le fait que, comme nous l'avons dit plus haut, il en mime la re-création).

Corollairement, il nous semble très frappant que l'analyse change totalement — si elle ne l'efface pas — la perception de l'**ennui** au cinéma. C'est là un sujet qui déborde très largement notre point, mais qui mériterait de plus amples développements. La notion d'ennui est complexe, d'abord parce qu'elle est hautement subjective (au sens : variable avec chaque sujet), et surtout parce que ses causes potentielles sont nombreuses. On peut s'ennuyer devant un film parce qu'on le trouve « trop lent », « trop long », parce qu'il « ne s'y passe rien » (reproche stéréotypé adressé traditionnellement à Antonioni, Dreyer ou Duras) — mais aussi bien parce qu'on le trouve trop banal, trop prévisible (on peut s'ennuyer profondément devant *Magnum* ou *Agence tous risques,* qui échappent pourtant aux trois reproches précédents). L'ennui, au fond, dépend de la conception du cinéma qu'on a en général. Le regard analytique, presque par définition, est beaucoup moins susceptible de s'ennuyer : la « lenteur », la « longueur », l' « absence d'action » pas plus que le « banal » ou le « prévisible » n'existent guère pour lui, puisqu'il participe, de toute façon, d'une temporalité différente, et qu'il suscite, au fur et à mesure, ses propres objets d'intérêt.

Plus largement, et pour avoir pratiqué depuis des années ce type de rapport à un film, il nous semble clair que la pratique régulière de l'analyse transforme, non seulement la conception d'un film particulier une fois analysé, mais la façon même de voir des films en général, dès la première vision. En amenant à démonter les mécanismes de l'impression de réalité et de l'effet-fiction, l'analyse force à en apercevoir le côté artificiel, et renforce les « défenses cognitives » du spectateur contre le pouvoir d'illusion que détient tout film. Elle contribue à **déplacer** le plaisir du spectateur.

Une dernière remarque à ce sujet. Une des caractéristiques les plus constantes et les plus voyantes de l'histoire récente des arts traditionnels (peinture, sculpture, musique) est incontestablement leur tendance à devenir des « méta-arts ». L'idéologie baroque, comme après elle l'idéologie romantique, fondaient leur système esthétique sur une réponse « immédiate » du spectateur à l'œuvre d'art ; cette dernière était censée donner un accès plus facile, plus direct, à la réalité du monde, et les catégories pertinentes étaient celles de réalisme, d'empathie, de pénétration, de révélation, etc. L'art de notre époque a presque totalement aboli ce type de relation entre l'œuvre et le monde d'une part, entre l'œuvre et le spectateur d'autre part. La consommation d'une œuvre de Stockhausen, de Pollock ou de Moore (pour ne parler que de créateurs déjà « classiques », en tout cas consacrés), repose sur des mécanismes psychologiques entièrement différents, largement fondés sur un **savoir** du spectateur. La chose serait encore plus évidente pour des formes plus récentes des arts plastiques comme l'art environnemental, la performance ou le dit art conceptuel. Il est clair que l'industrie du cinéma, aujourd'hui encore, est un des lieux de résistance majeure à cette évolution de l'art ; il n'est évidemment pas question de faire de l'analyse de films, à elle seule, l'équivalent d'une révolution esthétique : il nous semble pourtant que ce n'est pas absolument par hasard qu'elle a connu son essor au moment où apparaissaient dans les circuits de diffusion publics (et non pas seulement dans tel ou tel ghetto) un certain nombre de films qui, dysnarratifs, paranarratifs ou métanarratifs, ont pour commune caractéristique de refuser l'idéologie de l'immédiateté, de l'empathie, et ses effets hypnotiques sur le spectateur, au profit de conceptions plus « intellectuelles » (susceptibles par là même de donner lieu à de multiples formes de rejet).

5. L'ANALYSE COMME APPRENTISSAGE

Cette dernière visée de l'analyse est en fait la première. Enseignants eux-mêmes, les auteurs de ce livre ont conscience que, quel que soit par ailleurs l'usage qu'on en peut faire, l'analyse de films est avant tout un extraordinaire outil pédagogique.

Deux aspects de la situation pédagogique (quel que soit le niveau et le contexte précis où elle se produit) nous paraissent singulièrement importants : l'analyse en situation pédagogique est une analyse le plus souvent **orale** ; c'est une analyse **de groupe**.

5.1. Analyse orale.

L'analyse orale, c'est une remarque souvent faite, est capable de surmonter certaines des difficultés — pratiques et de principe — de l'analyse écrite. Pour en rester à l'essentiel, l'avantage est évidemment de ne pas se heurter, ou moins frontalement, au problème de la **citation**. Si, comme nous le disions plus haut, l'analyse doit bien avoir affaire au film lui-même, et non à ce « méta-film » (Kuntzel) qui n'en est somme toute qu'un des artefacts, elle doit toujours imaginer des stratégies complexes pour contourner cette inescamotable différence de nature entre le défilement filmique et l'ordre du discours verbal. L'analyse orale est ici en position avantageuse, puisqu'elle n'a pas besoin d'**évoquer** le film : il est là, il peut être co-présent au discours de l'analyste. Notons d'ailleurs que c'est aussi un des traits qui tendent à privilégier l'analyse de films par rapport à d'autres pratiques d'enseignement : même si elle consiste à briser la fascination exercée par le film, elle reste relativement proche de la situation **spectaculaire,** et elle satisfait, au moins partiellement, le désir de voir des images (qui reste toujours très fort chez la plupart des publics scolaires).

Un aspect, mineur en principe, mais important en fait, est le recours à des instruments de visionnement et d'analyse de plus en plus souples. La grande révolution, en la matière, a été celle du magnétoscope « grand public ». La possibilité de disposer d'une copie totalement manipulable, sur laquelle on peut réaliser des accélérés, des ralentis, des arrêts, des décompositions image par image, etc., tend indubitablement à rapprocher les conditions mêmes de présence et d'utilisation du film, des conditions de l'analyse. Le prix à payer est bien connu : la copie d'un film sur bande magnétique « grand public » est presque toujours d'une qualité technique médiocre, voire mauvaise.

Notons toutefois que ce problème n'est pas apparu avec la copie magnétique. Comme l'ont relevé bien des théoriciens, des historiens et des critiques, le mot « film » lui-même est ambigu, puisqu'il désigne aussi bien l'objet matériel — un ensemble de bobines de pellicule, en plus ou moins bon état, souvent obtenu par copie, contretypage ou autre — que l'objet « idéal » — le film projeté sur un écran dans les meilleures conditions possibles, et qui est celui dont l'analyste s'occupe. Il ne manque pas d'exemples d'analyses de films qui, à un moment ou à un autre, ont buté sur des problèmes, en droit mineurs, de qualité de la copie ; pour ne donner qu'un exemple, c'est ainsi que Raymond Bellour, dans son analyse exemplairement minutieuse de *North By Northwest,* avoue avoir longtemps manqué la première apparition de l'avion qui attaque Roger Thornhill, la copie dont il disposait étant trop rayée...

Même si cette qualité médiocre de la reproduction vidéo est compensée, nous semble-t-il, par sa flexibilité et son adéquation à l'analyse, il reste donc toujours nécessaire de revenir, chaque fois que possible, au film original, projeté dans de bonnes conditions. Mais nous ne faisons là que répéter une évidence : on ne peut éternellement rester dans la dissection, ni se contenter d'utiliser ce qui n'est qu'une trace du film ; quand ce ne serait que dans l'intérêt même de l'analyse, il faut voir les films dans les conditions pour lesquelles ils ont été conçus (cf. chapitre 2, § 1).

Nous touchons ici, encore une fois, à un point beaucoup plus général, lié au quasi-bouleversement de nos habitudes de vision et de consommation qu'a induit le magnétoscope, mais déjà, avant lui, la télévision. De plus en plus, l'amateur se constitue sa propre « cinémathèque » sur cassettes ; de plus en plus, il tend à regarder ses films par fragments, et aussi à les confronter les uns aux autres. Comme, par ailleurs, la télévision est aussi une occasion de confrontations imprévues, par le « slalom » sauvage à travers l'histoire des films qu'elle nous propose journellement ; comme, enfin, l'image électronique, avec ses possibilités presque infinies de déformation, y impose une nouvelle conception du cadre comme « mise en page », on voit que nos habitudes de vision sont en train de changer, plus vite et plus radicalement que cela n'avait été le cas depuis l'invention du cinéma.

Il est donc capital, dans l'analyse orale (qui est le plus souvent une analyse pédagogique), de tenir compte de cette situation. Il est essentiel, pour tous les enseignants amenés à pratiquer l'analyse de films, qu'ils soient conscients des écarts gigantesques qui existent, entre individus et entre couches sociales, dans le rapport aux images animées. C'est un lieu commun de dire que la plupart des enfants d'âge scolaire passent plusieurs heures par jour devant la télévision. On peut s'en désoler (encore que le passéisme ne serve de rien), et l'hyper-fréquentation de la télévision a ses inconvénients (souvent éprouvés par des enseignants auxquels on accorde la même attention flottante qu'au « speaker » de la « télé ») ; mais pour l'analyse de films, et de façon générale, la propension au regard analytique, c'est un instrument au potentiel encore sous-utilisé. Le rôle de l'enseignant ici est multiple et complexe, puisqu'il doit à la fois, et contradictoirement, accepter cette pratique de la télévision chez ses élèves (et en tirer parti comme d'une véritable base **culturelle**), mais aussi les aider à découvrir un autre mode de vision, celui que requiert le cinéma (vision ininterrompue, attentive, permettant seule de réellement **voir** et apprécier un film — les « grands » films comme les autres). L'analyse de films, et, pensons-nous, d'abord de films importants, aux caractères stylistiques frappants, est sans aucun doute l'une des voies privilégiées de cette éducation du regard.

5.2 Analyse de groupe.

Ce trait de l'analyse en situation pédagogique touche à de multiples problèmes pratiques, qui sont ceux de toute situation pédagogique, et sur lesquels nous ne nous étendrons pas. Nous soulignerons seulement deux caractères importants d'une analyse de groupe :

— d'abord, elle donne lieu à une **invention** plus **collective**. Il y a presque, pourrait-on dire, une maïeutique de l'analyse orale. Naturellement, il ne faut pas trop se leurrer : une analyse réellement collective suppose une égale participation de tous les membres du groupe ; or, l'enseignant, qui connaît en général mieux le film et a davantage d'expérience de l'analyse, bénéficie d'une certaine « avance » : aussi son rôle est-il en général de proposer une perspective susceptible d'intégrer les remarques du groupe ;

— ensuite, elle est a priori mieux garantie contre les délires d'interprétation, et un certain degré de **vérification** y est plus aisé. Le risque est même que cette vérification permanente devienne une quasi-censure, qui bloque l'inventivité.

Nous terminerons en mentionnant certains usages plus particuliers de l'analyse : un film de fiction peut par exemple permettre de multiples lectures projectives qui seront un objet d'étude psychologique privilégié. Dans un tout autre ordre d'idées, l'analyse peut servir d'appui à une conception normative du cinéma, en mettant en évidence des procédés, appréciés positivement ou négativement par rapport à un certain modèle du langage cinématographique par exemple (ou de l'écriture de scénario, etc.) : c'est une pratique fréquente dans les écoles professionnelles de cinéma, où l'analyse sert à enseigner la « bonne façon » de faire des films.

6. ANALYSE DE FILM, ANALYSE AUDIOVISUELLE

Nous ne voudrions pas conclure sans une dernière remarque, à vrai dire plus prospective qu'autre chose. Ce dont nous avons parlé au long de ce livre, les exemples que nous avons cités relèvent d'une conception, et d'une pratique, forcément datées — même si elles sont encore très proches de nous dans le temps, voire même encore actuelles. Mais il nous paraît important, d'abord, d'affirmer que l'activité analytique que nous avons décrite n'a nulle raison de s'arrêter aux frontières du cinéma de fiction traditionnel ; d'ores et déjà, l'analyse de publicités filmées, de vidéo-clips, d'émissions télévisées, est, ici ou là, objet de recherche et d'enseignement ; c'est certainement à de nouveaux déplacements de la théorie que cette pratique nouvelle, prenant acte de l'apparition de nouvelles formes et de nouveaux dispositifs, conduira à terme : on concevra que nous ne puissions en dire plus.

Ensuite — et nous terminerons là-dessus — il est possible (sinon nécessairement probable) que, par des voies que nous ne pouvons prévoir, l'analyse **filmique** (c'est-à-dire l'analyse **par** le film) devienne enfin autre chose que l'utopie régulièrement récurrente qui s'est retrouvée sous la plume de nombre d'analystes des quinze ou vingt dernières années[2]. Peut-être le prochain ouvrage sur l'analyse des films sera-t-il, qui sait, diffusé sous forme de cassettes vidéo...

BIBLIOGRAPHIE

Jean-Patrick LEBEL, *Cinéma et idéologie,* Paris, éd. Sociales, 1971.

Alfred GUZZETTI, *Two or Three Things I Know About Her,* analysis of a film by Godard, Cambridge, Harvard University Press, 1981.

Michèle LAGNY, Pierre SORLIN, Marie-Claire ROPARS, *La Révolution figurée,* Paris, Albatros, 1977.

Marie-Claire ROPARS, *Le Texte divisé,* « Écritures », Paris, PUF, 1981. — « Étude de Genèse », in *Muriel, Histoire d'une recherche, op. cit.*

Michel COLIN, « La dislocation », in *Théorie du film,* Paris, Albatros, 1980. — « Coréférences dans *The Adventures of Dollie* », in *D. W. Griffith,* Publications de Sorbonne, Paris, L'Harmattan, 1984.

Kristin THOMPSON. *Eisenstein's « Ivan the Terrible » A Neoformalist Analysis, op. cit.*

Michel MOURLET, *Sur un art ignoré.* Paris, La Table Ronde, 1965, rééd. sous le titre *La Mise en scène comme langage,* Paris, Henri Veyrier, 1987.

---

2. Depuis la rédaction de ce chapitre, cette prévision a été actualisée, à tout le moins, par les premiers produits de la série « Image par Image » (dirigée par Jean Douchet pour la Sept) : analyse de *M. le Maudit* par Douchet lui-même, de *Naissance d'une nation,* par Gérard Leblanc et Nicolas Stern, etc.

BIBLIOGRAPHIE

Cette bibliographie sélective ne cite que les livres et recueils d'articles comprenant des analyses de films étudiant en détail les titres cités. Nous n'avons pas cité les monographies d'auteurs et les livres de théorie générale, à quelques rares exceptions près (justifiées par le développement de parties analytiques consacrées à un ou plusieurs films). Un index précise les réalisateurs et les dates en renvoyant au numéro de la référence donné dans cette bibliographie. Nous avons renoncé à donner une bibliographie d'articles séparément parus en revues car elle aurait atteint plus de 1 000 références ; nous nous sommes contentés de citer quelques numéros spéciaux consacrés à l'analyse de films, en tout ou en partie.

I. LIVRES CONSACRÉS À DES ANALYSES DE FILMS

1. AGEL (Jerome), *The Making of Kubrick's 2001*, New York, Signet Books, 1970.
   2001, l'Odyssée de l'espace.

2. ALLEN (Robert) et GOMERY (Douglas), *Film History, Theory and Practice*, New York, Knopf, 1985.
   L'Aurore.

3. ANDREW (Dudley), *Film in the Aura of Art*, Princeton univ. Press, 1984.
   Le Lys brisé — L'Aurore — L'Atalante — L'Homme de la rue — La Symphonie pastorale — Le Journal d'un curé de campagne — Henri V.

4. ARNAUD (Philippe), *Robert Bresson*, Paris, Cahiers du Cinéma, collection « Auteurs », 1986.
   Au Hasard Balthazar — Le Procès de Jeanne d'Arc.

5. AUMONT (Jacques), *Montage Eisenstein*, Paris, Albatros, 1979.
   La Ligne générale — Ivan le Terrible.

6. BAILBLÉ (Claude), MARIE (Michel), ROPARS (Marie-Claire), *Muriel, histoire d'une recherche*, Paris, Galilée, 1974.
   Muriel.

7. BLUESTONE (George), *Novels into Film*, Univ. California Press, 1957.
   Le Mouchard — Les Hauts de Hurlevent — Les Raisins de la colère — L'Étrange incident — Madame Bovary.

8. BORDWELL (David) et THOMPSON (Kristin), *Film Art, An Introduction*, Reading, Addison-Wesley, 1979.
   Citizen Kane — Les Lois de l'Hospitalité — Un Condamné à mort s'est échappé.

9. BORDWELL (David), *The Films of Carl Theodor Dreyer*, Berkeley, et Los Angeles University of California Press, 1981.

La Passion de Jeanne d'Arc — Vampyr — Jour de colère — Ordet — Gertrud.

10. BORDWELL (David), STAIGER (Janet), THOMPSON (Kristin), *The Classical Hollywood Cinema*, Film Style and Mode of Production to 1960, New York, Columbia University Press, 1985.

11. BORDWELL (David), *Narration in the Fiction Film*, Univ. of Wisconsin Press, 1985.

Fenêtre sur cour — La Dame du vendredi — Le Cuirassé Potemkine — La Stratégie de l'araignée — L'Aurore — L'Éventail de Lady Windermere — Les Tueurs — La Guerre est finie — La Nouvelle Babylone — Pickpocket.

12. BOUVIER (Michel) et LEUTRAT (Jean-Louis), *Nosferatu*, Paris, Gallimard-Cahiers du Cinéma, 1981.

13. BROWNE (Nick), *The Rhetoric of Filmic Narration*, Ann Arbor, UMI Research Press, 1982.

La Chevauchée fantastique — Les 39 Marches — Au Hasard Balthazar.

14. BURCH (Noël), *Praxis du cinéma*, Paris, Gallimard, 1969, rééd. 1987.

Nana — Pickpocket — Une simple histoire.

15. BURCH (Noël), *Pour un observateur lointain, forme et signification dans le cinéma japonais*, Paris, Gallimard-Cahiers du cinéma, 1982.
Les Fleurs tombées.

16. CASETTI (Francesco), *Dentro lo sguardo, Il film e il suo spettatore*, Milan, Bompiani, 1986.

Furie — El — Citizen Kane — Chronique d'un amour — Le Grand Alibi.

17. CHATEAU (Dominique) et JOST (François), *Nouveau Cinéma, nouvelle sémiologie*, essai d'analyse des films d'Alain Robbe-Grillet, Paris, coll. « 10-18 », U.G.E., 1979 rééd. Éd. de Minuit, 1986.

L'Homme qui ment — L'Éden et après — Trans-Europ Express — L'Immortelle.

18. CHION (Michel), *La Voix au cinéma*, Paris, Cahiers du Cinéma-Éd. de l'Étoile, 1982.
Le Testament du docteur Mabuse — Psychose — L'Intendant Sansho.

19. CHION (Michel), *Le Son au cinéma*, Paris, Cahiers du Cinéma-Éd. de l'Étoile, 1985.
Trafic — Le Plaisir.

20. CHION (Michel), *Écrire un scénario*, Paris, INA-Cahiers du cinéma, 1985.
Pauline à la plage — Le Port de l'angoisse — Le Testament du Docteur Mabuse — L'Intendant Sansho.

21. CHION (Michel), *Jacques Tati*, Paris, Cahiers du cinéma, collection « auteurs », 1987.

Jour de fête — Les Vacances de M. Hulot — Mon Oncle — Playtime — Trafic.

22. COHEN (Keith), *Film and Fiction*, Yale Univ. Press, 1979.

La Chute de la Maison Usher — L'Année dernière à Marienbad.

23. DAYAN (Daniel), *Western Graffiti, Jeux d'images et programmation du spectateur dans la Chevauchée fantastique, de John Ford*, Paris, Clancier-Guénaud, Bibliothèque des signes, 1983.

La Chevauchée fantastique.

24. DONDA (Ellis), *Metafore di una visione*, Roma, Éd. Kappa, 1983.

La Terre — Nosferatu — La Passion de Jeanne D'Arc — Anna Karénine — Soupçons — La Fureur de vivre — La Terre tremble.

25. DOUCHET (Jean), *Alfred Hitchcock*, Paris, L'Herne. Cinéma, 1967, rééd. 1987.

Sueurs Froides — La Mort aux trousses — Psychose — Les Oiseaux.

26. DUMONT (Jean-Paul) et MONOD (Jean), *Le Fœtus Astral*, Paris, Christian Bourgois, 1970.

2001, l'Odyssée de l'espace.

27. FRIEDMAN (Régine Mihal), *L'Image et son juif, Le Juif dans le cinéma nazi*, Paris, Payot, 1983.

Les Rothschild — Le Juif Süss.

28. GARDIES (André), *Approche du récit filmique*, Paris, Albatros, 1980.

L'Homme qui ment.

29. GARDIES (André), *Le Cinéma de Robbe-Grillet, essai sémiocritique*, Paris, Albatros, 1983.

L'Immortelle — L'Homme qui ment — Trans-Europ Express — L'Éden et après.

30. GUZZETTI (Alfred), *Two or Three Things I Know about Her*, Cambridge Massachusetts, Harvard University Press, 1981.

Deux ou trois choses que je sais d'elle.

31. HEDGES (Inez), *Languages of Revolt : Dada and Surrealist Literature and Film*, Durham, Duke Univ. Press, 1983.

Un Chien Andalou — La Coquille et le clergyman.

32. HUMPHRIES (Reynold), *Fritz Lang cinéaste américain*, Paris, Albatros, 1982.

La Femme au portrait — Le Secret derrière la porte — House by the river — Casier judiciaire — Les Contrebandiers de Moonfleet.

33. JENN (Pierre), *Georges Méliès cinéaste*, Paris, Albatros, 1984.

Le Voyage dans la lune — Le Voyage à travers l'impossible.

34. LARÈRE (Odile), *De l'imaginaire au cinéma*, Paris, Albatros, 1980.

Violence et passion.

35. LAGNY (Michèle), ROPARS (Marie-Claire), SORLIN (Pierre), *« Octobre », écriture et idéologie*, Paris, Albatros, 1976.

36. LAGNY (Michèle), ROPARS (Marie-Claire), SORLIN (Pierre), *La Révolution figurée, film, histoire, politique*, Paris, Albatros, 1979.

Octobre.

37. LAGNY (Michèle), ROPARS (Marie-Claire), SORLIN (Pierre), *Générique des années 30*, Paris, Presses Universitaires de Vincennes, 1986.

Rendez-vous Champs-Élysées — Carnet de bal — Le Puritain — M. Breloque a disparu — Choc en retour — La Bataille — Ultimatum — Deuxième Bureau contre Kommandantur — Pépé le Moko — Bourrasque — Les Hommes nouveaux — Les Cinq Gentlemen maudits.

38. Mac CABE (Colin), *Godard : Images, Sounds, Politics*, Indiana University Press, 1980.

Numéro deux — France Tour Détour.

39. NICHOLS (Bill), *Ideology and the Images*, Bloomington, Indiana Univ. Press, 1981.

Les Oiseaux — Blonde Venus — Hospital.

40. PETRIĆ (Vlada), *Constructivism in Film*, Cambridge Univ. Press, 1987.

L'Homme à la caméra.

41. PRAWER (Siegbert), *Caligari's Children. The Film as Tale of Terror*, Oxford University Press, 1980.

Docteur Jeckyll et Mister Hyde — Vampyr — Le Cabinet du docteur Caligari.

42. RAVAR (Raymond) — sous la direction de, *Tu n'as rien vu à Hiroshima*, Bruxelles, 1962, Institut de sociologie, Université libre de Bruxelles.

Hiroshima, mon amour.

43. ROHMER (Éric), *L'Organisation de l'espace dans le « Faust » de F. W. Murnau*, Paris, coll. « 10-18 », U.G.E. 1977.

Faust.

44. ROPARS (Marie-Claire), *Le Texte divisé*, Paris P.U.F., 1981, collection « Écritures ».

M. le Maudit — La Règle du jeu — India Song — Les Diamants de la nuit.

45. SANCHEZ-BIOSCA (Vicente), *Del Otro lado : la metafora,* Valencia, Eutopias, 1985.

Le Cabinet du docteur Caligari — Le Dernier des Hommes — Nosferatu.

46. SCHÉFER (Jean-Louis), *L'Homme ordinaire du cinéma,* Paris, Cahiers du cinéma — Gallimard, 1980.

Freaks — Vampyr.

47. SIMON (Jean-Paul), *Le Filmique et le comique,* Paris, Albatros, 1979.

Explorateurs en folie — Une Nuit à l'opéra — La Soupe aux canards — Plumes de cheval.

48. SORLIN (Pierre), *Sociologie du cinéma,* Paris, Aubier-Montaigne, collection « Historique », 1977.

Ossessione — Salvatore Giuliano — Europe 51 — Le Voleur de bicyclette.

49. THOMPSON (Kristin), *Eisenstein's « Ivan the Terrible » : A Neoformalist Analysis,* Princeton University Press, 1981.

Ivan le terrible.

50. TRUFFAUT (François), *Le Cinéma selon Hitchcock,* Paris, Robert Laffont, 1966, rééd. Ramsay-Poche, 1987.

51. VANOYE (Francis), *Récit écrit, récit filmique,* Paris, CEDIC, 1979, collection « textes et non textes ».

Une Partie de campagne — Jules et Jim — Le Jour se lève — La Règle du jeu.

52. WRIGHT (Will), *Sixguns and society. A Structural Study of the Western,* University of California Press, 1975.

II. RECUEILS D'ARTICLES

53. AUMONT (Jacques) et LEUTRAT (Jean-Louis) (sous la direction de), *Théorie du film,* Paris, Albatros, 1980.

La Règle du jeu — Nosferatu — Le Dernier train de Gun Hill — Sarati le Terrible — Abus de confiance — Hôtel du Nord — Souvenirs d'en France — Une Partie de campagne — Le Grand Sommeil.

54. BELLOUR (Raymond), *L'Analyse du film,* Paris, Albatros, 1979.

Les Oiseaux — Le Grand Sommeil — La Mort aux trousses — Gigi — Marnie — Psychose.

55. BELLOUR (Raymond), *Le Cinéma américain, analyses de films* (sous la direction de), tome 1 et 2, Paris, Flammarion, 1980.

Tome 1 :
The Life of an American Cow-boy — Enoch Arden — The Lonedale Operator

— *Les Rapaces* — *The Vanishing American* — *Morocco* — *Les Chasses du comte Zaroff* — *Le Cavalier du désert* — *Masques de cire* — *Furie* — *Seuls les anges ont des ailes* — *Vers sa destinée.*
Tome 2 :
Citizen Kane — *La Féline* — *Vaudou* — *L'Homme léopard* — *La Septième victime* — *The Ghost ship* — *La Malédiction des hommes chats* — *Soupçons* — *Le Faucon maltais* — *Assurance sur la mort* — *Le Grand Sommeil* — *La Dame de Shanghai* — *Pendez-moi haut et court* — *La Femme à abattre* — *Le Chant du Missouri* — *Le Pirate* — *Les Hommes préfèrent les blondes* — *Les Chevaliers de la Table Ronde* — *La Soif du mal.*

56. CASETTI (Francesco), *L'Immagine al plurale,* Venezia, Marsilio, 1984.

Mash — *Goldorak.*

57. CHATEAU (Dominique), GARDIES (André), JOST (François), *Cinémas de la modernité, films, théories,* (sous la direction de), Paris, Klincksieck, 1981.

L'Hiver — *La Jetée* — *Ivan le terrible* — *Un Chien Andalou* — *Persona.*

58. HEATH (Stephen) et MELLENCAMP (Patricia) — eds., *Cinema and Language,* Los Angeles, A.F.I., 1983.

Un Chien Andalou — *Histoire des chrysanthèmes tardifs* — *La Maison du docteur Edwardes.*

59. HEATH (Stephen), *Questions of Cinema,* Bloomington, Indiana University Press, 1981.

Soupçons — *La Pendaison* — *L'Empire des sens* — *La Soif du mal.*

60. KAPLAN (E. Ann), *Women in Film Noir,* Londres, B.F.I. 1978.

Mildred Pierce — *Gilda* — *Klute* — *La Femme au gardénia* — *Assurance sur la mort.*

61. LYANT (Jean Charles) et ODIN (Roger), sous la direction de, *Cinémas et réalités,* Saint-Étienne, 1984, CIEREC.

L'Homme à la caméra — *Moi, un noir* — *Fad-jal* — *Nanouk l'esquimau* — *L'Homme d'Aran* — *La Bête lumineuse.*

62. Mac CANN (R. D.) et ELLIS (John), *Cinema Examined,* New York, Dutton, 1982.

Naissance d'une nation — *Gabriel over the White House* — *La Ligne générale* — *Cet obscur objet du désir.*

63. SITNEY (P. Adams), *The Essential Films, Anthology Film Archives,* 1975.

Arsenal — *L'Homme à la caméra* — *La Grève* — *Le Cuirassé Potemkine.*

64. WOLLEN (Peter), *Readings and Writings,* London, Verso éd. 1982.

La Mort aux trousses — *Psychose* — *Citizen Kane* — *Vent d'est.*

III. NUMÉROS SPÉCIAUX DE REVUES

65. *Communications*, n° 23, Paris, Le Seuil, 1975.

Le Cabinet du docteur Caligari – Un chien andalou – Les Chasses du Comte Zaroff – La Chevauchée fantastique – La Mort aux trousses – Soudain l'été dernier – Lilith – Freud, passions secrètes.

66. *Yale French Studies*, n° 60, « Cinema Sound », 1980.

L'Atalante – L'Histoire d'Adèle H. – La Chienne – Le Journal d'un curé de campagne – India Song.

67. *Video-Forum*, n° 17, décembre 1982, Caracas, Venezuela.

Goldorak – Chinatown – Blow-Up – Le Crime était presque parfait – L'Homme qui ment.

68. *Communications*, n° 38, Paris, Le Seuil, 1983.

The Musketeers of Pig Alley – Le Schpountz – Adieu Philippine – Ma Nuit chez Maud – La Dame du lac – Film – Le Tempestaire.

69. *Carte Semiotiche*, n° 1, 1985, Firenze, Piccardi e Martinelli, 1985.

Les Voisins – La Maison du docteur Edwardes – Élisa, Vida mia.

70. *Revue Belge du cinéma*, n° 16, été 1986, « Jean-Luc Godard, les films ».

A bout de souffle – Le Mépris – Pierrot le fou – Une femme est une femme – Passion – Les Carabiniers.

SUPPLÉMENT BIBLIOGRAPHIQUE 1988-1999

I. PROBLÈMES GÉNÉRAUX

CASETTI (Francesco) et DI CHIO (Federico), *Analisi del film*, Milan, Bompiani, 1990 ; trad. espagnole *Como Analizar un film*, Instrumentos Paidos, Barcelone, 1994.
VANOYE (Francis) et GOLIOT-LÉTÉ (Anne), *Précis d'analyse filmique*, Nathan, coll. « 128 », 1992.

II. ÉTUDES DE FILMS :

ARNOLDY (Edouard) et DUBOIS (Philippe), « Un Chien Andalou, lectures et relectures », *Revue Belge du cinéma*, 1993.

BERTETTO (Paolo) et EISENSCHITZ (Bernard), sous la direction de, *Fritz Lang, la mise en scène*, Cinémathèque française. Museo Nazionale del Cinema, Filmoteca Generalitat Valenciana, Turin, 1993.
Les Trois Lumières, Mabuse le joueur et *Mabuse le démon du crime, Furie, Les Bourreaux meurent aussi, Espions sur la Tamise,* etc.

BERTHOME (Jean-Pierre) et THOMAS (François), *Citizen Kane*, Paris, Flammarion, 1992.

BORDWELL (David), *The Cinema of Eisenstein*, Cambridge, Harvard University Press, 1993.
La Grève, Le Cuirassé Potemkine, Octobre, La Ligne générale, Alexandre Nevski, Ivan le Terrible.

BURCH (Noël), présenté et traduit par, *Revoir Hollywood, la nouvelle critique anglo-américaine*, Nathan Université, 1993.
Femmes marquées, Stella Dallas, Monsieur Smith au sénat, Seuls les anges ont des ailes, L'Ombre d'un doute, L'Enfer est à lui, Johnny Guitare, La Route des ténèbres, Les Passagers de la nuit, Détour, Gilda, Le Mystérieux docteur Korvo.

COREMANS (Linda), *La Transaction filmique, Du Contesto à Cadaveri Eccellenti*, Berne, Peter Lang, 1990.

HAYWARD (Susan) et VINCENDEAU (Ginette), *French Film, Texts and Contexts*, Londres et New York, Routledge, 1990.
La Souriante Madame Beudet, La Coquille et le Clergyman, Napoléon, L'Argent, Sous les toits de Paris, Marius-Fanny-César, La Bête humaine, Le Jour se lève, Les Enfants du Paradis, La Belle et la bête, Le Journal d'un curé de campagne, Les vacances de Monsieur Hulot, Casque d'or, Hiroshima mon amour, Les 400 coups, A Bout de souffle, Le Mépris, Ma nuit chez Maud, Sauve qui peut (la vie), A nos amours, Les Nuits de la pleine lune, Sans toit ni loi.

DEWISMES (Brigitte) et LEBLANC (Gérard), *Le Double scénario chez Fritz Lang*, Paris, A. Colin, sur *Big Heat* (*Règlement de comptes*, 1953).

LAGNY (Michèle), sous la direction de, *Théorème 1*, revue de l'IRCAV, « Visconti, subversion et classicisme », Paris, Presses de la Sorbonne Nouvelle, 1990.
Senso, Bellissima, Sandra, Les Damnés, Ludwig.

LEUTRAT (Jean-Louis), *Kaléidoscope, analyses de films*, Lyon, Presses universitaires de Lyon, 1989.
Ivan le terrible, La Prisonnière du désert, Psychose, Fenêtre sur cour, Chantons sous la pluie, Le Tombeur de ces dames, etc.

LEUTRAT (Jean-Louis), sous la direction de, *Théorème 2*, revue de l'IRCAV, « *L'Amour à mort* d'Alain Resnais », Paris, Presses de la Sorbonne Nouvelle, 1992.

LEUTRAT (Jean-Louis) sous la direction de, *Théorème 3*, revue de l'IRCAV, « L'Analyse des films », Paris, Presses de la Sorbonne Nouvelle, 1994.

MEDER (Thomas), *Vom Sichtbarmachen der Geschichte. Der italiennische « Neo-realismus », Rossellinis Païsa und Klaus Mann*, Munich, Trickster, 1993.

SELLIER (Geneviève), *Jean Grémillon, Le cinéma est à vous*, Paris, Méridiens-Klincksieck, 1989.
Gueule d'amour, Maldonne, L'Étrange monsieur Victor, Remorques, Le ciel est à vous, Lumière d'été, L'Amour d'une femme, etc.

SORLIN (Pierre), *European cinemas societies, 1939-1990*, Londres, Routledge, 1991.
A l'ouest rien de nouveau, Païsa, Rome ville ouverte, L'Éclipse, etc.

SORLIN (Pierre), *Esthétique de l'audiovisuel*, Paris, Nathan Université, 1992.
Passion, Charlot s'évade, Médée, Persona, Le Désert rouge.

TARANGER (Marie-Claude), *Luis Buñuel, le jeu et la loi*, coll. « L'imaginaire du texte », Saint-Denis, Presses universitaires de Vincennes, 1990.

TESSON (Charles), « La règle et l'esprit : la production de *Toni* de Jean Renoir », *Cinémathèque*, n°s 1, 2 et 3, 1992-1993. *Toni.*

THOMAS (François), *L'Atelier d'Alain Resnais*, Paris, Flammarion, 1989. *I Want to Go Home.*

TURK (Edward), *Child of Paradis, Marcel Carné and the Golden Age of French Cinema*, Cambridge, Harvard University Press, 1989.
Jenny, Quai des brumes, Hôtel du nord, Les Enfants du Paradis, etc.

VERNET (Marc), *Figures de l'absence, De l'invisible au cinéma*, Paris, Cahiers du cinéma, coll. « Essais », 1988.
Les Passagers de la nuit, La Dame du lac, Halloween, Wolfen, The Window, Dragonwyck, Rebecca, Chaînes conjugales.

Collections de monographies d'analyse critique :

C'est le phénomène éditorial le plus remarquable depuis la première édition de *L'Analyse des films* en 1988.

Sont apparues presque simultanément la collection « Long métrage » en Belgique, dirigée par Patrick Leboutte et la collection « Synopsis » chez Nathan, dirigée par Francis Vanoye ; puis deux collections plus éphémères, « Films », Lyon, L'Interdisciplinaire et « Image par image », Paris, Hatier.

Collection « Long métrage », éd. Yellow Now ; 15 titres parus depuis 1988, dont : *Les Vacances de Monsieur Hulot*, de Jacques Tati, par Jacques Kermabon, 1988. – *À nos Amours*, de Maurice Pialat, par Alain Philippon, 1989. – *Voyage en Italie*, de Roberto Rossellini, par Alain Bergala, 1990. – *La Maman et la Putain*, de Jean Eustache, par Colette Dubois, 1990. – *Man Hunt*, de Fritz Lang, par Bernard Eisenschitz, 1992. – *Bande à part*, de Jean-Luc Godard, par Barthélemy Amengual, 1993. – *Vampyr*, de Carl Th. Dreyer, par Jacques Aumont, 1993. – *La Chienne*, de Jean Renoir, par Jean-Louis Leutrat, 1994.

Collection « Synopsis », 128 pages, éd. Nathan ; 35 titres parus depuis 1989 : *La Règle du jeu, Les Lumières de la ville, Citizen Kane, M le Maudit, Barry Lyndon, Fenêtre sur cour, Le Mépris, Le Guépard, Les Quatre Cents coups, Les Enfants du Paradis, Senso, Le Septième Sceau, Le Cuirassé Potemkine, Certains l'aiment chaud, Profession : reporter, Mon Oncle, Un Chien Andalou* et *L'Âge d'or, La Grande Illusion, Hiroshima mon amour, El, Partie de campagne, Femmes au bord de la crise de nerfs, Jules et Jim, Manhattan, Land and Freedom, Et vogue le navire, Les Contes de la lune vague, À bout de souffle, À nos amours...*

Parmi les collections étrangères, l'une britannique, l'autre nord-américaine :

Collection « Film classics », British Film Institute, dont *Citizen Kane*, par Laura Mulvey (1992), *Olympia* par Taylor Downing (1992), *Singin' in the Rain*, par Peter Wollen (1992), *L'Atalante*, par Marina Warner (1993), *In a Lonely Place (Le Violent)*, par Dana Polan, 1993, *L'Avventura*, par Geoffrey Nowell-Smith, 1997, *Pépé le Moko*, par Ginette Vincendeau, 1998, 80 pages.

Collection « Wisconsin/Warner Bros screenplay series », depuis 1979 ; par exemple : *The Jazz Singer* edited with an introduction by Robert L. Caringer. Précieuse collection pour l'étude du processus de production des films.

INDEX DES FILMS CITÉS

Nous donnons ci-dessous, par ordre alphabétique des titres français, la liste des films cités dans le texte. Pour chaque film, on donne entre parenthèses : le titre original s'il est différent du titre français, le nom du réalisateur, l'année de réalisation. On indique ensuite successivement : les pages auxquelles le film est cité ; puis, en italique, les pages des illustrations éventuelles ; enfin, en gras, les numéros des ouvrages de notre bibliographie finale dans lesquels ce film est éventuellement analysé.

2001, l'Odyssée de l'espace (Stanley Kubrick, 1968) : 68, 79, 210 ; *210*; **1, 26**.
Deux ou trois choses que je sais d'elle (Jean-Luc Godard, 1966) : 60, 86, 201 ; **30**.

E

Éden et après (L') (Alain Robbe-Grillet, 1971) : 53 ; **17, 29**.
Élisa mon amour (Élisa, Vida mia, Carlos Saura, 1977) : 46-49, 77 ; *47-48 ;* **69**.
En quatrième vitesse (Kiss Me Deadly, Robert Aldrich, 1955) : 97.
Espoir (L') ou Sierra de Teruel (André Malraux, 1939-1945) : 181.
Évangile selon Saint-Matthieu (L') (Pier-Paolo Pasolini, 1964) : 13.

F

Fantôme de la liberté (Le) (Luis Buñuel, 1974) : 13.
Faust (Friedrich W. Murnau, 1926) : 41, 61, 123-124, 145, 204 ; *61* ; **43**.
Femme à abattre (La) (The Enforcer, Bretaigne Windust et Raoul Walsh, 1951) :
182 ; **55**.
Fièvre sur Anatahan (The Saga of Anatahan, Joseph von Sternberg, 1953) : 149.
Film (Samuel Beckett et Alan Schneider, 1965) : 114-115 ; **68**.
Fleur d'équinoxe (Higanbana, Yasujiro Ozu, 1958) : 55.
Fraises sauvages (Les) (Ingmar Bergman, 1957) : 36.
France Tour Détour Deux Enfants (Jean-Luc Godard et Anne-Marie Miéville, 1978) :
157-158 ; **38**.
Furie (Fritz Lang, 1936) : 86 ; **16, 55**.

G

Genou de Claire (Le) (Eric Rohmer, 1970) : 157.
Gertrud (Carl-T. Dreyer, 1964) : 40 ; **9**.
Gigi (Vincente Minnelli, 1958) : 51-53, 76-77 ; **54**.
Gilda (Charles Vidor, 1946) : 182.
Glissements progressifs du plaisir (Alain Robbe-Grillet, 1974) : 41.
Grande Illusion (La) (Jean Renoir, 1938) : 92, 189.
Grand Sommeil (Le) (Howard Hawks, 1946) : 36, 78, 172 ; **53-54-55**.
Griffe et la Dent (La) (Gérard Vienne et François Bel, 1975) : 153.

H

Hallelujah (King Vidor, 1929) : 154.
Hiroshima mon amour (Alain Resnais, 1959) : 36, 40, 42, 92, 151 ; **42**.
Homme à la caméra (L') (Tchéloviek s kino-apparatom, Dziga Vertov, 1929) : 40, 118,
125-130 ; *127-128-129*; **40, 61, 63**.
Homme à la croix (L') Roberto Rossellini, 1943) : 199.
Homme qui ment (L') (Alain Robbe-Grillet, 1968) : 154, 155 ; **17, 28-29, 67**.
Hôtel du Nord (Marcel Carné, 1938)) : 81, 84 ; **53**.

I

Immortelle (L') (Alain Robbe-Grillet, 1963) : 153 ; **17, 29**.
Inconnu du Nord Express (L') (Strangers On A Train, Alfred Hitchcock, 1951) : 27.
India Song (Marguerite Duras, 1974) : 36, 203 ; **44, 66**.
Ivan le Terrible (Serge M. Eisenstein, 1943-1946) : 80, 83, 86, 151, 203 ; **5, 49, 57**.

J

Jeu avec le feu (Le) (Alain Robbe-Grillet, 1975) : 153.
Jour se lève (Le) (Marcel Carné, 1939) : 22-25, 182, 189 ; *23-24*; **51**.

K

Kermesse héroïque (La) (Jacques Feyder, 1934) : 119.

R

S

T

U

V

Y

Z

TABLE DES MATIÈRES

Crédit photographique :

AVANT-SCÈNE-CINÉMA : 127-129, 166, 184 h, 185 h. – CINÉMATHÈQUE UNIVERSITAIRE : 15-17, 23-24, 47-48, 58-59, 61, 82-83, 109-110, 132, 134, 137-138, 146, 168-169, 178, 187. EDIMEDIA : 141 bd. – GUY JUNGBLUT : 184 b, 185 b. – JEAN-LOUIS LEUTRAT : 141 h, 142-143, 144. – GÉRARD VAUGEOIS : 75-76, 175-176, 198, 209-210.
COUVERTURE : *Persona*, de Bergman, Collection Cahiers du cinéma.
© ADAGP 1988 : 122.

Nous remercions pour leur amicale collaboration à la recherche des documents photographiques : Claude Beylie, Jim Damour, Philippe Dubois, Sylvie Pliskin et Catherine Schapira.
Nous remercions également les éditeurs et les revues concernés de nous avoir aimablement autorisés à reproduire les tableaux et schémas figurant dans ce livre.

11004274 - (II) - (1,2) - OSB 80° - BTT
Imprimé en France par EMD S.A.S. - 53110 Lassay-les-Châteaux
N° d' imprimeur : 15816 - Dépôt légal : août 2006